CLÁSSICOS DA POLÍTICA
PLATÃO
A REPÚBLICA

CLÁSSICOS DA
POLÍTICA

DIÇÃO

LATÃO
REPÚBLICA

DUÇÃO DE
NEL VALLANDRO

Título original: *La République*

Direitos de edição da obra em língua portuguesa no Brasil adquiridos pela EDITORA NOVA FRONTEIRA PARTICIPAÇÕES S.A. Todos os direitos reservados. Nenhuma parte desta obra pode ser apropriada e estocada em sistema de banco de dados ou processo similar, em qualquer forma ou meio, seja eletrônico, de fotocópia, gravação etc., sem a permissão do detentor do copirraite.

EDITORA NOVA FRONTEIRA PARTICIPAÇÕES S.A.
Rua Candelária, 60 — 7º andar — Centro — 20091-020
Rio de Janeiro — RJ — Brasil
Tel.: (21) 3882-8200

Dados Internacionais de Catalogação na Publicação (CIP)
(Câmara Brasileira do Livro, SP, Brasil)

Platão
A República / Platão ; tradução Leonel Vallandro. -- 6. ed. -- Rio de Janeiro : Nova Fronteira, 2020.

Título original: La République
ISBN 978-65-56401-29-4

1. Filosofia antiga 2. Literatura grega 3. Platão 4. Política - Filosofia I. Vallandro, Leonel. II. Título.

20-47998   CDD-184

Índices para catálogo sistemático:

1. Filosofia platônica 184
2. Platão : Obras filosóficas 184

Aline Graziele Benitez - Bibliotecária - CRB-1/3129

Sumário

7   Apresentação

9   Livro I
51   Livro II
91   Livro III
139   Livro IV
178   Livro V
225   Livro VI
264   Livro VII
303   Livro VIII
343   Livro IX
376   Livro X

412   Notas

Apresentação

Platão é um dos marcos fundamentais da busca de soluções para os problemas humanos. A cultura ocidental está profundamente impregnada da sua presença na evolução do pensamento filosófico. Apesar de toda a poesia e do simbolismo que o estilo de Platão apresenta, *A República* permanece uma lúcida tentativa de sistematizar o fenômeno político.

O problema central de que parte a obra é o da justiça. E deste tema, Platão passa para o da estrutura de um Estado bem-constituído. A pergunta "Qual a essência da justiça?" vai sendo respondida no diálogo, à medida que seus participantes vão traçando, com objetividade, a forma como ela se configura na sociedade. Por fim, o problema se reduz em uma especulação de como recrutar e instruir os chefes ou guardiães da cidade, que têm por tarefa moderar, coordenar, harmonizar.

Platão aspira, assim, a um Estado ideal, baseado no conceito de justiça. Entre os homens, é preciso escolher os guardiães que sairão, naturalmente, dos guerreiros, classe já selecionada e preparada. A educação dos guerreiros deve estar subordinada à ginástica e à música para que se fortaleçam, não em uma força animalesca, mas em virtudes de sabedoria, temperança do comando irascível e harmonia interior.

Mas os chefes ainda precisam de uma educação mais especial. A unidade constitui-se na primeira virtude. Platão propõe, para atingi-la, uma vivência comunitária, na qual se praticasse um treinamento físico e moral para ambos os sexos e uma educação científica e política ministrada pelos filósofos aos futuros chefes. Os filósofos, possuídos pelo amor à verdade, pelo gosto da pesquisa, pela faculdade de bem discernir, são os que sabem situar as coisas num conjunto ordenado.

Há em *A República* uma distinção de Estados, que Platão observa na realidade, em contraste com seu Estado ideal. Faz o levantamento de seis formas: a ideal, ou perfeita, e cinco imperfeitas — o regime de

Creta e Lacedemônia, a aristocracia, a oligarquia, a democracia e a tirania. As formas imperfeitas vão-se sucedendo continuamente por um processo de corrupção que lhes é implícito. Aqui se delineia a ideia de uma evolução necessária nas formas de governo, tema que, após Platão, foi retomado por vários filósofos até chegarmos à ciência política moderna.

A República termina por uma evasão nos caminhos poéticos da metempsicose. Mas o que realmente continua valioso em Platão, além de sua arte poética, é o espírito político de exame e proposição de soluções, isto é, a sondagem do político como agente na transformação e superação dos problemas da sociedade.

Livro I

Encontro de Sócrates e Gláucon com Polemarco na festa de Bêndis

Fui ontem ao Pireu com Gláucon, o filho de Aríston, para oferecer minhas preces à deusa[1] e desejoso, ao mesmo tempo, de ver como celebravam a festa, pois o faziam pela primeira vez. Fiquei encantado com a procissão dos habitantes, mas a dos trácios não era menos bela. Depois de orar e apreciar o espetáculo, nos dispúnhamos a voltar para a cidade quando Polemarco, o filho de Céfalo, avistando-nos de longe, mandou seu escravo correr em nosso encalço para nos pedir que o esperássemos. O escravo agarrou-me o manto por trás e disse:

— Polemarco pede que espereis.

Voltei-me então e perguntei-lhe onde estava seu amo.

— Já vem ter convosco — respondeu o rapaz. — Aguardai um pouco.

— Bem, esperaremos — disse Gláucon. E, com efeito, dentro de poucos instantes apareceu Polemarco, trazendo consigo Adimanto, o irmão de Gláucon, Nicerato, o filho de Nícias, e outros que tinham estado na procissão.

Disse-me Polemarco:

— Vejo, Sócrates, que tu e teu companheiro já ides de volta à cidade.

— Não te enganas — respondi.

— Estás vendo quantos somos? — tornou ele.

— Como não?

— E sereis mais forte do que todos estes juntos? Porque, do contrário, tereis de ficar aqui.

— Não haverá outra saída, isto é, a de vos persuadirmos a nos deixar ir? — disse eu.

— Mas podereis persuadir-nos se não vos quisermos ouvir?

— Certamente que não — retorquiu Gláucon.
— Pois fazei de conta que não queremos ouvir.

A corrida equestre com archotes

E Adimanto ajuntou:
— Não sabeis, então, que ao anoitecer haverá uma corrida a cavalo com archotes, em honra da deusa?
— A cavalo! — disse eu. — Isto é uma novidade. Os cavaleiros levarão archotes e os passarão uns aos outros durante a corrida, ou como será?
— Isso mesmo — respondeu Polemarco. — E não só isso, mas também celebrarão uma festa noturna que será digna de ver. Após levantarmo-nos da ceia iremos assistir ao festival; lá encontraremos muita gente moça e conversaremos com ela. Ficai, pois, não sejais obstinados.
E Gláucon:
— Vejo que teremos de ficar.
— Pois, se assim parece — disse eu —, fiquemos.

A reunião de amigos em casa de Céfalo

Fomos, portanto, à casa de Polemarco, onde encontramos seus irmãos Lísias e Eutidemo, e com eles Trasímaco, o calcedônio, Carmântides, o peânio, e Clitofonte, o filho de Aristônimo. Também lá estava Céfalo, o pai de Polemarco, que eu não via há muito tempo e que me pareceu muito envelhecido. Acomodara-se num assento com almofada e tinha uma coroa na cabeça, pois acabava de fazer um sacrifício no pátio. Como havia outros tamboretes em derredor, sentamo-nos para palestrar com ele. Assim que me viu, Céfalo me saudou e disse:
— Ó Sócrates, como é raro apareceres aqui em nossa casa! Se eu ainda pudesse ir ver-te, não pediria que viesses tu. Mas na minha idade é-me difícil ir à cidade, e portanto és tu que deverias vir com mais frequência ao Pireu. Hás de saber, com efeito, que quanto mais

amortecidos ficam os prazeres do corpo mais crescem o deleite e o encanto da conversação. Não negues, pois, o que te peço, mas visita-nos mais amiúde e faze companhia a estes moços; somos velhos amigos e esta é como se fosse tua casa.

A velhice não é culpada dos males que sofrem os velhos

— Na verdade, Céfalo — disse eu —, nada me agrada tanto como praticar com pessoas de idade; pois as considero como viajantes que percorreram um longo caminho, o qual eu talvez tenha de percorrer também. Por isso acho necessário informar-me com elas se a estrada é lisa e fácil ou áspera e cheia de dificuldades. E essa é a pergunta que gostaria de fazer a ti, que chegaste àquela idade que os poetas chamam "o limiar da velhice". Parece-te ela uma quadra infeliz da existência, ou como a qualificas?

— Dir-te-ei, por Zeus, como me parece, ó Sócrates. Os homens da minha idade reúnem-se muitas vezes; somos pássaros da mesma plumagem, como diz o velho provérbio; e nessas reuniões o tom geral da conversa é: não posso comer, não posso beber; lá se foram os prazeres da mocidade e do amor; outrora se vivia bem, mas isso já passou e a vida já não é vida. Alguns se queixam das desconsiderações que recebem dos próprios parentes e desfiam tristemente a cantilena de todos os males que a velhice lhes traz. Mas quer-me parecer, Sócrates, que essas pessoas culpam a quem realmente não é culpado. Porque, se a velhice fosse a causa, eu, que também sou velho, e todos os demais que o são soferíamos a mesma coisa. Mas tal não ocorre comigo, nem com outros a quem tenho conhecido. Bem me lembro de uma ocasião em que estava junto de Sófocles, o velho poeta, e alguém lhe perguntou: "Como vais, Sófocles, no que diz respeito ao amor? És ainda capaz de estar com uma mulher?" E ele

O excelente dito de Sófocles

respondeu: "Sossega, homem! Com a maior satisfação me livrei dele, como quem se livra de um déspota furioso e selvagem." Essas palavras me têm vindo muitas vezes à lembrança e ainda hoje me parecem tão boas como quando as ouvi pronunciar. Pois é certo que a velhice traz consigo uma grande paz e liberdade; quando se embota o acicate das paixões, sucede exatamente o que dizia Sófocles: libertamo-nos não apenas de um tirano, mas de muitos. A verdade, Sócrates, é que essas queixas, bem como as que são feitas contra os parentes, devem ser atribuídas à mesma causa; e esta não é a velhice, e sim o caráter dos homens; pois aquele que tem um natural tranquilo e bem-humorado não sentirá o peso dos anos, e ao que não é assim não só a velhice, mas a própria juventude, é pesada.

Reconhece-se que os velhos, para estar contentes, devem ter seu quinhão de bens materiais; nem só a virtude nem só a riqueza podem tornar feliz um velho

Admirado com o que ouvia, quis fazer com que continuasse falando e o estimulei com estas palavras:

— Sim, Céfalo, mas suspeito que a generalidade das pessoas não se deixe convencer quando falas assim. Acharão que suportas facilmente a velhice, não pelo teu caráter, mas por seres rico; pois dizem que a fortuna é uma grande consoladora.

— Tens razão — volveu ele. — Não se convencem. E há algo de verdade no que dizem; não, porém, tanto quanto pensam. Eu poderia responder-lhes como respondeu Temístocles a um cidadão de Sérifo que o injuriava, dizendo que ele era famoso não pelos seus méritos, mas por ser ateniense: "Se fosses da minha terra e eu da tua, nem tu nem eu seríamos famosos." Aos que não são ricos e se queixam da velhice pode-se aplicar o mesmo raciocínio: se para o homem pobre de boa índole a velhice não pode ser um fardo leve, tampouco pode o insensato, ainda sendo rico, estar satisfeito com ela.

— Posso saber, Céfalo, se a maior parte de tua fortuna foi herdada ou adquirida por ti?

Céfalo herdou sua fortuna e não a acumulou; é indiferente, por isso, ao dinheiro

— O que adquiri, Sócrates? — tornou ele. — Vou dizer-te: em assunto de negócios ocupo uma posição intermediária entre meu avô e meu pai; pois meu avô, que tinha o mesmo nome que eu, após herdar uma fortuna mais ou menos igual à que possuo hoje, multiplicou-a várias vezes, enquanto meu pai, Lisânias, a reduziu a menos do que é agora. Quanto a mim, contento-me em não deixá-la diminuída a meus filhos que aqui estão, mas um pouco maior do que a recebi.

— Fiz-te essa pergunta — disse eu — porque vejo que não tens excessivo amor às riquezas, e isso acontece geralmente aos que não as adquiriram por si mesmos, enquanto os outros se apegam duplamente a elas, com um amor semelhante ao dos poetas pelos seus poemas e ao dos pais pelos seus filhos, além do amor natural que lhes têm, como toda a gente, pelo proveito que lhes trazem. E são homens de trato difícil porque não querem falar de outra coisa senão do dinheiro.

— Dizes bem — concordou ele.

— Sim, é verdade; mas posso fazer outra pergunta? Qual é, no teu modo de ver, a maior vantagem que tiras de tua grande fortuna?

As vantagens da riqueza

— É alguma coisa — disse ele — de que não espero convencer facilmente os outros. Porque hás de saber, Sócrates, que quando um homem se julga próximo da morte, entram-lhe no espírito temores e preocupações que nunca experimentou antes. As fábulas que se contam a respeito do Hades e do castigo que nos espera pelas culpas que tivemos aqui eram antes matéria de riso, mas agora começa a atormentá-lo o pensamento de que talvez sejam verdadeiras; e, quer seja pela fraqueza da idade, quer por estar mais próximo do mundo de além, tem uma visão mais clara dessas coisas. Enche-se de suspeitas e receios e começa a repassar no espírito os males que terá feito a outros. E quando se convence de que a soma de

O medo da morte e a consciência do pecado tornam-se mais vívidos na velhice; e a riqueza liberta um homem de muitas tentações

seus pecados é grande, desperta muitas vezes do sono cheio de pavor, como as crianças, e vive entre negras apreensões. Mas ao que não tem consciência de nenhuma injustiça acompanha constantemente uma grata esperança, benéfica "nutriz da velhice", segundo a frase de Píndaro; pois em garbosos acentos disse ele:

A esperança acalenta a alma do que vive em justiça e santidade e é-lhe nutriz da velhice e companheira de jornada; a esperança, que rege soberana a alma inquieta dos mortais

Como são admiráveis essas palavras! E o grande valor das riquezas, não digo já para todos, mas para o homem justo e clemente, está em ajudá-lo em grau considerável a não enganar nem mentir, quer intencionalmente, quer por omissão; e quando parte para o outro mundo não leva apreensões por estar em dívida de sacrifícios para com algum deus ou de dinheiro para com algum homem. Tem a fortuna muitos outros proveitos; mas, tudo bem pesado, Sócrates, estou em que para o homem sensato o que acabo de dizer é o maior.

— Muito bem, Céfalo! — respondi. — Mas no que tange a essa justiça de que falamos, que vem a ser ela? Dizer a verdade e pagar as dívidas, nada mais? E mesmo aí não haverá exceções? Suponhamos que um amigo, em seu juízo perfeito, me tenha confiado algumas armas, mas venha reclamar quando estiver doido: deverei devolver-lhas? Ninguém diria tal, nem que eu agisse bem em fazê-lo, como tampouco julgariam que fosse meu dever falar sempre a verdade a uma pessoa em semelhante estado.

— Tens toda a razão — afirmou ele.

— Nesse caso, a justiça não se limita a falar a verdade e a devolver o que recebemos.

Qual era a intenção de Simônides ao dizer que a justiça consiste em falar a verdade e em pagar as dívidas?

— Mas sem dúvida é assim, Sócrates, se havemos de dar crédito a Simônides — atalhou Polemarco.

— Bem — disse Céfalo —, deixo em vossas mãos a discussão, pois tenho de atender aos sacrifícios.

— Acaso não sou teu herdeiro? — perguntou Polemarco.

— Pois claro — retrucou ele, rindo, e afastou-se para ir sacrificar.

— Dize-me pois, ó herdeiro da discussão, que foi isso que afirmou Simônides, no teu parecer acertadamente, a respeito da justiça?

— Que é justo dar a cada um o que se lhe deve; e ao falar assim parece-me que tem razão.

— Longe de mim duvidar da palavra de homem tão sábio e tão inspirado — disse eu —, mas quanto ao que ele quer dizer com isso, talvez tu, Polemarco, o saibas; eu, porém, o ignoro. Porque certamente não se refere àquilo de que falávamos há pouco, isto é, a devolver a alguém o depósito feito quando esse alguém não está no seu juízo perfeito. E contudo não se pode negar que um depósito seja uma dívida.

— É verdade.

— Então quando a pessoa que me pede a devolução não está em seu juízo perfeito, não devo de modo algum devolver?

— Certamente que não.

— Quando Simônides disse que o pagamento de uma dívida era justiça, não pretendia incluir esse caso?

— Muito ao contrário, por Zeus! Pois sua ideia é que os amigos devem fazer o bem a seus amigos, e nunca o mal.

— Queres dizer que não paga o que deve aquele que devolve um depósito de ouro a um amigo, quando essa devolução lhe seria prejudicial? É esse, na tua opinião, o pensamento de Simônides?

— Sim.

— E aos inimigos também temos de devolver o que lhes devemos?

— Sem dúvida — respondeu ele —, o que se lhes deve. E um inimigo, acho eu, deve a um inimigo o que é apropriado: algum mal.

Talvez quisesse dizer que a justiça é fazer bem aos amigos e mal aos inimigos

— Assim, ao que parece — disse eu —, Simônides envolveu poeticamente num enigma o que entendia por justiça, pois na realidade queria dizer que o justo era dar a cada um o que lhe é apropriado; e a isso chamou dívida.

— E que outra coisa poderias pensar? — volveu ele. — Por Zeus! — exclamei. — Se lhe tivessem perguntado qual é a coisa devida e apropriada que a medicina dá, e a quem a dá, que julgas que nos teria respondido?

— Responderia, sem dúvida, que a medicina dá remédios, alimentos e bebida aos corpos humanos.

— E qual é a coisa devida e apropriada que dá a culinária, e a quem a dá?

— Condimento aos manjares.

— E a arte a que chamamos justiça, que dá ela, e a quem o dá?

— Se nos guiarmos, Sócrates, pela analogia dos exemplos anteriores, a justiça deve dar o bem aos amigos e o mal aos inimigos.

— Era esse então o sentido de suas palavras?

— Creio que sim.

— E quem é mais capaz de fazer bem aos amigos e mal aos inimigos quando estão doentes?

— O médico.

— E aos navegantes, quando arrostam os perigos do mar?

— O piloto.

— E que diremos do homem justo? Em que espécie de ações e para que efeito tem ele maior capacidade de favorecer os amigos e causar danos aos inimigos?

Exemplos

— Em fazer-lhes guerra ou combater ao seu lado, creio eu.

— Mas quando um homem goza de saúde, meu caro Polemarco, não há necessidade de médico?

— Não.
— E aquele que não viaja não precisa de piloto?
— Não.
— Portanto, em tempo de paz a justiça seria inútil?
— Estou longe de concordar com isto.
— Pensas que a justiça pode prestar serviços tanto na paz como na guerra?
— Sim.
— Como a agricultura, para a obtenção de frutos?
— Sim.
— Ou como a arte do sapateiro, para a aquisição de calçados: é isto o que queres dizer?
— Certamente.

A justiça é útil nos contratos, especialmente na boa guarda dos depósitos

— Ora muito bem: para proveito e obtenção de que dirás que é útil a justiça em tempo de paz?
— Para os contratos, Sócrates!
— Por contratos entendes sociedades, ou que outra coisa?
— Sociedades, precisamente.
— Mas quem é o melhor parceiro num jogo de damas: o homem justo ou o bom jogador?
— O bom jogador.
— E para a colocação de tijolos e pedras, o homem justo será melhor sócio do que o pedreiro?
— Bem ao contrário.
— Então em que espécie de sociedade o homem justo é melhor sócio do que o citarista, uma vez que para tocar cítara este é melhor sócio do que o homem justo?
— Creio que em assuntos de dinheiro.

— Com exceção, talvez, ó Polemarco, do uso do dinheiro quando se trata de comprar ou vender um cavalo, pois nesse caso penso que será preferível um homem entendido em cavalos. Não é assim?
— Sim, parece.
— E quando queres comprar um navio, o armador ou o piloto será melhor?
— É verdade.
— Então, qual é o uso em comum da prata ou do ouro em que o homem justo deve ser preferido?
— Quando se quer que um depósito seja bem guardado.
— Queres dizer: quando não precisamos do dinheiro e convém deixá-lo quieto?
— Precisamente.
— Portanto, a justiça é útil quando o dinheiro é inútil?
— É o que se conclui.

Não, porém, no uso do dinheiro; portanto, a justiça é útil quando o dinheiro ou qualquer outra coisa é inútil

— E quando se trata de guardar uma podadeira, a justiça é útil ao indivíduo e à sociedade; mas, quando queremos servir-nos dela, o que vale é a arte da viticultura?
— Está claro.
— E quando queres guardar um escudo ou uma lira, dirás que a justiça é útil; mas quando queres usá-los, é a arte do soldado ou do músico?
— Certamente.
— E assim com todas as outras coisas: a justiça é útil quando elas são inúteis, e inútil quando são úteis?
— Assim parece.
— Então a justiça não tem grande préstimo. Mas vejamos esta outra coisa: o mais destro em dar golpes numa luta, seja ela o pugilato, seja outra qualquer, não o é também em defender-se?

— Sem dúvida.
— E o mais hábil em prevenir uma doença ou em escapar-lhe não será também o mais capaz de inoculá-la secretamente?

Um novo ponto de vista: o mais capaz de fazer bem não será também o mais capaz de fazer mal?

— É verdade.
— E ainda mais: o melhor guarda de um acampamento não será aquele que é mais capaz de roubar os planos do inimigo?
— Decerto.
— Então aquele que é bom guarda de alguma coisa é também um bom ladrão?
— Assim parece.
— Portanto, se o justo é hábil em guardar dinheiro, é também hábil em roubá-lo.
— Pelo menos é o que mostra este argumento — disse ele.
— Parece, pois, que o justo acabou convertendo-se em ladrão. E esta é uma lição que deves ter aprendido de Homero, pois ao falar de Autólico, o avô materno de Ulisses e um de seus personagens favoritos, diz que ele "se distinguia entre todos os homens pelo furto e pelo perjúrio". Assim, tu, Homero e Simônides estais de acordo em que a justiça é uma arte de furtar em proveito dos amigos e para dano dos inimigos. Não era isso o que querias dizer?
— Não, por Zeus! — respondeu Polemarco —, se bem que eu próprio já não sei o que disse. Mas ainda sustento esta última parte.
— E quando falas de amigos e inimigos, referes-te aos que o são realmente ou apenas em aparência?
— É natural — disse ele — que cada um queira bem aos que considera bons e deteste os que lhe parecem maus.
— Sim, mas acaso as pessoas não se enganam muitas vezes sobre o bem e o mal, tomando por bom o que não é e vice-versa?
— É verdade.
— Para esses, então, os bons serão inimigos e os maus, amigos?
— Por certo.

— Nesse caso será justo, para eles, favorecer os maus e fazer mal aos bons?
— Assim parece.
— E contudo os bons são justos e incapazes de faltar à justiça?
— De fato, são.

Quem são os verdadeiros amigos e inimigos?

— Portanto, segundo a tua asserção, é justo fazer mal aos que não cometeram injustiça.
— De modo algum, Sócrates — respondeu ele. — Isso me parece imoral.
— Suponho, então, que devamos fazer bem aos justos e prejudicar os injustos? — disse eu.
— Isso, sim, acho melhor.

Por vezes nos enganamos

— Mas vê a consequência: muitos, que desconhecem a natureza humana, têm amigos maus a quem deveriam prejudicar e, por outro lado, inimigos bons a quem cumpriria favorecer; mas, a ser assim, estaremos afirmando justamente o contrário do que, segundo supúnhamos, queria dizer Simônides.
— É bem verdade — disse ele —, mas acho que deveríamos corrigir um erro em que caímos ao empregar as palavras "amigo" e "inimigo".
— Qual foi esse erro, Polemarco? — perguntei.

A definição é corrigida

— O de que é amigo aquele que parece bom.
— E como vamos corrigir o erro?
— Deveríamos antes dizer que é amigo aquele que é realmente bom, além de parecê-lo; e o que só parece mas não é, é amigo apenas

em aparência e não em realidade; e o mesmo raciocínio pode ser aplicado aos inimigos.
— De acordo com essas assertivas, os bons serão nossos amigos e os maus, nossos inimigos?
— Sim.

O amigo é aquele que "é" além de "parecer" bom

— E em vez de dizermos simplesmente, como no princípio, que é justo fazer bem aos nossos amigos e mal aos nossos inimigos, deveríamos precisar melhor, dizendo: é justo fazer bem aos nossos amigos quando são bons e mal aos nossos inimigos quando são maus?
— Sim, isso me parece acertado.
— Mas será próprio do homem justo fazer mal a quem quer que seja?
— Pois, sem dúvida — retrucou ele —, aos perversos e malvados deve-se fazer mal.
— Quando causamos dano aos cavalos, tornam-se eles melhores ou piores?
— Piores.
— Piores, queres dizer, nas boas qualidades dos cavalos, e não dos cães?
— Sim, dos cavalos.
— E os cães são deteriorados nas boas qualidades dos cães, e não dos cavalos?
— Decerto.

A justiça não pode produzir injustiça; exemplos

— E os homens, ao serem prejudicados, não se tornarão piores no que toca à virtude humana?
— Sem dúvida.
— E essa virtude humana não é a justiça?
— É.
— Necessário é, pois, meu caro, que os homens a quem prejudicamos se tornem injustos.

— Indubitavelmente.
— Mas os músicos com a sua arte não podem tornar os homens ignorantes da música?
— Impossível.
— Nem o mestre de equitação pode fazer maus cavaleiros?
— Também não.
— Nem tampouco o justo, com a justiça, pode tornar alguém injusto; ou, falando de um modo mais geral, os bons não podem tornar ninguém mau com a virtude?
— Certamente que não.
— Assim como o calor não pode produzir o frio?
— Não pode, com efeito.
— Nem a secura produzir umidade?
— Assim é.
— Nem o bom pode fazer dano a quem quer que seja?
— Impossível.
— E o justo é o bom?
— Por certo.
— Logo, não é obra própria do justo o causar dano a um amigo ou a qualquer outro, e sim do seu contrário, o injusto.
— Parece-me absolutamente verdadeiro o que dizes, Sócrates.
— Portanto, se alguém afirma que a justiça consiste em dar a cada um o que lhe é devido, entendendo com isso que o que se deve aos amigos é o bem e aos inimigos, o mal, não foi sábio quem tal disse, pois não é verdade se, como demonstramos claramente, o dano causado a outrem não pode ser justo em caso algum.
— Concordo contigo — disse Polemarco.
— Então estamos prontos, tu e eu, a tomar armas contra quem quer que atribua um dito semelhante a Simônides, a Bias, a Pítaco ou a qualquer outro desses sábios e santos varões?
— Pela parte que me toca — disse ele — estou disposto a combater a teu lado.
— Queres que te diga de quem julgo ser esse dito? — De quem?
— Creio que de Periandro, de Perdicas, de Xerxes, de Ismênias, o tebano, ou de algum outro homem opulento e poderoso que fazia alta

opinião do seu poder e foi o primeiro a afirmar que a justiça é "fazer o bem aos amigos e mal aos inimigos".

— É a pura verdade — volveu Polemarco.

— Muito bem — disse eu. — Mas, se esta definição da justiça falhou, que outra definição poderemos dar-lhe?

Por várias vezes no curso da discussão Trasímaco havia tentado intervir nela, mas fora impedido pelos outros, desejosos de ouvi-la até o fim. Quando, porém, Polemarco e eu acabamos de falar e fizemos uma pausa, ele já não pôde conter-se; levantou-se e, agachado como uma fera, arremeteu para nós como se quisesse fazer-nos em pedaços. Tanto Polemarco como eu ficamos tolhidos de medo; e ele, prorrompendo aos gritos no meio de todos ali reunidos:

A brutalidade de Trasímaco

— Que espécie de palavrório é esse a que vos entregais, ó Sócrates? E por que fazeis vênias um ao outro como dois imbecis? Se queres mesmo saber o que é a justiça, não te limites a perguntar e a refutar com ar de superioridade tudo quanto te respondem, mas deves ter tu mesmo uma resposta; pois é mais fácil perguntar do que responder. E não me venhas dizer que o justo é o necessário, o útil, o vantajoso, o proveitoso ou o conveniente, porque não me contento com essas parvoíces. Quero clareza e precisão!

Fiquei estupefato ao ouvi-lo e não podia olhá-lo sem tremer. Creio, mesmo, que se não lhe tivesse dirigido o olhar antes que o fizesse a mim teria ficado sem fala.[2] Mas acontece que, ao ver crescer a sua fúria, fora eu o primeiro a olhar para ele: e assim pude responder-lhe, não sem um certo nervosismo:

— Ó Trasímaco, não sejas duro conosco. Se Polemarco e eu nos extraviamos um pouco no exame do assunto, asseguro-te que isso não foi intencional. Se estivéssemos procurando uma moeda de ouro, bem sabes que não nos poríamos a "fazer vênias um ao outro", perdendo assim a ocasião de encontrá-la. E por que, quando investigamos a justiça, uma coisa mais preciosa do que muitas moedas de ouro, haveríamos, nesciamente, de fazer concessões mútuas em vez de nos empenharmos com todas as nossas forças em descobrir a verdade? Não, meu amigo: estamos ansiosos por fazê-lo; mas o fato é que não podemos. Assim, é muito mais razoável que vós, os entendidos, vos compadeçais de nós em lugar de vos irritardes.

— Ó Hércules! — tornou ele com um riso sarcástico. — Esta é bem de Sócrates, a sua ironia costumeira! Não vos tinha dito que tudo que lhe perguntassem ele se recusaria a responder, valendo-se da ironia ou de qualquer outro subterfúgio para evitar a resposta?

Trasímaco é atacado com suas próprias armas

— És um filósofo, Trasímaco — repliquei eu —, e bem sabes que se perguntasses a alguém quantos são 12, proibindo-o ao mesmo tempo de responder duas vezes seis, ou três vezes quatro, ou quatro vezes três, ou seis vezes dois, "porque não te contentas com essas parvoíces"... evidentemente ninguém poderia responder a uma pergunta formulada de tal maneira. Mas suponhamos que essa pessoa te retrucasse assim: "Que queres dizer, Trasímaco? Se um desses números que tu proíbes for a resposta verdadeira, deverei então dar uma resposta falsa indicando algum outro número que não satisfaça as condições?" Que responderias a isso?

— Como se os dois casos fossem idênticos! — disse ele.

— Por que não haviam de ser? Mas ainda que não o sejam e só assim pareçam ao interrogado, não deve ele dizer o que pensa, quer nós o proibamos de fazê-lo, quer não?

— Suponho, então, que pretendas me dar uma das respostas vedadas.

— Não seria estranho que o fizesse, apesar do perigo, se me parece boa depois de examiná-la.

— E se eu te desse uma resposta sobre a justiça, diferente de todas essas e melhor do que elas? Que merecias que te fizessem?

— Que havia de ser, senão aquilo que convém ao ignorante, isto é, aprender com os que sabem? Essa é a pena de que me considero digno.

— Como! E aprenderás sem pagar? Esta é boa!
— Decerto, pagarei quando tiver dinheiro — respondi.

O sofista exige pagamento pela instrução que der; o grupo se prontifica a contribuir

— Esse dinheiro tu o tens, Sócrates — disse Gláucon. — Não te preocupes, Trasímaco; todos nós faremos uma contribuição em favor dele.

— Bem vejo — tornou Trasímaco —, para que Sócrates proceda como de costume, recusando responder ele mesmo e tomando as respostas dos outros para reduzi-las a pó.

— Mas, meu caro amigo — disse eu —, como pode responder aquele que não sabe, e reconhece que não sabe nada; ou, mesmo julgando ter algumas ideias vagas, é proibido de enunciá-las por um homem de autoridade? O razoável é que fale alguém como tu, que afirmas saber e tens algo a dizer. Dá-me, pois, o gosto de responder, e não regateies teu ensino a Gláucon, que assim te fala, e aos demais.

Gláucon e seus companheiros fizeram coro comigo, solicitando a Trasímaco que não se fizesse rogar. E era evidente que ele estava ansioso por falar, crendo que possuía uma resposta irrefutável e certo de que faria figura brilhante. Mas a princípio fingiu disputar, insistindo em que eu respondesse. Por fim começou:

— Eis aí a sabedoria de Sócrates: recusa ensinar de sua parte, mas anda de cá para lá a aprender com os outros, sem dizer sequer muito obrigado.

— Que eu aprenda com os outros, é verdade — repliquei eu —, mas nego que seja ingrato. Como não tenho dinheiro, pago em louvores, que é tudo quanto possuo. E com que boa vontade o faço, vais sabê-lo dentro em pouco, quando tiveres respondido; pois julgo que falarás bem.

A definição de Trasímaco: a justiça é o interesse do mais forte, ou seja, do governante

— Ouvi-me então — disse ele. — Sustento que o justo outra coisa não é senão o interesse do mais forte. Por que não me louvas agora? Não hás de querê-lo, por certo.

— Hei de fazê-lo — respondi — quando chegar a entender o que dizes, mas por enquanto não entendo. Que significam as tuas palavras, Trasímaco? Sem dúvida não queres dizer que, pelo motivo de Polidamante, o campeão de luta, ser mais forte do que nós e de lhe fazer bem o alimentar-se com carne de vaca, esse regime é também justo e adequado para nós, que somos mais fracos?

— És detestável, Sócrates! Tomas as minhas palavras no sentido mais prejudicial ao argumento.

— De nenhum modo, meu nobre amigo — disse eu. — Estou apenas procurando compreendê-las; explica-te com mais clareza.

— Bem — tornou Trasímaco —, nunca ouviste dizer que as formas de governo diferem entre si; que há tiranias, aristocracias e democracias?

— Como não?

— E que o governo de cada cidade é o que nela detém a força?

— Certamente.

Sócrates obriga Trasímaco a explicar-se

— E, as diferentes formas de governo fazem leis democráticas, aristocráticas ou tirânicas tendo em vista os seus respectivos interesses. E, ao estabelecer essas leis, mostram os que mandam que é justo para os governados o que a eles convém, e aos que delas se afastam castigam como violadores das leis e da justiça. É isso o que quero dizer quando afirmo que em todos os Estados rege o mesmo princípio de justiça: o interesse do governo. E, como devemos supor que o governo é quem tem o poder, a única conclusão razoável é que em toda parte só existe um princípio de justiça: o interesse do mais forte.

— Agora te entendi — disse eu —, quanto a ser verdade ou não, é o que vou tratar de descobrir. Mas deixa-me observar que ao definir a justiça usaste a palavra "interesse", uma daquelas que me tinhas proibido de usar. É verdade que acrescentas: "do mais forte".

— Um pequeno acréscimo, dirás.

— Pequeno ou grande, não vem agora ao caso. O que primeiro devemos fazer é averiguar se o que dizes é verdadeiro. Ambos concordamos que a justiça é uma espécie de interesse, mas tu acrescentas "interesse do mais forte". Pois é justamente disso que não estou convencido; será, pois, necessário examinarmos melhor este ponto.

— Examina, então!

— É o que vou fazer. Mas primeiro dize-me: admites ser justo que os governados obedeçam aos governantes?

— Afirmo-o.

— Mas os governantes dos Estados são absolutamente infalíveis, ou estão sujeitos a errar por vezes?

— Por certo, estão muito sujeitos a errar — disse ele.

— Então, ao fazer as suas leis, podem às vezes fazê-las bem e outras vezes mal?

— É verdade.

— Quando as fazem bem, são consentâneas com o seu interesse; e quando as fazem mal, são contrárias a eles. É assim que entendes a coisa?

— Assim mesmo.

A justiça que comete um erro contraria o interesse do mais forte

— Mas o que eles preceituam deve ser feito pelos governados, e isso é que é a justiça?

— Sem dúvida.

— Portanto, de acordo com o teu argumento, não só é justo fazer o que convém ao mais forte, mas também o seu contrário, isto é, o que não convém.

— Que estás dizendo? — perguntou ele.

— O mesmo que tu, segundo creio. Mas consideremos melhor: não conviemos em que os governantes podem equivocar-se quanto ao seu próprio interesse naquilo que ordenam, e também em que é justo obedecer-lhes? Não ficamos de acordo nesse ponto?

— Penso que ficamos.

— Então, reconheceste também que é justo fazer o que não convém aos governantes e detentores da força, uma vez que eles, sem o querer, podem ordenar coisas contrárias aos seus próprios interesses. Pois se, como dizes, a justiça é a obediência prestada às ordens dos governantes, então, ó homem sapientíssimo, como fugir à conclusão de que se ordena aos fracos fazer, não o que é de interesse dos mais fortes, mas o que os prejudica?

— Sim, por Zeus, nada pode ser mais claro! — disse Polemarco.

— Sem dúvida — interpôs Clitofonte. — Tu próprio és testemunha disso.

— Mas que necessidade há de testemunha — disse Polemarco —, quando o próprio Trasímaco confessa que os governantes podem às vezes ordenar o que é contrário aos seus interesses e que é justo que os governados lhes obedeçam?

— Sim, Polemarco, o fazer o que mandam os governantes, isso foi o que Trasímaco definiu como justo.

Clitofonte oferece uma saída a Trasímaco

— Sim, Clitofonte; mas também disse que a justiça é o interesse do mais forte e, ao mesmo tempo que admitia ambas essas proposições, reconheceu que o mais forte pode ordenar aos mais fracos, que são seus súditos, o fazerem aquilo que é contra o interesse dele; segue-se daí que o justo é tanto o que convém como o que não convém ao mais forte.

— Mas pelo interesse do mais forte — disse Clitofonte — queria ele dizer o que o mais forte supõe ser de seu interesse. Isso é o que os mais fracos devem fazer, e que ele afirma ser justo.

— Não foram essas as suas palavras — contraveio Polemarco.

— Não importa — disse eu. — Se agora Trasímaco disser que é assim, aceitaremos a sua afirmação. Dize-me, Trasímaco: entendias por justiça o que o mais forte julga ser de seu interesse, quer o seja realmente, quer não?

Trasímaco repudia o subterfúgio

— De modo algum — disse ele. — Pensas acaso que eu chame mais forte ao que erra, quando erra?

— Sim — disse eu —, minha impressão foi que assim pensasses, quando reconheceste que o governante não é infalível, mas pode enganar-se algumas vezes.

— És insidioso na argumentação, ó Sócrates! Porventura chamas médico ao que erra com relação aos seus doentes, precisamente quando erra?, ou o calculador que se engana num cálculo, na própria ocasião em que comete o erro, e com relação a esse erro? É verdade que costumamos dizer que o médico se enganou, ou o calculador equivocou-se, ou ainda o gramático; mas isso é apenas um modo de falar, pois o fato é que nem o gramático nem qualquer outro profissional cometem um erro enquanto é aquilo cujo título lhe damos; se errou, é porque lhe falhou a sua ciência e, portanto, deixou nesse caso de ser um profissional. Nenhum artista, ou sábio, ou governante erra quando é aquilo que o seu nome implica, embora se diga comumente que o médico, ou o governante, errou. Mas, para me exprimir com toda a exatidão, uma vez que és tão amigo dela, direi que o governante, enquanto governante, não pode errar; e, sendo infalível, sempre ordena o que é melhor para si mesmo. Portanto, como disse a princípio e agora torno a dizer, a justiça é o interesse do mais forte.

— Bem, Trasímaco — disse eu. — Crês realmente que haja insídia nas minhas palavras?

— Estou certo disso.

— E supões que eu faça essas perguntas com a intenção de prejudicar-te na discussão?

— Não suponho, sei que é assim. Mas nada conseguirás, porque saberei desmascarar-te, e pela mera força do argumento não me levarás a melhor.

— Não intentaria tal coisa, bendito homem — disse eu. — Mas, para evitar que esses desentendimentos tornem a ocorrer no futuro, gostaria de saber em que sentido falas do governante ou do mais forte, a cujo interesse, conforme dizias, por ser ele superior, é justo que obedeça ao mais fraco. Tu o entendes como um governante no sentido popular ou no sentido rigoroso da palavra?

— Entendo o que é governante no sentido mais estrito da palavra — retrucou ele. — Assanha-te e maquina contra isso, se podes; não te peço indulgência, mas estou certo de que não poderás fazê-lo.

— Tomas-me por tão louco que me atreva a tosquiar o leão e enganar Trasímaco?

— Pelo menos o tentaste ainda agora, mas fracassaste.

O sentido essencial das palavras é distinguido de seus atributos

— Basta de gentilezas — prossegui. — Mas dize-me: o médico, tomado no sentido estrito de que falas, é um curador de doentes ou um negociante? Lembra-te de que me refiro ao que é médico na realidade.

— Um curador de doentes — respondeu ele.

— E o piloto, isto é, o verdadeiro piloto, é um chefe de marinheiros ou um simples marinheiro?

— Um chefe de marinheiros.

— O fato de navegar num barco não deve ser levado em conta, nem se deve chamar-lhe marinheiro; não é por navegar que recebe o nome de piloto, mas pela sua arte e pela sua autoridade sobre os marinheiros.

— Perfeitamente — disse Trasímaco.

— E cada um deles tem suas próprias conveniências?

— Tem, sem dúvida.

— E a finalidade da arte — perguntei — não é precisamente essa: buscar e proporcionar a cada um o que lhe convém?
— Sim, essa é a sua finalidade.
— E acaso cada uma das artes tem outra conveniência que não a de ser a mais perfeita possível?
— Que queres dizer?
— O seguinte: se me perguntasses se o corpo é autossuficiente ou necessita de algo mais, eu responderia: "Por certo que sim; pois o corpo pode adoecer e necessitar de cura; tem, portanto, interesses a que atende a arte da medicina, e para isso foi ela criada." Não te parece que tenho razão em falar assim?
— Plena razão — respondeu ele.

A arte não tem imperfeições a corrigir e, portanto, nenhum interesse estranho

— Mas será a própria medicina imperfeita e, falando de um modo geral, será qualquer outra arte deficiente em alguma qualidade, assim como o olho pode ser deficiente quanto à visão e o ouvido quanto à audição, requerendo, por isso, o socorro de uma outra arte para atender aos interesses da visão e da audição? Acaso haverá na própria arte alguma espécie de imperfeição, e para cada arte se precisará de uma outra que examine o que lhe convém, e depois mais outra para a que examina, e assim por diante até o infinito? Ou é ela mesma que examina a sua conveniência? Ou quem sabe não necessita de si mesma nem de outra para examinar o que lhe convém? Não tendo defeitos nem imperfeições, não precisa corrigi-los por seus próprios meios nem por meios alheios, cumprindo-lhe tão somente buscar o que convém ao seu objeto. Pois cada arte permanece pura e incontaminada enquanto é verdadeira... ou, por outra, enquanto é exata e inteiramente o que é. Examina isto com o rigor que convencionamos e dize-me se é ou não assim.
— É o que me parece — respondeu.

Exemplos

— Então a medicina não considera o interesse da medicina, mas o do corpo?

— De fato.

— Nem a equitação o que convém a ela mesma, e sim aos cavalos; e, de um modo geral, nenhuma arte se ocupa com as suas necessidades, pois não as tem; ocupa-se apenas com o que convém ao seu objeto.

— Assim parece — disse ele.

— E as artes, ó Trasímaco, governam e dominam aquilo que constitui o seu objeto.

Ainda que a grande custo, conveio também nisto.

— Portanto, não há disciplina nenhuma que examine e ordene a conveniência do mais forte, mas sim a do ser inferior e governado por ela.

Fez uma tentativa de contestar também esta proposição, mas finalmente aquiesceu.

— Sendo assim — prosseguiu — nenhum médico, enquanto médico, considera o seu próprio bem no que prescreve, e sim o bem do doente; pois o verdadeiro médico é também um governante que tem por súdito o corpo humano... não é um simples negociante. Não foi nisso que conviemos?

Reconheceu que assim era.

— E do mesmo modo o piloto, no sentido rigoroso da palavra, é um chefe de marinheiros e não um simples marinheiro?

Admitiu isso também.

— Ora muito bem: o tal piloto e chefe não examina nem ordena o que convém a ele, piloto, e sim ao marinheiro que lhe está subordinado?

Concordou, ainda que de má vontade.

O desinteresse dos governantes

— E assim, Trasímaco — disse eu —, ninguém que tenha governo, na medida em que é governante, considera ou ordena o que convém a si mesmo, mas sim o que convém ao governado e sujeito à sua arte; e tudo quanto faz ou diz tem em mira unicamente isso.

Quando chegamos a esse ponto da discussão e se tornou claro a todos que a sua definição da justiça fora virada ao avesso, Trasímaco, em vez de responder, exclamou:

— Dize-me, Sócrates: tens uma ama?

— A que vem isto? — disse eu. — Não seria melhor responder do que fazer tais perguntas?

— Porque te deixa andar ranhoso, sem te limpar o nariz; nem sequer te ensinou a distinguir entre o pastor e as ovelhas.

— Que queres dizer com isso? — perguntei.

Trasímaco discorre largamente sobre as vantagens da injustiça

— Porque imaginas que os pastores e vaqueiros engordam as ovelhas e as vacas tendo em mira apenas o bem delas e não o bem de seus patrões ou de si mesmos; e igualmente crês que os governantes das cidades, os que governam de verdade, encarem seus súditos de outro modo que o pastor as suas ovelhas, e passem dia e noite a estudar outra coisa que não seja o seu proveito pessoal. E tão extraviado andas em tuas ideias sobre o justo e o injusto que não sabes que a justiça e o justo são na realidade o bem alheio, isto é, a conveniência do poderoso e governante, e o dano do súdito e servo; e que a injustiça é o contrário, e governa os que são de verdade simples e justos; estes fazem o que convém ao mais forte e dedicam-se a promover a felicidade dele, que está longe de ser a sua própria. Considera ainda, candidíssimo Sócrates, que o justo leva sempre a pior em comparação com o injusto. Em primeiro lugar, nos contratos privados: sempre que o justo se associa ao injusto, verás que, ao dissolver-se a sociedade, este sai ganhando e aquele perdendo. Em segundo lugar nas suas relações com o Estado: sempre que há uma contribuição, o justo com os mesmos bens contribui mais e o injusto menos; e quando há alguma coisa a receber, o primeiro sai sem nada e o segundo com muito. Observa também o que acontece quando exerce um cargo público: o justo abandona os seus negócios privados, sem aproveitar nada do público por ser justo; como se isso não bastasse, os amigos e conhecidos passam a odiá-lo quando se nega a lhes fazer favores contra a justiça. Com o injusto, todas essas coisas ocorrem ao inverso. Refiro-me, como antes, ao que conta com o poder para auferir grandes vantagens; considera especialmente a este, se queres apreciar quanto mais convém ao seu interesse o ser injusto do que justo. E compreendê-lo-ás com a máxima facilidade se te colocares no lugar da injustiça extrema, que é a que torna mais feliz o injusto e mais desgraçados os que padecem a

A tirania

injustiça sem querer cometê-la. Essa é a tirania, que, pela fraude ou pela força, arrebata o alheio, seja sagrado ou profano, privado ou público — e não já em pequenas porções, mas em massa. Quando alguém é descoberto a cometer algum desses atos de injustiça em particular, é castigado e sofre os maiores opróbrios; pois, com efeito, chamam-se sacrílegos, sequestradores, arrombadores, estelionatários e ladrões os que violam a justiça em alguma de suas partes com um desses crimes. Mas quando um homem, além de sequestrar as riquezas dos cidadãos, os sequestra a eles próprios e os escraviza, em lugar de ser designado com esses termos infamantes, chamam-no ditoso e bem-aventurado não só os cidadãos, mas todos aqueles que ouvem falar da consumação de sua injustiça. Porque os homens censuram a injustiça por medo de serem vítimas dela, não de cometê-la. Assim, Sócrates, a injustiça, quando cumula a medida, tem mais força, liberdade e domínio do que a justiça; e, como disse desde o princípio, resulta daí que o justo é o interesse do mais forte, enquanto o injusto é o que aproveita e convém a cada um em particular.

Depois de assim falar e de nos ter, como um banhista, alagado os ouvidos com a torrente de suas palavras, Trasímaco fez menção de retirar-se; mas os presentes não o deixaram, insistindo, pelo contrário, em que ficasse para defender a sua posição. Eu próprio juntei minha súplica às dos outros, dizendo:

— Ó genial Trasímaco, queres deixar-nos depois de nos haveres feito tal discurso, sem nos ensinares devidamente ou aprenderes tu se de fato é assim como dizes ou de outro modo? Será coisa de somenos a teus olhos o tentar definir as normas de conduta pelas quais possa cada um de nós viver de maneira mais proveitosa a sua vida?

— Acaso discordo de ti quanto à importância da investigação? — disse ele.

— Parece, antes, ó Trasímaco, que não dás nenhuma importância a nós que aqui estamos, pouco te preocupando que vivamos melhor ou pior, na ignorância do que dizes saber. Por favor, amigo, não guardes para ti a tua ciência; somos um grupo numeroso, e todo benefício que nos conferires te será amplamente recompensado. Por minha parte, declaro francamente que não estou convencido; não creio que a injustiça seja mais vantajosa do que a justiça, mesmo quando se lhe dá rédea solta e se lhe permite fazer tudo que quer. Pois, meu caro, ainda que haja homens injustos capazes de violar direitos, quer pela fraude, quer pela força, nem por isso me persuado de que a injustiça seja mais proveitosa do que o seu contrário. Talvez haja aqui outros que pensem como eu; convence-nos, pois, bendito homem, de que não andamos acertados preferindo a justiça à injustiça.

— E como hei de convencer-te, se já não ficaste convencido com o que eu disse? Que mais posso fazer por ti? Queres que pegue o raciocínio e to introduza à força na alma?

— Não, por Zeus, não o faças — tornei eu. — Peço-te apenas que sejas coerente contigo mesmo; e, se mudares de pensar, muda abertamente e sem nos enganar. Devo observar, Trasímaco, se te lembras do que foi dito anteriormente, que depois de ter definido o verdadeiro médico não te consideraste obrigado a observar a mesma exatidão no que tange ao verdadeiro pastor. Achavas que o pastor, como tal, cuida das ovelhas tendo em vista não o bem delas próprias, mas como um simples comilão ou festeiro que só pensa nos prazeres da mesa, ou então como um negociante disposto a vendê-las no mercado, e não como pastor. No entanto, é indubitável que a arte do pastor se preocupa tão somente com o bem de seus governados; tudo que lhe incumbe é proporcionar-lhes o que é melhor para eles, uma vez que a perfeição da arte está assegurada sempre que nada lhe falte para ser verdadeiro pastoreio. E é isso mesmo o que eu dizia há pouco a respeito do governante. Opinei que a arte do governante, considerado como tal, quer seja na vida privada, quer na pública, só podia ter em vista o bem de seu rebanho ou seus súditos. Mas tu, por tua parte, pensas que os governantes das cidades... isto é, os verdadeiros governantes... governam por sua vontade?

— Não penso, por Zeus! Sei que assim é.

— Então por que, quando se trata de cargos menores, ninguém os quer exercer por sua vontade, mas todos exigem recompensa, entendendo que nenhuma vantagem lhes advirá de governar, mas tão somente aos governados? Mas deixa-me fazer-te uma pergunta: não afirmamos constantemente que cada arte é distinta das outras pelo fato de ter uma função própria? Dize, meu caro, exatamente o que pensas, a fim de que possamos fazer algum progresso.

É refutado o novo paradoxo de Trasímaco, mais extremo do que o primeiro

— Sim, essa é a diferença — respondeu ele.

— E cada arte nos traz um proveito especial e não algo comum a todas; a medicina, por exemplo, nos dá a saúde; a arte da navegação, a segurança no mar; e assim por diante?

— Por certo.

— E a arte da aquisição nos proporciona o ganho? Pois, com efeito, essa é a sua função; não a confundimos com as outras, assim como não confundimos a arte da navegação com a da medicina só porque as viagens marítimas podem fazer bem à saúde do piloto. Não chamarás, sem dúvida, medicina à arte da navegação, se devemos adotar a precisão de linguagem que preconizas?

— Claro que não — disse Trasímaco.

— Nem tampouco à arte da aquisição, creio eu, porque um homem pode curar-se ganhando dinheiro.

— Tampouco.

— E a medicina será arte de aquisição porque os médicos ganham dinheiro, curando?

— De modo algum.

— Admitimos, então, que cada arte tem a sua utilidade própria?

— Seja assim — disse.

— E, se há algum proveito que todos os profissionais dessas artes obtêm em geral, está claro que deve ser atribuído a algo adicional que todos eles usam em comum?

— Assim parece.

— Diremos, pois, que os profissionais que obtêm lucro o fazem pelo uso adicional da arte da aquisição, que não é a professada por eles?

Ainda que a contragosto, assentiu.

— Então esse proveito do ganho não o recebe cada um de sua própria arte, mas, falando com todo o rigor, enquanto a arte da medicina produz saúde e a da edificação produz casas, são elas acompanhadas de uma outra arte que produz ganho, e essa é a arte da aquisição. As várias artes podem realizar o seu trabalho e beneficiar aquilo a que presidem, mas tiraria o profissional algum proveito da sua arte se não fosse também pago?

— Não creio.

— Não confere, pois, nenhum benefício quando trabalha gratuitamente?

O verdadeiro governante, como o verdadeiro profissional, não busca a sua vantagem pessoal, mas a perfeição da sua arte

— Decerto que sim.

— Nesse caso, Trasímaco, torna-se evidente que nenhuma arte ou governo provê aos seus próprios interesses; em tudo que dispõe tem em mira o interesse do governado, que é o fraco e não o mais forte. E por esta razão, meu caro, dizia eu há pouco que ninguém governa de bom grado; pois a ninguém seduz o mister de remediar males alheios sem remuneração. Com efeito, aquele que exerce a sua arte com probidade nunca faz nem ordena, de acordo com ela, o melhor para si mesmo, e sim para o governado. Portanto, me parece que ao que se dispõe a governar deve dar-se recompensa, seja sob a forma de dinheiro, de honras, seja de castigo para os que recusam.

— Como se entende isto, Sócrates? — acudiu Gláucon. — As duas primeiras recompensas são bastante compreensíveis, mas o que não entendo é esse castigo de que falas, e que mencionaste também como uma forma de recompensa.

— Não compreendes, então, a natureza desse prêmio, que para os melhores é o estímulo que os induz a governar? Sabes, decerto, que a ambição e a cobiça são tidas como vergonhosas, e que o são na realidade?

— Sei.

— Por isso — continuei — os bons não querem governar nem por dinheiro nem em troca de honras; nem reclamando abertamente uma recompensa pelo exercício de seu cargo querem merecer o nome de assalariados, nem o de ladrões retirando-a sub-repticiamente da fazenda pública. E tampouco lhes interessam as honras, porque não são ambiciosos. Precisam, pois, ser induzidos e coagidos a governar pelo temor ao castigo; e é essa talvez a razão de se considerar indecoroso o pleitear o governo em vez de ser forçado a ele. O maior castigo está

O castigo pela recusa de governar é o ser governado por um inferior

em ser o que recusa; governado por um homem mais perverso. E é esse temor, segundo me parece, que induz os bons a governar — não porque assim o desejem, mas porque não têm outro remédio; e tampouco com a ideia de que irão tirar proveito disso ou sentir-se bem no governo, mas como uma necessidade e na convicção de que não têm homens melhores do que eles, ou sequer iguais, a quem confiá-lo. Pois há motivos para pensar que, se houvesse uma cidade composta inteiramente de homens bons, haveria provavelmente luta para não governar, como agora há para governar, e então se tornaria claro que o verdadeiro governante não está destinado pela natureza a considerar o seu próprio bem, mas o dos governados; de modo que todo homem inteligente preferiria receber benefícios a dar-se o encargo de fazê-los aos demais. E não concordo absolutamente com Trasímaco em que a justiça seja o interesse do mais forte. Por ora podemos deixar esse assunto de lado; mas quando ele afirma que a vida do injusto é mais vantajosa que a do justo, tal declaração me parece ser de caráter muito mais sério. Dize-me, pois, Gláucon, por qual das duas asserções te decides. Qual te parece ser a mais verdadeira?

— Por minha parte — respondeu — considero mais vantajosa a vida do justo.

— Ouviste todas as vantagens que há pouco Trasímaco atribuía ao injusto?

— Ouvi, mas não fiquei convencido.

— Queres que procuremos um meio de persuadi-lo, se possível, de que não é verdade que diz?

— Como não! — volveu Gláucon.

— Muito bem. Mas se, no esforço de refutá-lo, levantarmos razão contra razão, enumerando as vantagens de ser justo, e ele nos replicar da mesma forma, e nós voltarmos à carga, será preciso contar e medir as vantagens que cada um de nós for alegando; e para isso haverá mister de juízes que decidam o assunto; mas se procedermos ao exame como até agora, fazendo concessões recíprocas, seremos todos nós ao mesmo tempo juízes e advogados.

— Sim, sem dúvida — disse ele.

— E qual dos dois métodos preferes?

— O segundo.

— Comecemos então pelo princípio, Trasímaco, e responde-me — prossegui: — Dizes que a injustiça perfeita é mais vantajosa do que a perfeita justiça?

— Afirmo-o categoricamente, e já dei as razões disso — replicou.

É refutado o novo paradoxo de Trasímaco, mais extremo do que o primeiro

— E como o entendes? Chamarias a uma dessas coisas virtude e vício à outra?

— Certamente.
— Suponho que chames virtude à justiça e vício à injustiça?
— Bonita conclusão, meu querido, quando assevero que a injustiça é proveitosa e a justiça não o é!
— Que dizes, pois?
— Exatamente o contrário — respondeu.
— Chamarias vício à justiça?
— Diria antes uma generosa ingenuidade.
— Portanto, a injustiça é maldade?
— Não, é antes discernimento.
— De modo, Trasímaco, que os injustos te parecem inteligentes e bons?

— Pelo menos — disse ele — os que são capazes de realizar a injustiça completa, conseguindo submeter cidades e nações ao seu poder; mas talvez penses que me refiro aos ladrões de bolsas. Isso também tem suas vantagens, quando não se é descoberto; não é, porém, digno de consideração, mas só aquilo de que acabei de falar.

— Na verdade não ignoro o que queres dizer — respondi —, mas não posso ouvir sem espanto que classificas a injustiça com a virtude e a sabedoria, e a justiça com os seus contrários.

— Assim as classifico, por certo.

— Agora estamos em terreno mais sólido — disse eu — e não é fácil objetar-te. Porque, se tivesses afirmado que a injustiça é vantajosa, mas confessando ao mesmo tempo que é vício e desdouro, como reconhecem outros, poderíamos replicar-te de acordo com os princípios aceitos; mas agora está claro que queres qualificar a injustiça como coisa bela e forte, atribuindo-lhe todas as qualidades que costumamos atribuir à justiça, uma vez que não vacilas em classificá-la como virtude e sabedoria.

— Adivinhaste muito bem — tornou ele.

— Mas nem por isso deixarei de prosseguir no exame do argumento, enquanto tiver razões para crer que dizes realmente o que pensas. Pois me parece, Trasímaco, que falas a sério e expões tua verdadeira opinião sobre o assunto, em vez de te divertires à nossa custa.

— Que te importa que eu fale a sério ou não? — replicou ele. — Refuta a minha assertiva.

— Não me importa, com efeito, mas trata de responder a esta outra pergunta: o homem justo procura, em alguma coisa, tirar vantagem do justo?

— De nenhum modo. Se o fizesse, não seria tão divertido e inocente como é.

— E tampouco quererá tirar vantagem da ação justa?

— Tampouco.

O justo procura tirar vantagem do injusto, porém não do justo; o injusto, tanto de um como do outro

— E lhe pareceria bem, em troca, tirar vantagem do injusto? Consideraria isso justo ou não?

— Consideraria justo e lhe pareceria bem — respondeu Trasímaco —, mas não conseguiria fazê-lo.

— Não te pergunto isso — observei —, mas apenas se o homem justo, já que não quer tirar vantagem de outro homem justo, julgaria conveniente e desejaria tirá-la do injusto.

— Assim é — disse ele.

— E que diremos do injusto? Quererá ele avantajar-se ao homem justo e à ação justa?

— Como não, se pretende avantajar-se a todos?

— Assim, pois, o homem injusto tratará de avantajar-se ao homem e à ação injusta a fim de obter mais do que todos?

— De fato.

— Podemos exprimir-nos assim: o justo não trata de tirar vantagem a seu semelhante, mas sim a seu contrário; o injusto, tanto ao semelhante como ao contrário?

— Perfeitamente — respondeu ele.

— E o injusto é inteligente e bom, enquanto o justo não é uma coisa nem outra?

— Também aí dizes bem.

— Assim, pois — insisti —, o injusto se parece ao inteligente e bom, e o justo não?

— Como não há de parecer, se o é? E como há de parecer o que não o é?

— Muito bem. Cada um, portanto, é tal como aqueles a que se parece?

— Que outra coisa cabe dizer? — replicou.

Exemplos

— Agora dize-me, Trasímaco: admites que um homem seja músico e que outro não o seja?

— Sim.

— E qual deles é inteligente e qual não o é?

— Está claro que o músico é inteligente e o outro, não.

— E um é bom na medida em que é inteligente e o outro, mau na medida em que não o é?

— Sim.

— E com respeito ao médico, dirias o mesmo?

— Diria.

— E te parece, meu excelente amigo, que um músico, quando afina a lira, pretende sobrepor-se a outro músico no esticar e afrouxar as cordas, ou deseja tirar-lhe vantagem?

— Não o creio.

— E ao que não é músico?

— Isso sem dúvida — respondeu.

— E que dirias do médico? Ao prescrever alimentos e bebidas, deseja ele sobrepor-se a outro médico ou à prática da medicina?

— Não, por certo.

— E ao que não é médico?

— Sim.

— E quanto ao conhecimento e à ignorância em geral: parece-te que o que é entendido procurará levar vantagem em atos ou em palavras a outro entendido, ou só desejará fazer e dizer o mesmo que o seu semelhante na mesma situação?

— Acho que deve ser assim.
— E o ignorante? Não desejaria levar vantagem tanto ao entendido como ao seu igual?
— Talvez.
— E o entendido é sábio?
— Sim.
— E o sábio é bom?
— Sim.

O homem justo não procura se avantajar aos outros homens justos

— Assim, pois, o sábio e bom não deseja levar vantagem ao seu semelhante, mas apenas ao seu dessemelhante e contrário?
— Creio que sim.
— E o mau e ignorante, a ambos?
— É o que parece.
— Mas não dissemos, Trasímaco, que o injusto procura avantajar-se tanto ao seu igual como ao seu contrário? Não foram estas as tuas palavras?
— Foram.
— E também disseste que o justo não busca levar vantagem ao seu igual, mas só ao seu contrário?
— Disse.
— O justo, então, assemelha-se ao sábio e bom, e o injusto, ao mau e ignorante?
— É o que se deduz.
— Por outro lado, reconhecemos que cada um deles é tal como aquele a quem se parece?
— Reconhecemos, de fato.
— Portanto, o justo se nos revela como sábio e bom; e o injusto, como ignorante e mau.

Trasímaco reconheceu tudo isso, não com a facilidade com que o estou contando, mas arrastado e a duras penas. Era um dia quente de verão e ele suava como uma bica. Vi então o que nunca tinha visto: Trasímaco enrubescer. Mas, como tínhamos chegado à conclusão de que a justiça é virtude e sabedoria e a injustiça, maldade e ignorância, passei a outro ponto, dizendo:

Trasímaco em dificuldades

— Bem, isso fica estabelecido. Mas não dizíamos também que a injustiça possui a força? Lembras-te?

— Sim, lembro — respondeu —, mas não imaginas que eu aprove o que estás dizendo e não tenha resposta. Se falasse, porém, estou certo de que me acusarias de arengar. Assim, pois, deixa-me dizer o que quero ou continua perguntando, se preferes; eu te responderei "sim", como às velhas que contam fábulas, e aprovarei ou desaprovarei com a cabeça.

— Mas nunca contra a tua própria opinião — disse eu.

— Sim, como te aprouver, uma vez que não me deixas falar. Que mais queres?

— Nada, por Zeus! — respondi. — Mas, se assim te parece, perguntarei e tu responderás.

— Pergunta, pois.

— Repetirei a pergunta que fiz há pouco, para que o nosso exame da natureza relativa da justiça e da injustiça possa continuar sem interrupção. Declarou-se, com efeito, que a injustiça era mais forte e mais poderosa que a justiça; mas, agora que identificamos a justiça com a sabedoria e a virtude, creio ser fácil demonstrar que ela é mais forte do que a injustiça, sendo esta última a ignorância; ninguém poderia já negá-lo. Mas não pretendo demonstrá-lo de maneira tão simples, e sim de outro modo. Reconheces, Trasímaco, que há cidades injustas que tratam de escravizar injustamente as outras e de fato as escravizam, mantendo-as em sujeição?

— Como não? — disse ele. — E acrescento que a cidade mais excelente e a que leve a maior perfeição a sua injustiça será a mais capaz de fazê-lo.

— Entendo — disse eu —, pois essa é a tua teoria. Mas o que a esse respeito quero considerar é o seguinte: se esse poder que possui a cidade superior pode existir e a ser exercido sem a justiça, ou somente com ela.

— Se estás acertado no que dizes e a justiça é sabedoria, então só com a justiça. Se quem tem razão sou eu, então com a injustiça.

— Estou encantado, Trasímaco, por ver que não te limitas a aprovar e desaprovar com sinais de cabeça, mas dás, pelo contrário, excelentes respostas.

— É que quero ser gentil contigo — disse ele.

— Muita bondade de tua parte. Mas faze-me este outro favor e dize: crês que uma cidade, ou um exército, um bando de ladrões e piratas ou outro grupo qualquer de malfeitores possa levar a cabo um empreendimento injusto que tenha em mira, fazendo injustiça uns aos outros?

— Por certo que não — respondeu.

— Mas, abstendo-se disso, poderiam realizá-lo melhor?

— Poderiam, sem dúvida.

— E isso porque a injustiça gera dissensões, ódios e lutas, ao passo que a justiça traz concórdia e amizade; não é assim, Trasímaco?

— Concordo — disse ele — porque não quero disputar contigo.

A injustiça perfeita, tanto nos Estados como nos indivíduos, tem efeitos funestos para eles

— Quanta boa vontade, excelente homem! Mas gostaria de saber também se, sendo obra própria da injustiça o suscitar ódios onde quer que esteja, não sucederá que ao produzir-se, seja entre homens livres, seja entre escravos, ela os leve a odiar-se reciprocamente, a dividir-se e a tornar-se incapazes de realizar qualquer coisa em comum?

— Por certo.

— E que acontecerá tratando-se de duas pessoas apenas? Não se desentenderão e se odiarão, fazendo-se tão inimigas uma da outra como das pessoas justas?

— Assim será.

— E finalmente, ó homem admirável!, se a injustiça se produz numa pessoa só, dirias que ela perde ou conserva integralmente o seu poder natural?

— Admitamos que o conserva integralmente — replicou.

— E, todavia, o poder exercido pela injustiça é de tal índole que, onde quer que ela se introduza, seja numa cidade, num exército, numa família ou em qualquer outro corpo, o deixa incapaz de ação unida por efeito da contenda e da dissensão; e, ademais, o torna tão inimigo de si mesmo como de seu contrário, o justo; não é assim?

— Perfeitamente.

— E igualmente creio que, quando se instala numa só pessoa, a deixa impotente para agir, em contenda e em discórdia consigo mesma; e bem depressa a torna tão inimiga de si mesma como dos justos. Não é verdade?

— Sim.

— E não são justos, ó meu amigo, também os deuses?

— Seja.

— Portanto, o injusto é inimigo dos deuses, ó Trasímaco; e o justo, seu amigo?

— Regala-te sem receio com o banquete da tua argumentação. Não hei de contradizer-te, para não me indispor com os outros.

— Pois bem, deixa-me gozar o resto do banquete respondendo como fizeste até agora. Pois já mostramos que os justos são evidentemente mais sábios, melhores e mais dotados para agir do que os injustos, e que estes são incapazes de qualquer ação em comum; ainda mais: quando dizemos que, sendo injustos, realizam alguma coisa eficazmente em comum, isso não pode ser de todo

Recapitulação

verdadeiro. Com efeito, se fossem totalmente maus, voltar-se-iam uns contra os outros; mas é evidente que deve haver neles uma certa dose de justiça que os impede de fazer-se dano mutuamente ao mesmo tempo que tratam de fazê-lo aos demais. São apenas vilões a meio em seus empreendimentos; porque, se fossem vilões completos e totalmente injustos, seriam, também totalmente incapazes de ação. Essa, creio eu, é a verdade do caso, e não como afirmaste a princípio. Mas, quanto a ter o justo uma vida melhor e mais feliz do que o injusto, é outra questão a que nos propusemos considerar. Opto pela afirmativa, em virtude do que já dissemos; não obstante, será preciso examinar melhor, pois não se trata de assunto de somenos e sim das normas da vida humana.

— Examina, então.

— Começarei fazendo uma pergunta: não te parece que o cavalo tem uma operação própria?

— Sim.

— Considerarias operação própria do cavalo ou de qualquer outro ser aquela que não pudesse ser realizada por outro, ou nunca tão bem como por ele?

— Não entendo — respondeu.

— Vou explicar-te: podes ver com outra coisa que não os olhos?

— Não, por certo.

— Ou ouvir com algo que não sejam os ouvidos?

— De modo nenhum.

— Poderíamos, pois, dizer com justiça que essas são operações próprias deles?

— Perfeitamente.

— E que mais? Podes cortar uma vide com uma espada ou uma faca de mesa?

— Como não?

— Mas não tão bem, creio eu, como uma podadeira fabricada para esse fim?

— É verdade.

— Diremos, então, que essa é a operação própria de uma podadeira?

— Decerto.

— Agora penso que poderás entender melhor o que perguntei há pouco, quando quis saber se era operação própria de uma coisa aquilo que só ela realiza, ou que realiza melhor do que as demais.

Todas as coisas têm virtudes e excelências, pelas quais realizam suas operações próprias

— Entendo o que querias dizer e concordo — disse ele.

— Muito bem: parece-te que há também uma virtude ou excelência em cada coisa a que se atribui uma operação? Voltemos aos meus exemplos: há uma operação própria do olho?

— Há.

— E, portanto, há também uma virtude neles?

— Também uma virtude.

— E o ouvido também tem uma operação própria e uma virtude?

— Tem.

— E o mesmo acontece com todas as outras coisas?

— O mesmo.

— Pois bem: podem os olhos realizar sua operação se lhes falta a virtude própria, e em lugar dela tem um defeito?

— Que queres dizer? — perguntou. — Talvez fales da cegueira em vez da visão.

— Da virtude dos olhos, seja qual for — disse eu. — Porque ainda não pergunto isso, mas apenas se se realizará bem a sua operação com a sua virtude própria e mal com o vício contrário.

— Certamente — respondeu.

— E, do mesmo modo, os ouvidos privados de sua virtude realizarão mal sua operação própria?

— É verdade.

— E o mesmo se pode dizer de todas as outras coisas?

— De acordo.

— Vamos, pois, adiante e examina isto agora: há uma operação própria da alma, que não se pode realizar senão por ela? Em outras

palavras: o dirigir, o governar, o deliberar e todas as coisas desse gênero são funções próprias da alma ou podem ser atribuídas a algo mais?
— Somente a ela.
— E no que diz respeito à vida? Não deve ela ser contada entre as operações da alma?

A virtude própria da alma

— Sem dúvida.
— E não terá a alma também a sua virtude própria?
— Tem.
— E a alma, ó Trasímaco, realizará bem as suas operações quando privada de sua virtude, ou será isso impossível?
— Impossível.
— É forçoso, pois, que a alma má dirija e governe mal, e que a boa faça bem essas coisas.
— E forçoso.
— E não conviemos em que a justiça era virtude da alma e a injustiça, vício?
— Conviemos, com efeito.
— Portanto, a alma justa e o homem justo viverão bem; e o injusto, mal.
— É o que parece de acordo com o teu argumento — disse ele.
— E, por outro lado, o que vive bem é feliz e afortunado, e o que vive mal, o contrário.
— Como não?
— Assim, o justo é feliz; e o injusto, desgraçado.
— Seja.
— Mas a felicidade é que é vantajosa, e não a desdita?
— Que dúvida!
— Portanto, meu bendito Trasímaco, em ocasião alguma pode a injustiça ser mais proveitosa do que a justiça.
— Seja este, ó Sócrates, o teu banquete nas Festas Bendídias! — disse ele.
— Banquete que tu me preparaste, ó Trasímaco — observei —, pois te aplacaste comigo e puseste fim às tuas iradas invectivas.

Sócrates descontente com a argumentação

Entretanto, acho-o assaz mesquinho, não por tua, mas por minha culpa. Como os gulosos que se lançam com avidez a cada novo prato que é trazido para a mesa, sem haver saboreado devidamente o anterior, também me parece que divaguei de um assunto para outro, deixando a nossa pesquisa inicial, que era a natureza da justiça, para indagar se esta era vício e ignorância ou sabedoria e virtude. E, apresentando-se logo depois uma outra questão, sobre as vantagens relativas da justiça e da injustiça, não me abstive de enveredar por ela. E o resultado de toda a discussão é que nada sei; pois, ignorando o que seja a justiça, dificilmente poderei saber se é virtude ou não e se o homem justo é feliz ou desafortunado.

Livro II

Com essas palavras julgava ter dado fim à discussão. Mas, ao que parece, não passáramos ainda do prelúdio; pois Gláucon, que sempre e em todas as coisas é o mais pugnaz dos homens, não se conformou com a retirada de Trasímaco.

— Ó Sócrates — disse ele —, queres realmente persuadir-nos ou apenas parecer ter-nos persuadido de que em todas as circunstâncias é melhor ser justo do que injusto?

— Preferiria, se em minhas mãos estivesse, persuadir-vos realmente — respondi.

A tríplice divisão dos bens

— Pois na verdade não o conseguiste. Deixa-me perguntar uma coisa: não crês que exista uma classe de bens a cuja posse aspiramos, não pelos efeitos que produzem, mas por eles mesmos; por exemplo, a alegria e tantos prazeres inofensivos que nos deleitam na ocasião, embora não tenham nenhuma consequência duradoura?

— Sim — respondi —, creio na existência desses bens. — E não há uma segunda classe de bens, como o raciocínio, a visão ou a saúde, que são desejáveis não só em si mesmos, mas também pelos seus resultados? Porque, na minha opinião, são esses os motivos que nos levam a estimar tais bens.

— Sim — assenti.

— E, por último, não reconhecerias uma terceira classe, na qual se contam a ginástica, o ser curado estando doente, o exercício da medicina e das demais profissões lucrativas? Todas essas coisas nos beneficiam, mas nos são penosas; e ninguém as escolheria por si mesmas, senão unicamente pelos ganhos e outras vantagens que delas resultam.

— Com efeito — disse eu —, também existe essa terceira classe. Mas a que vem isto?

— Porque desejo saber em qual das três incluis a justiça.

— Creio que na melhor delas: na classe dos bens que, se quisermos ser felizes, devemos amar tanto por si mesmos como pelo que deles resulta.

— Pois não é esse — volveu Gláucon — o parecer do vulgo que a classifica entre os bens penosos, como algo que se deve praticar com a mira no ganho e na reputação que daí advém, mas que, considerado em si mesmo, merece ser evitado pela sua dificuldade.

— Sei que tal é a opinião geral — disse eu. — E essa era a tese que Trasímaco defendia há pouco, quando atacava a justiça e exaltava a injustiça. Mas, ao que parece, sou duro de convencer.

— Eia, pois! — exclamou. — Escuta-me agora a mim, para ver se chegamos a um acordo. Porque creio que Trasímaco se deu por vencido antes do tempo, encantado, como uma serpente, pelas tuas palavras. Quanto a mim, porém, não me convenceu ainda a defesa de nenhuma das duas teses. Pondo de parte os benefícios e

Os três pontos da argumentação

resultados, o que desejo saber é o que são em si mesmas a justiça e a injustiça e os efeitos que por si mesmas produzem uma e outra quando se albergam numa alma. Se me permites, pois, trarei novamente à baila o argumento de Trasímaco, falando primeiro da natureza e origem da justiça conforme a opinião comum. Em segundo lugar, mostrarei que todos os que praticam a justiça o fazem contra a sua vontade, como uma necessidade e não como um bem. E, em terceiro, mostrarei que é razoável que assim procedam, uma vez que afirmam ser a vida do injusto muito melhor que a do justo. Não suponhas, Sócrates, que eu seja na realidade da mesma opinião; mas é que tenho dúvidas e zumbem-me nos ouvidos as palavras de Trasímaco e outras mil, enquanto, por outro lado, jamais falei com alguém que defendesse a justiça a meu contento e demonstrasse ser ela melhor que a injustiça. Desejaria ouvir o elogio da justiça considerada em si e por si, e creio que és tu a pessoa de quem tenho mais motivo para esperá-lo. Por isso vou espraiar-me em louvores à vida injusta, e assim fazendo te indicarei a maneira pela qual desejo ouvir-te atacar a injustiça e elogiar a justiça. Mas antes dize: é de teu agrado o que proponho?

— Nada me poderia agradar mais — respondi. — Que outro melhor tema poderiam escolher homens inteligentes para com ele deleitar-se em sua conversa?

— Tens inteira razão — concordou ele. — Começarei por falar, como prometi, da natureza e origem da justiça.

A justiça como um meio-termo entre cometer e sofrer o mal

Dizem que cometer injustiça é, por natureza, um bem; e sofrê-la, um mal. Mas, como é maior o mal recebido pelo que a sofre do que o bem advindo ao que a comete, depois que os homens começaram a cometer e a sofrer injustiças e a experimentar as consequências desses atos, descobriram os que não tinham poder para evitar os danos nem para lograr as vantagens que o melhor seria pactuarem-se a fim de não cometer nem padecer injustiças. Daí surgiram as leis e os convênios mútuos, e chamou-se legal e justo àquilo que a lei prescreve. Essa afirmam ser a origem e essência da justiça: um meio-termo entre o maior bem, que é cometer injustiça sem sofrer castigo, e o maior mal, que é sofrer injustiça sem poder castigá-la. E a justiça, situada entre esses dois extremos, é aceita não como um bem, mas como algo que se respeita devido à incapacidade dos homens para cometer injustiça. Pois ninguém que mereça o nome de homem se submeteria jamais a tais convênios se pudesse resistir. Louco seria quem tal fizesse! Aí tens, ó Sócrates, a teoria geralmente aceita sobre a natureza e origem da justiça.

Para compreendermos como os bons o são contra a sua vontade e por que não podem ser maus, basta considerar o seguinte: demos a todos, justos e injustos, permissão de fazer o que lhes aprouver e observemo-los para ver aonde levam a cada qual os seus apetites; então surpreenderemos em flagrante o justo trilhando os mesmos caminhos que o injusto, levado pelo interesse próprio, finalidade que todo ser é disposto pela natureza a buscar como um bem, embora sejam desviados dessa tendência pela força da lei e encaminhados para o respeito à igualdade. O melhor modo de lhes dar essa licença de que falo seria sob a forma de um poder como o que teve em outros

A história de Giges

tempos Giges, o antepassado de Creso, o lídio. Segundo a tradição, Giges era pastor a serviço do rei da Lídia. Sobreveio certa vez medonha tempestade, e um terremoto abriu uma grande fenda na terra, exatamente no lugar em que ele apascentava suas ovelhas. Assombrado com o que via, desceu por aquela greta e viu ali, entre outras maravilhas que a lenda relata, um cavalo de bronze, oco, com portinholas, por uma das quais se agachou para olhar e viu que dentro havia um cadáver de estatura, ao parecer, mais que humana, e que nada tinha sobre si além de um anel de ouro na mão. Tirou-o Giges e saiu. Quando, segundo o costume, se reuniram os pastores para preparar seu relatório mensal ao rei sobre o estado dos rebanhos, acudiu também ele com o seu anel no dedo; e, estando sentado entre os outros, aconteceu-lhe, por casualidade, dar volta ao anel virando-o com o engaste para a palma da mão; imediatamente deixaram de vê-lo os que o rodeavam e, com grande surpresa sua, puseram-se a falar dele como de pessoa ausente. Voltou novamente o anel com o engaste para fora e tornou a fazer-se visível. Repetiu a experiência várias vezes, sempre com o mesmo resultado: quando virava o engaste para dentro, tornava-se invisível; quando para fora, reaparecia. Constatado isso, tratou de fazer-se escolher como um dos emissários que deviam ser enviados à corte; e assim que lá chegou, seduziu a rainha e, com sua ajuda, atacou e matou o rei, apoderando-se do trono. Suponhamos, pois, que houvesse dois anéis como esse, um dos quais levaria o justo e o

Aplicação da história de Giges

outro, o injusto; ninguém seria de natureza tão adamantina que perseverasse na justiça, abstendo-se em absoluto de tocar no alheio, quando podia, sem perigo algum, dirigir-se ao mercado e ali tomar o que lhe aprouvesse, entrar nas casas e deitar-se com as mulheres que bem entendesse, matar ou libertar pessoas a seu bel-talante — numa palavra, proceder em tudo como um deus rodeado de mortais. Em nada difeririam os comportamentos de um e do outro, que seguiriam exatamente o mesmo caminho. E podemos ver aí uma boa demonstração de que ninguém é justo por sua própria escolha ou por pensar que a justiça lhe convenha pessoalmente, mas sim por necessidade, pois sempre que uma pessoa julga poder cometer uma injustiça impunemente, a comete. E isso porque todos, no fundo, acreditam ser a injustiça muito mais proveitosa para o indivíduo que a justiça. "E têm razão em pensar assim", dirá o defensor da teoria que exponho. Ainda mais: se houvesse alguém que, possuindo semelhante talismã, se negasse a cometer jamais uma injustiça e a apossar-se do alheio, seria considerado, pelos que pudessem apreciar-lhe a conduta, como o mais miserável dos idiotas — embora fizessem crer que o admiravam, ocultando-se assim mutuamente os seus verdadeiros sentimentos pelo temor que teriam de ser vítimas de alguma injustiça. Mas quanto a isso basta.

Ao injusto se conferirá poder e reputação

Agora, no que toca a decidir entre as vidas dos dois homens de que falamos, o justo e o injusto, só estaremos em condições de julgar com acerto se os considerarmos em separado; do contrário, será impossível. E como os consideraremos em separado? Do seguinte modo: não tiremos nada ao injusto de sua injustiça nem ao justo de sua justiça, mas encaremos a ambos como exemplares perfeitos dentro de seu gênero de vida. Acima de tudo, seja o injusto como os outros mestres consumados de seu ofício; como o piloto ou o médico provectos, que conhecem perfeitamente as possibilidades e deficiências de suas respectivas artes, sabendo, por isso, manter-se dentro dos limites; e se em alguma coisa fracassam, são capazes de repará-la. Assim também o injusto, para ser grande na sua injustiça, deve realizar com destreza as suas más ações e passar inadvertido em tais cometimentos. O que neles se deixa surpreender é um inepto, pois não há maior perfeição na injustiça do que se fazer passar por justo sem o ser. Por isso digo que devemos dotar o homem perfeitamente injusto da mais perfeita injustiça, sem fazer dedução alguma, mas deixando que, enquanto comete as maiores malfeitorias, granjeie a mais inatacável reputação de bondade. Se em alguma coisa fracassar, seja capaz de corrigir seu erro; que possa se defender pela palavra se alguma de suas más ações vier a lume; e, se for preciso empregar a força, que o saiba fazer, socorrendo-se de seu vigor e coragem e das amizades e dos recursos com que conte. Coloquemos agora, ao lado desse homem, o justo com a sua nobreza e simplicidade, disposto, como diz Ésquilo, não a parecer bom, mas a sê-lo. Tiremos-lhe, pois, a aparência de bondade; porque, se parecer justo, terá honras e recompensas, e nunca saberemos se é justo

O justo será despido de tudo, menos da sua justiça

por amor à justiça ou a esses galardões. É preciso despojá-lo de tudo, exceto da justiça, e imaginá-lo numa condição de vida oposta à do primeiro. Que, sem ter cometido a menor falta, passe por ser o maior criminoso, para que sua virtude seja posta à prova e saia-se airosamente do transe, sem se deixar abater pela infâmia e suas consequências; e que siga imperturbável até a hora da morte, sendo justo e passando por injusto. Assim, tendo chegado ambos ao último extremo, um da injustiça e o outro da justiça, poderemos decidir qual dos dois é mais feliz.

— Cáspite, amigo Gláucon! — exclamei. — Com que energia os deixaste limpos e lustrosos um depois do outro, como se fossem estátuas, para que possamos julgá-las!

— Faço o melhor que posso — respondeu. — E, sendo assim um e outro, não creio que seja difícil descrever com palavras a classe de vida que espera a cada um. Vou tratar disso, portanto; mas, se minha linguagem te parecer demasiado dura, lembra-te que não falo por minha boca, mas em nome dos apologistas da injustiça. Dirão eles que, sendo essa a disposição do justo, será flagelado, torturado, encarcerado, lhe queimarão os olhos finalmente, após haver padecido toda sorte de males, o empalarão,

A experiência ensina ao homem justo que não deve sê-lo, mas parecê-lo para que aprenda a não querer ser justo, mas a parecê-lo apenas. As palavras de Ésquilo aplicam-se com muito mais acerto ao injusto do que ao justo, pois é este — dirão — quem na realidade acomoda a sua conduta à verdade e não às aparências, uma vez que não deseja parecer injusto, mas sê-lo.

> *Cultivando em sua mente o solo fecundo em que germinam os prudentes desígnios.*

Em primeiro lugar, manda na cidade, apoiado em sua reputação de homem bom; toma como esposa uma mulher da família que

O injusto que aparenta justiça granjeará toda sorte de prosperidade

deseje, casa seus filhos com as pessoas de sua escolha, comercia e mantém relações com quem lhe agrade e de tudo isso obtém vantagens e proveitos por sua própria falta de escrúpulos em fazer o mal. Se se vê envolto em processos públicos ou privados, poderá vencer e ficar por cima de seus antagonistas; e, vencendo, enriquecerá e poderá beneficiar seus amigos, causar dano aos inimigos e dedicar à divindade copiosos e magníficos sacrifícios e oferendas, com o que honrará muito mais do que o justo aos deuses e àqueles homens que se proponha honrar, de modo que, com toda a probabilidade, será mais amado do que ele pelos deuses. E assim, Sócrates, segundo dizem, deuses e homens cooperam para tornar a vida do injusto melhor que a do justo.

 Tendo Gláucon terminado de falar, dispunha-me a lhe responder quando me interrompeu seu irmão Adimanto:

 — Decerto não consideras suficientemente aclarada a questão, Sócrates?

 — Pois que mais cabe dizer? — perguntei.

 — O ponto mais importante de todos não foi sequer mencionado — respondeu ele.

— Então, segundo o provérbio, "que o irmão ajude o irmão". Se em algum ponto fraquejou, acode-lhe. Não obstante, devo confessar que basta o que já disse para me deixar completamente vencido e impossibilitado de defender a justiça.

Adimanto elogia a justiça e censura a injustiça, mas levando em conta apenas as consequências

— Ora, isso não é nada — tornou ele. — Escuta também o que segue: a tese de Gláucon sobre o louvor e censura à justiça e à injustiça tem um outro aspecto que deve ser igualmente examinado para que fique bem claro o que, segundo me parece, ele queria dizer. Pais e tutores recomendam constantemente a seus filhos e pupilos que sejam justos; mas por quê? Não pela justiça em si mesma, e sim pela consideração moral que dela resulta; de maneira que quem parecer justo poderá obter, valendo-se dessa reputação, cargos públicos, casamentos e todos os outros bens que Gláucon acaba de enumerar, e que o justo só consegue pela boa fama de que goza. Mas essa classe de pessoas vai ainda mais longe no que tange à benemerência, pois trazem à colação a opinião favorável dos deuses e enumeram os infinitos benefícios que, segundo eles, as divindades prodigalizam aos justos. E isso está concorde com o testemunho do nobre Hesíodo e de Homero, o primeiro dos quais diz que os carvalhos do justo aduzindo muitos

Enchem-se de bolotas na copa e de abelhas no tronco,
E as ovelhas lanudas vergam ao peso dos tosões,

outros favores semelhantes a esses. De maneira análoga, fala o outro de alguém cuja fama é

Como a de um rei impoluto que, temente aos deuses,
Mantém a justiça. A negra terra lhe oferece
Trigo e cevada; carregam-se as árvores de frutos,
As ovelhas multiplicam-se e o mar o farta de peixes.

Ainda mais esplêndidos são os dons que Museu e seu filho concedem aos justos em nome dos deuses, pois os transportam em imaginação ao Hades e ali os sentam à mesa e organizam um banquete de justos em

Recompensas e castigos numa outra vida

que os fazem passar a vida inteira coroados e bêbedos, como se não houvesse melhor recompensa para a virtude do que a embriaguez sempiterna. Outros prolongam ainda mais os efeitos das recompensas divinas, dizendo que a posteridade do homem pio e cumpridor de juramentos subsistirá até a terceira e a quarta geração. E é nesse estilo que elogiam a justiça; mas quanto aos ímpios e injustos, a atitude é bem outra: sepultam-nos na lama do Hades e os obrigam a carregar água numa peneira, dão-lhes má fama em vida — em suma, aplicam ao injusto, sem poder inventar para ele outra espécie de castigo, todos aqueles que Gláucon citou como quinhão dos bons que passam por ser maus. Eis aí como louvam o justo e censuram o injusto.

Repara também, Sócrates, em outra coisa que dizem todos, poetas e homens vulgares, a respeito da justiça e da injustiça. A humanidade

No consenso de todos a virtude é penosa e o vício, agradável

inteira repete em coro que a temperança e a justiça são boas, mas penosas e difíceis de praticar; e que, em troca, os prazeres do vício e da injustiça são fáceis de conseguir e, se os temos como vergonhosos, é unicamente porque assim o impõem a opinião geral e a lei. Dizem também que a honestidade é, em geral, menos proveitosa do que a desonestidade; e estão sempre dispostos a considerar feliz e a honrar sem escrúpulo, tanto em público como em particular, ao mau que é rico ou goza de qualquer outro gênero de poder enquanto desprezam e deitam para um canto aos que sejam fracos e pobres, embora reconhecendo que estes são melhores do que os outros. O mais assombroso, porém, é ouvi-los falar dos deuses e das virtudes; pois dizem que aqueles dispensam calamidades e vida miserável a muitos bons e sorte contrária aos que não o são. Por sua parte, os charlatães e adivinhos vão bater à porta dos ricos e os convencem de terem recebido poder dos deuses para apagar, mediante sacrifícios ou esconjuros realizados entre regozijos e festas, qualquer falta que tenha cometido algum deles ou de seus antepassados; e prometem, por um vintém de mel coado, fazer dano a um inimigo, seja ele justo ou injusto, valendo-se de encantamentos e artes mágicas com as quais, segundo eles, obrigam os deuses a executar sua vontade. E em todas essas afirmações se apoiam na autoridade de poetas, os quais às vezes atribuem facilidades ao vício, como Hesíodo:

A maldade pode-se obter em abundância e sem trabalho, pois o caminho é liso e sua morada não fica longe. Mas diante da virtude puseram os deuses o afã e uma estrada longa, difícil e escarpada.

Outras vezes citam Homero em testemunho da influência exercida pelos homens sobre os deuses, porque também ele disse:

As súplicas movem os próprios deuses; quando cometeram alguma falta ou transgressão, os homens lhes dirigem rogos e os aplacam com sacrifícios, agradáveis votos, libações e olorosos fumos de gordura.

Ensina-se que é fácil expiar os pecados

E apresentam um montão de livros escritos por Museu e Orfeu, que dizem ser filhos da Lua e das Musas, e de acordo com esses livros regulam os seus ritos, fazendo crer não só a cidadãos particulares, como até a cidades inteiras, que para lograr a absolvição e expiação dos pecados basta oferecer sacrifícios e realizar jogos recreativos — inclusive depois da morte, pois os chamados "mistérios" nos livram dos males lá de baixo, enquanto, aos que os omitem, ninguém pode fazer ideia do que os espera.

Os efeitos de tudo isso sobre o espírito dos jovens

— Tais são, meu caro Sócrates — prosseguiu —, as coisas que se ouvem contar sobre a virtude e o vício e a estima em que os têm deuses e homens. Pois bem: que efeito devemos crer que produzirão essas palavras nas almas dos jovens que as escutam e que, inteligentes e bem-dotados, sejam capazes de extrair o sumo de cada conversação, tirando conclusões sobre o gênero de pessoa que se deve ser e o caminho que cumpre seguir para passar a vida do melhor modo possível? Um jovem semelhante diria provavelmente a si mesmo como disse Píndaro:

"Posso eu pela justiça ou pelos sinuosos caminhos da fraude escalar uma alterosa torre que me sirva de fortaleza durante todos os meus dias?

Porque me dizem que o ser justo sem que me considerem tal outro resultado não me trará além de trabalhos e desvantagens manifestas. Em troca, promete-se uma vida maravilhosa a quem, sendo injusto, saiba assumir uma aparência de justiça. Portanto, se, como demonstram os sábios, a aparência 'vence a própria verdade' e é 'dona da felicidade', a ela devo dedicar-me inteiramente. Rodear-me-ei de uma ostentosa fachada que seja a própria imagem e retrato da virtude; e empós de mim arrastarei a 'astuta e ambiciosa' raposa do sapientíssimo Arquíloco." "Mas", objetarão, "não é fácil ocultar constantemente a maldade". A isso respondo: "Nenhum grande empreendimento deixa de apresentar dificuldades. Em todo caso, se aspiramos a ser felizes, o argumento demonstra que é esse o caminho a seguir. Para passar inadvertidos podemos, aliás, organizar irmandades e clubes políticos, e também existem mestres de eloquência que ensinam a arte de convencer assembleias populares e tribunais, de modo que poderemos usar umas vezes a persuasão e outras a força para tirar proveito dos demais sem sermos castigados." Ouço outra voz dizer: "Mas os deuses não se deixam enganar nem intimidar pela força." Responderei: "E se não houver deuses? E se, havendo, não se preocupam com os

Segundo os poetas, os deuses podem ser subornados e são muito dispostos a perdoar

assuntos humanos? Para que, então, dar-se ao trabalho de enganá-los? E mesmo que haja deuses e cuidem dos homens, nada sabemos deles senão por via da tradição e das genealogias dos poetas; e são estes os primeiros a dizer que os deuses podem ser influenciados e demovidos com sacrifícios, 'agradáveis votos' e oferendas. Sejamos coerentes, pois, e acreditemos em ambas essas afirmações ou em nenhuma delas. Se os poetas dizem a verdade, cumpre-nos ser injustos e fazer logo oferenda do fruto de nossas más ações; porque, se formos justos, embora nada tenhamos que temer da parte dos deuses, perderemos os proveitos da injustiça; e, sendo injustos, obteremos os proveitos e, com o nosso pecar e sacrificar, sacrificar e pecar, conseguiremos propiciar os deuses e não seremos punidos." "Mas no Hades havemos de sofrer a punição de todos os crimes que tenhamos cometido aqui em cima; e, se não nós, os filhos de nossos filhos." "Perfeitamente, meu amigo, mas também é grande a eficácia dos mistérios e das divindades expiadoras. Isso é o que asseveram as mais poderosas comunidades e os filhos dos deuses, que são os poetas e intérpretes daqueles, nos garantem a verdade de tais afirmações."

Que razões nos restam, pois, para continuar preferindo a justiça à mais consumada injustiça, quando é possível tornar esta compatível com uma falsa aparência de virtude e obter, assim, dos deuses e dos homens tudo quanto desejemos neste mundo e no outro, como atestam tanto as pessoas do vulgo como as de maior autoridade? E depois de tudo que acabamos de dizer, ó Sócrates, que possibilidade há de que um homem dotado de qualquer superioridade física ou de inteligência, de fortuna ou de família se mostre disposto a honrar a justiça e não se ria quando ouve entoar-lhe louvores? De modo que, ainda quando alguém possa demonstrar a falsidade do que acabo de dizer e esteja suficientemente persuadido de que a justiça é preferível, não se enfadará com o injusto e sentirá, acredito, uma grande indulgência para com ele, porque também sabe que ninguém é justo por sua vontade salvo se um instinto divino impelir uma pessoa a aborrecer o mal, ou os conhecimentos adquiridos a afastar-se dele, ou então se a falta de coragem, a velhice ou qualquer outra debilidade semelhante o privarem do poder de ser injusto. Isto se demonstra facilmente: nem bem chega um desses homens a adquirir algum poder e já começa a obrar o mal, na medida em que lho permitam os seus meios.

A causa de tudo isso, Sócrates, foi apontada por nós no começo da discussão, quando meu irmão e eu dissemos de nosso assombro ao ver que, de todos os panegiristas da justiça — a começar pelos heróis de antanho cujas palavras chegaram até nós, e terminando pelos homens de nossos dias —, ninguém jamais censurou a injustiça ou louvou a justiça, senão pelas glórias, honras e benefícios que desta última advêm. Nunca houve quem descrevesse adequadamente, quer em verso, quer em prosa, os efeitos que uma e outra produzem por sua própria virtude

A necessidade de ensinar que a justiça é em si mesma o maior dos bens e a injustiça, o maior dos males

quando estão ocultas na alma de quem as possui e ignoradas dos deuses e dos homens; nem mostrasse que de todas as coisas que um homem pode albergar no seu interior, a justiça é o maior dos bens e a injustiça, o maior dos males. Se tal houvesse sido desde o princípio a linguagem de todos vós e vos tivésseis dedicado desde nossa juventude a persuadir-nos disso, não teríamos de andar vigiando-nos mutuamente para que se não cometam injustiças; antes seria cada um guardião de sua própria pessoa, pelo receio de agasalhar em sua alma o maior dos males se as cometesse.

Suponho, Sócrates, que Trasímaco e outros como ele aduziriam razões iguais às que acabo de repetir acerca da justiça e da injustiça, ou talvez outras mais fortes, confundindo grosseiramente, a meu ver, as virtudes próprias de cada uma. Mas devo dizer — pois não necessito ocultar-te nada — que falo com esta veemência porque desejo ouvir-te defender a tese contrária; e peço-te que mostres não só a superioridade da justiça sobre a injustiça, mas também os efeitos que ambas produzem por si mesmas sobre quem as pratica, efeitos em virtude dos quais uma é um bem e a outra, um mal. E faze-me a graça de excluir do argumento a reputação, como te aconselhou Gláucon; pois, a menos que retires de cada uma a sua verdadeira reputação e acrescentes a falsa, diremos que não louvas a justiça e sim sua aparência; e, ainda mais, que no fundo concordas com Trasímaco em pensar que a justiça é o bem de um outro e o interesse do mais forte, enquanto a injustiça é conveniente e proveitosa para quem a pratica, e só prejudicial ao fraco. Assim, pois, como reconheceste que a justiça se conta entre os maiores bens, aqueles que são desejados pelas consequências que trazem consigo, porém muito mais ainda por si mesmos — como a vista, o ouvido, a inteligência e a saúde, ou qualquer outro bem genuíno e natural, e não apenas convencional —, peço-te que ao louvar a justiça consideres unicamente o bem e o mal essenciais que ela e sua contrária obram nos que as possuem; quanto às remunerações e vantagens, deixa que outros as celebrem. Por minha parte, suportaria talvez nos demais aqueles elogios da justiça e críticas da injustiça que não exaltam nem censuram outra coisa senão o renome e os ganhos que a elas estão vinculados; mas de ti, que dedicaste a vida inteira ao estudo desta questão, a menos que digas o contrário, espero coisa melhor. Portanto, não te limites a demonstrar com teus argumentos que a justiça é melhor do que a injustiça, mas aponta-nos os efeitos que uma e outra produzem por si mesmas em quem as possui, sejam ou não vistas por homens e deuses, de maneira que uma seja um bem e a outra, um mal.

Eu, que sempre havia admirado os dotes de Gláucon e Adimanto, fiquei sumamente deleitado ao ouvir estas palavras, e assim falei:

— Não faltava razão, ó filhos de um pai ilustre, ao admirador de Gláucon quando, ao celebrar vossa gloriosa atuação na batalha de Mégara, vos dedicou a elegia que começava assim:

Ó filhos de Ariston, divina linhagem de um ínclito herói!

O epíteto é muito apropriado, pois há algo de verdadeiramente divino em quem é capaz de defender dessa forma a tese da superioridade da injustiça, sem se deixar convencer pelos seus próprios argumentos. E estou certo de que na realidade não pensais assim — isso deduzo de vosso modo de ser geral, pois, se vos julgasse apenas pelo que dizeis, desconfiaria de vós. Quanto mais confiança tenho em vós, porém, maior é a minha perplexidade ante o que devo responder. Com efeito, estou num dilema; de um lado sinto-me incapaz de defender a justiça, e a prova de minha incapacidade é não terdes admitido o que eu disse a Trasímaco, julgando demonstrar a superioridade dela sobre a injustiça; de outro lado, não posso renunciar a defendê-la, pois temo seja uma impiedade o calarmo-nos quando em nossa presença atacam a justiça e não levantamos a voz para rebater as acusações. Só me resta, pois, ajudar-vos da melhor maneira que puder.

Gláucon e os outros me rogaram que de modo algum deixasse morrer a questão, mas prosseguisse no exame. Queriam chegar de vez à verdade, primeiramente no que tocava à natureza de ambas e, segundo, no que dizia respeito às respectivas vantagens. Respondi-lhes o que me parecia:

— A investigação que empreendemos não é de pouca monta e, no meu entender, requer uma pessoa de visão penetrante. Mas, como nós outros carecemos dela, creio que o melhor é seguir nesta indagação o método daquele que, não possuindo muito boa vista, é convidado a ler, de longe, uma inscrição em letras pequenas e percebe, de repente, que em outro lugar estão reproduzidas as mesmas letras em tamanho maior e sobre fundo também maior. Esse homem consideraria uma dádiva da sorte, creio eu, o poder ler primeiro estas últimas e comprovar depois se as menores eram realmente as mesmas.

— Pois claro — disse Adimanto. — Mas como se aplica este exemplo à nossa investigação sobre a justiça?

— Já to digo — respondi. — Não é ela considerada às vezes como virtude de um indivíduo particular e, outras vezes, como própria de um Estado inteiro?

— Certamente.
— E não é o Estado maior do que o indivíduo?
— É.

É mais fácil ver a justiça no Estado que no indivíduo

— Então é provável que haja mais justiça no objeto maior e, portanto, seja mais fácil discerni-la neste. De modo que, se assim vos parece, examinaremos em primeiro lugar a natureza da justiça nos Estados, e depois passaremos a estudá-la também nos diferentes indivíduos, procurando descobrir nos traços do objeto menor a semelhança com o maior.

— A sugestão me parece excelente — afirmou ele.

— E se imaginássemos o Estado em processo de criação, poderíamos observar também como se desenvolve com ele a justiça e a injustiça?

— Talvez.

— E não é de esperar que depois disso nos seja mais fácil descobrir o objeto de nossa investigação?

— Muito mais fácil.

— Tentaremos, então, construir um Estado? — disse eu. — Não me parece pouco trabalho. Refleti, pois.

— Já refleti — volveu Adimanto — e estou ansioso para que prossigas.

— Pois bem — comecei: — Um Estado nasce, na minha opinião, das necessidades dos homens; ninguém basta a si mesmo, mas todos nós precisamos de muitas coisas. Ou crês que se possa imaginar uma outra origem para os Estados?

— Nenhuma outra.

O Estado surge das necessidades dos homens

— Então, como temos muitas necessidades e fazem-se mister numerosas pessoas para supri-las, cada um vai recorrendo à ajuda deste para tal fim e daquele para tal outro; e, quando esses associados e

auxiliares se reúnem todos numa só habitação, o conjunto dos habitantes recebe o nome de cidade ou Estado. Não é assim?
— Assim mesmo.
— E realizam trocas entre si, e um dá e outro recebe, por acharem que isso redunda em seu benefício?
— Evidentemente.
— Eia, pois! — disse eu. — Construamos mentalmente um Estado. E, no entanto, a verdadeira criadora é a necessidade, que é a mãe de nossa inventiva.
— Decerto.

As quatro ou cinco grandes necessidades da vida e as classes de cidadãos que lhes correspondem

— Ora, a primeira e a maior de todas as necessidades é a provisão de alimentos para manter existência e vida.
— Naturalmente.
— A segunda é a habitação; a terceira, o vestuário e coisas semelhantes.
— Certo.
— Vejamos agora como atenderá nossa cidade à provisão de tantas coisas? Suponhamos que um homem seja lavrador, outro pedreiro, outro ainda tecelão; não será necessário acrescentar a este número um sapateiro, ou talvez algum outro dos que atendem às nossas necessidades corporais?
— Efetivamente.
— Então uma cidade deverá incluir, no mínimo, quatro ou cinco homens.
— Assim parece.
— E daí? Deverá cada um deles dedicar sua atividade à comunidade inteira, produzindo, por exemplo, o lavrador para quatro e trabalhando quatro vezes mais do que necessita, a fim de subministrar víveres não apenas a si mesmo, mas também aos demais? Ou deverá

A divisão do trabalho

fazer caso omisso dos outros, dedicando a quarta parte do tempo a obter para si só a quarta parte do alimento comum e passando as três quartas partes restantes ocupado, sucessivamente, com sua casa, sua roupa e seu calçado, sem associar-se em nada aos demais, mas suprindo ele mesmo todas as suas necessidades?

Adimanto foi de opinião que a primeira alternativa era mais razoável do que a segunda.

— Não admira, por Zeus! — respondi. — Porque, ao ouvir-te, me ocorreu que não há duas pessoas exatamente iguais por natureza, mas em todas há diferenças inatas que tornam cada uma delas apta para uma ocupação. Não é assim?

— Como não!

— E uma pessoa trabalharia melhor dedicando-se a muitos ofícios ou a um só?

— A um só — disse ele.

— Além disso, é evidente que um trabalho não sai bem-feito quando se deixa escapar a ocasião própria para realizá-lo?

— Sem dúvida.

— Porque a obra, segundo creio, não costuma esperar o momento em que esteja desocupado o trabalhador; muito ao contrário, deve este atender ao seu trabalho e dar-lhe primazia entre todas as suas ocupações.

— Assim é.

— Por conseguinte, devemos concluir que todas as coisas são produzidas em maior abundância, com mais facilidade e de qualidade melhor quando cada um realiza um só trabalho de acordo com as suas aptidões, no momento oportuno e sem se ocupar com outra coisa que não seja ele.

— Indubitavelmente.

— Então, Adimanto, serão necessários mais de quatro cidadãos; porque o lavrador não fabricará o seu próprio arado, se quiser que

Aumenta o número de cidadãos necessários

este seja bom, nem o enxadão, nem os demais utensílios de lavoura. Nem tampouco o pedreiro, que também necessita de muitas ferramentas. E da mesma forma no que diz respeito ao tecelão e ao sapateiro. Não achas?

— É verdade.

— Nesse caso, também carpinteiros, ferreiros e muitos outros artífices terão de formar parte do nosso pequeno Estado, que já está começando a crescer?

— Com efeito.

— E, mesmo que acrescentemos vaqueiros, ovelheiros e pastores de outras espécies, a fim de que os agricultores tenham bois para lavrar, os pedreiros e camponeses disponham de bestas para os transportes e não faltem couros nem lã aos sapateiros e tecelões... nem assim o nosso Estado será muito grande.

— Mas tampouco será muito pequeno, se contiver todos esses que dizes.

— Falta considerar agora a situação da cidade — prossegui. — Encontrar um lugar onde não seja necessário importar nada é quase impossível.

— Impossível, realmente.

— Deve haver então outra classe de cidadãos que tragam de outras cidades o que for preciso?

— Deve haver.

— Mas, se o que desempenha essa atividade for com as mãos vazias, sem levar nada do que falta àquelas outras cidades, com as mãos vazias há de voltar. Não é mesmo?

— Assim me parece.

— Será preciso, portanto, que as produções do nosso Estado não sejam apenas suficientes para ele, mas também adequadas, por sua quantidade e qualidade, a atender às necessidades daqueles com quem se realizam as trocas.

— É preciso, de fato.

— Então o nosso Estado requer mais lavradores e artífices.

— Sim.
— Além dos importadores e exportadores, que se chamam comerciantes?
— Sim.
— Necessitamos, pois, de comerciantes?
— Necessitamos.
— E, se a mercadoria deve ser transportada por mar, haverá também mister de marinheiros hábeis, e em grande número?
— Sim, muitos.
— Mas, no interior da cidade, como trocarão entre si os gêneros que cada um produzir? Pois se bem te lembras, foi precisamente esse o fim com que estabelecemos uma comunidade e um Estado.
— Está claro que comprando e vendendo — respondeu.
— Então nos surgirá daí um mercado e uma moeda, como símbolo para facilitar as trocas.
— Por certo.

Origem do comércio de varejo

— E se o camponês ou algum artesão que leva seus produtos ao mercado não chega ao mesmo tempo que os que necessitam comerciar com ele? Terá de permanecer inativo no mercado, abandonando o seu trabalho?
— De modo algum. Encontrará ali pessoas que, percebendo tal necessidade, se encarregam de prestar esse serviço. Nas cidades bem-organizadas, costumam ser essas as pessoas menos vigorosas e impossibilitadas, portanto, de exercer qualquer outro ofício. Sua função é permanecer no mercado, dando dinheiro em troca de mercadorias aos que desejam vender e mercadorias em troca de dinheiro aos que desejam comprar.
— Eis aí, pois, que a necessidade faz aparecer os mercadores na nossa cidade — disse eu. — Não chamamos, de fato, "mercadores" aos que se dedicam a comprar e vender no mercado, enquanto os que viajam de cidade em cidade são denominados comerciantes?

— Exatamente.

— Mas ainda falta, na minha opinião, outra espécie de servidores cuja cooperação não é, por certo, muito estimável no que diz respeito à inteligência, mas que possuem suficiente força física para realizar trabalhos penosos. Vendem, pois, o emprego da sua força e são chamados assalariados, se não me engano, porque salário é o nome aplicado ao preço que se lhes paga. Não é assim?

— É.

— Portanto, segundo creio, esses assalariados são uma espécie de complemento da nossa cidade.

— Assim me parece.

— Bem, Adimanto: teremos já uma cidade suficientemente grande para ser perfeita?

— É possível.

— E onde estão a justiça e a injustiça? Em que parte dela se originaram?

— Provavelmente nas relações desses cidadãos uns com os outros. Não posso imaginar, ó Sócrates, que estejam em outra parte.

— Pode ser que tenhas razão — disse eu. — Mas devemos examinar a questão até o fim, e não a abandonar.

Um quadro da vida primitiva

Consideremos então, antes de tudo, como viverão os cidadãos assim organizados. Não produzirão trigo, vinho, roupas e calçados e não construirão casas para si mesmos? No estio, trabalharão geralmente nus e descalços; no inverno, convenientemente vestidos e calçados. Alimentar-se-ão de farinha de cevada ou trigo, que amassarão e cozerão para comê-la sob a forma de bonitos pães ou bolos servidos sobre esteiras de junco ou folhas limpas. Reclinados em leitos de teixo, e mirto, se banquetearão em companhia de seus filhos, bebendo o vinho que eles próprios fabricaram e, coroados, todos de flores, entoarão hinos de louvor aos deuses, felizes por estar juntos. E, por temor à pobreza ou à guerra, terão o cuidado de não multiplicar suas famílias além do que permitirem seus recursos.

— Mas parece-me — atalhou Gláucon — que convidas essa gente a um banquete sem condimento algum.

— É verdade — respondi —, tinha-me esquecido. Está claro que devem ter condimentos. Sal, em primeiro lugar; azeitonas, queijo... Talvez cozinhem também cebolas e verduras, que são alimentos do campo. Como sobremesa lhes serviremos figos, ervilhas e favas; e tostarão ao fogo murtas e bolotas, que regarão com alguns goles moderados de vinho. Destarte após haver passado sua vida em paz e com saúde, morrerão, como é justo, em idade muito avançada e deixarão de herança aos descendentes uma vida semelhante à sua.

Mas ele contraveio:

— Sim, Sócrates; mas se estivesses organizando uma cidade de porcos, que outros alimentos lhes darias senão esses mesmos?

— E que se lhes deve dar então, Gláucon? — perguntei.

— Pois devias dar-lhes, me parece, as comodidades usuais da vida. As pessoas, para sentir-se a gosto, costumam comer reclinadas em leitos, tendo à sua frente viandas e doces sobre uma mesa. Assim se faz hoje em dia.

— Sim, agora compreendo — disse eu. — Pelo visto, não tratamos somente de investigar as origens de uma cidade, mas de uma cidade de luxo. E talvez não haja mal nisso, pois pode ser que

Num Estado rico, muitas novas profissões se fazem necessárias

numa tal cidade cheguemos a perceber como se originam a justiça e a injustiça. Na minha opinião, a verdadeira cidade é a que acabamos de descrever; uma cidade sã, por assim dizer. Mas, se quereis ver também uma cidade atacada de febre, não me oponho a isso. Palpita-me, com efeito, que muitos não se contentarão com esse gênero de vida simples. Importarão leitos, mesas, mobiliário de toda espécie, manjares, perfumes, incenso, cortesãs, guloseimas, e tudo isso de muitas espécies distintas. Então, já não se contará entre as coisas necessárias apenas o que indiquei anteriormente: casas, roupas e calçados; entrarão em jogo as artes do bordado e da pintura e será preciso obter ouro, marfim e muitos outros materiais.

— É verdade — disse ele.

— Nesse caso temos de alargar nossas fronteiras, pois a cidade original e sadia já não é suficiente. Será necessário que aumente de extensão para abrigar uma multidão de novos habitantes, que já não estarão ali para desempenhar ofícios indispensáveis; por exemplo, caçadores de toda espécie e uma tribo inteira de imitadores, aplicados uns à reprodução de cores e formas, e outros, cultivadores da música — isto é, poetas e seus auxiliares como rapsodos, atores, dançarinos e empresários. Também haverá fabricantes de artigos de toda índole, especialmente dos que se relacionam com o vestuário feminino. Precisaremos também de mais servidores. Ou não crês que façam falta preceptores, amas-secas e de leite, camareiras, barbeiros e cabeleireiros, cozinheiros e confeiteiros? E os porqueiros também, que não tínhamos na primeira cidade porque ali não faziam falta alguma, mas que nesta serão necessários. Não devemos esquecê-los; e deve haver também animais de muitas outras espécies, se as pessoas os comem. Não é assim?

— Certamente.

— E com esse regime de vida teremos muito mais necessidade de médicos do que antes?

— Muito mais.

— E também o país, que então bastava para sustentar seus habitantes, se tornará demasiado pequeno e insuficiente?

— É verdade.

O território do Estado precisa ser estendido; daí as guerras com os vizinhos

— Teremos, pois, de cortar para nós uma fatia do território vizinho se quisermos ter suficientes pastagens e terra cultivável; e o mesmo farão eles com o nosso se, excedendo os limites do necessário, se entregarem à aquisição ilimitada de riquezas?

— É inevitável, Sócrates — disse ele.

— Iremos então à guerra, Gláucon? Sim ou não?

— Certamente que sim.

— Não investiguemos por ora se a guerra produz males ou bens — prossegui. — Contentemo-nos com haver descoberto sua origem

naquilo que é também causa das maiores calamidades públicas e privadas que recaem sobre as cidades.
— Tens razão.

A arte do soldado exige um devotamento completo

— Novamente será preciso aumentar o nosso Estado; e não pouco desta vez, mas de tal modo que possa dar guarida a um exército inteiro, capaz de sair em campanha para combater os invasores e defender tudo quanto possuímos, além das pessoas que há pouco enumeramos.
— Como? — retorquiu Gláucon. — Elas mesmas não podem se encarregar disso?
— Não, pelo menos se continua valendo aqui o princípio que todos nós reconhecemos quando estávamos constituindo o Estado. Esse princípio, se ainda te lembras, era o de que ninguém pode desempenhar com êxito muitos ofícios.
— Tens razão — disse.
— E não é a guerra um ofício ou arte?
— Sem dúvida.
— Acaso o ofício do sapateiro merece maior atenção que o do militar?
— De modo algum.
— E não permitimos que o sapateiro fosse ao mesmo tempo agricultor, tecelão ou pedreiro, a fim de que nossos calçados fossem bem-feitos; e a cada um dos demais artífices designamos, do mesmo modo, uma só tarefa, determinada pelas suas aptidões naturais e na qual deveria trabalhar toda a sua vida, abstendo-se de qualquer outra ocupação e não deixando passar a ocasião oportuna para executar cada obra. Ora, é da máxima importância que também o trabalho do soldado seja bem executado. Mas será a guerra uma arte tão fácil de adquirir que um

Requer, além disso, um longo aprendizado e muitos dotes naturais

lavrador, um sapateiro ou qualquer outro artífice possa ser soldado ao mesmo tempo, enquanto a ninguém é possível conhecer perfeitamente o jogo de damas ou de dados se o cultiva apenas como forma de recreação e não se dedicou a ele desde criança, com exclusão de tudo mais? Não há ferramenta ou utensílio que, por si só, converta um homem num perito artesão ou num atleta consumado, se não aprendeu a manejá-la e nunca lhe dedicou a menor atenção. E bastará empunhar um escudo ou qualquer outra das armas e instrumentos de guerra para estar logo em condições de lutar nas fileiras dos hoplitas ou de outra unidade militar?

— Se assim fosse — respondeu ele —, não haveria preço que pagasse tais utensílios!

— Portanto — continuei —, quanto mais importante seja a missão dos guardiães, mais tempo, arte, habilidade e zelo se exigirão deles?

— Assim me parece.

— Não será necessário que tenham também uma aptidão natural para essa profissão?

— Certamente.

— Então é obrigação nossa escolher, se pudermos, homens de tal natureza e qualidade que sejam aptos para a tarefa de guardiães da cidade?

A seleção dos guardiães

— É nossa obrigação, com efeito.

— Por Zeus! — exclamei. — Não é pequena a empresa em que nos metemos! Todavia, não devemos perder a coragem enquanto tivermos forças para isso.

— Não devemos, não — disse ele.

— Não te parece — perguntei — que um rapaz de nobre linhagem se assemelha muito a um cão de raça no que se refere à custódia?

— Que queres dizer?

— Que ambos devem ser vivos para se aperceber das coisas, velozes para correr no encalço do que veem e também vigorosos para o caso em que tenham de lutar depois de havê-lo alcançado.

— Decerto — concordou — todas essas qualidades lhes são necessárias.

— Ademais, hão de ser valentes, se queremos que lutem bem.
— Pois claro.
— Mas poderá acaso ser valente o cavalo, cão ou outro animal qualquer que não seja impetuoso? Não tens observado que a impetuosidade é uma força invencível e irresistível, e como essa qualidade torna uma alma absolutamente intrépida e indomável diante de qualquer perigo?
— Tenho observado, sim.
— Então fazemos agora uma ideia clara das qualidades corporais que deve possuir o guardião.
— É verdade.
— E também no que toca à alma: precisa ter, ao menos, impetuosidade.
— Também.
— Mas, sendo tal sua natureza, ó Gláucon, como impedir que se mostrem ferozes uns com os outros e com o resto dos cidadãos?
— Por Zeus! — respondeu ele. — Não é nada fácil.
— Pois é necessário que sejam afáveis para com seus concidadãos e perigosos em face do inimigo. Do contrário não esperarão que este os venha destroçar, senão que eles mesmos serão os primeiros a exterminarem-se entre si.
— É verdade.
— Que fazer, então? — perguntei. — Onde encontraremos um temperamento afável e impetuoso ao mesmo tempo? Porque, se não me engano, uma coisa contradiz a outra.
— Com efeito.

O guardião reúne em si as qualidades opostas da mansidão e da impetuosidade

— Não será bom guardião aquele a quem faltar qualquer dessas duas qualidades. Mas como parece impossível conciliá-las, será também impossível encontrar um bom guardião.
— É de recear que assim seja — respondeu ele.

Aqui fiquei perplexo; mas, depois de refletir sobre o que acabávamos de dizer, continuei:

— Bem merecemos, meu amigo, o ter caído neste embaraço; pois perdemos de vista a imagem que tínhamos diante dos olhos.

— Que queres dizer?

— Que não nos apercebemos de que exercem, na realidade, naturezas dotadas dessas qualidades opostas.

— E onde as encontras?

Essa combinação pode ser observada no cão

— É fácil achá-las em muitos animais, mas sobretudo naqueles com que comparávamos há pouco o guardião. Deves ter observado que os cães de raça têm como tendência inata a de serem perfeitamente mansos para com as pessoas da família e os seus conhecidos, enquanto com os estranhos sucede o contrário.

— Sei disso, com efeito.

— Logo, não há nada de impossível ou fora da ordem natural em pretendermos encontrar um guardião dotado dessas qualidades?

— Parece que não.

— Mas não achas que o futuro guardião tem mister de ainda outra qualidade? Que, além de ser impetuoso, deve ser filósofo por natureza?

— Como? Não entendo.

— A característica de que falo — respondi — também pode ser observada no cão; coisa, por certo, digna de admiração num animal.

— Que característica?

— A de se enfurecerem ao ver um desconhecido e fazer festas às pessoas que conhecem, ainda que o primeiro nunca lhes

O cão como filósofo

tenha feito mal algum e as segundas, nenhum bem. Não te parece estranho isso?

— Nunca havia reparado em tal coisa até agora — disse ele —, mas não há dúvida de que assim se comportam.

— E é esse um traço encantador de sua natureza, mostrar que o cão é um verdadeiro filósofo.

— Por quê?

— Porque distingue a figura do inimigo da do amigo pelo simples critério de conhecê-la ou não conhecê-la. E não sentirá desejo de aprender quem define o familiar e o estranho pelo seu conhecimento ou ignorância de um e de outro?

— Sem dúvida!

— Pois bem: não são a mesma coisa o desejo de aprender e o amor ao saber, isto é, a filosofia?

— São a mesma coisa, com efeito — concordou ele. — E não podemos admitir confiadamente que o homem cuja disposição é afável para com os amigos e conhecidos deve ser filósofo e amigo de saber por natureza?

— Admitido — respondeu Gláucon.

— Logo, para desempenhar com perfeição o cargo de guardião em nossa cidade será necessário reunir em si a filosofia, a impetuosidade, a rapidez e a força?

— Sem dúvida alguma.

— E, agora que encontramos as naturezas desejadas, de que modo criaremos e educaremos esses jovens? Quem sabe se o exame deste ponto não lançará luz sobre o objeto final de todas as

Como criar e educar os guardiães

nossas investigações, que é saber como nascem numa cidade a justiça e a injustiça? Pois não devemos omitir nada de importante nem estender-nos em divagações.

Então interveio o irmão de Gláucon:

— Perfeitamente. Por minha parte, prevejo que o exame será muito proveitoso aos nossos fins.

— Então, amigo Adimanto — disse eu —, não devemos abandoná-lo, por Zeus, ainda que a discussão seja um pouco longa.
— Não, por certo.

A educação dividida em ginástica e música

— Muito bem: façamos de conta que temos uma hora disponível para contar histórias, e essa história seja a educação de nossos heróis.
— Perfeitamente.
— Qual será, pois, essa educação? Haverá outra melhor do que a tradicional? Esta compreende, segundo creio, a ginástica para o corpo e a música para a alma.
— Assim é.
— Começaremos pela música, deixando a ginástica para depois?
— Como não?
— Consideras ou não a literatura incluída na música?
— Considero.
— E não há duas espécies de literatura, uma verídica e a outra fictícia?
— Sim.
— E não convém educar os jovens por meio de ambas, começando pela fictícia?
— Não sei o que queres dizer — respondeu Adimanto.
— Por certo não ignoras que começamos por contar fábulas às crianças. E estas são fictícias em geral, embora haja nelas algo de verdade. As fábulas aparecem antes da ginástica na educação das crianças, não é verdade?
— Decerto.
— Pois bem, aí tens o que eu queria dizer: que é preciso ensinar a música antes da ginástica.
— Dizes bem.
— E não sabes que o princípio é o mais importante em toda obra, sobretudo quando se trata de criaturas jovens e tenras! Pois, nesse período de formação do caráter, é mais fácil deixar nelas gravadas as impressões que desejarmos.

— Tens razão.

— Permitiremos então, levianamente, que as crianças escutem quaisquer fábulas, forjadas pelo primeiro que aparece, e deem guarida em seu espírito a ideias geralmente opostas àquelas que, em nossa opinião, devem alimentar quando forem grandes?

— De modo algum.

— Será, pois, preciso, antes de tudo, estabelecer uma censura das

As obras de ficção devem ser submetidas à censura

obras de ficção, aceitando as que forem boas e rejeitando as más; e trataremos de convencer as mães e amas de que devem contar às crianças apenas os mitos autorizados. Destarte lhes moldarão as almas por meio de fábulas melhor do que os corpos com as mãos. Mas será preciso rechaçar a maioria das que estão atualmente em uso.

— Quais são elas? — perguntou.

— Pelos mitos maiores aquilataremos os menores — disse eu —, pois são necessariamente do mesmo tipo, e tanto uns como os outros estão animados do mesmo espírito.

— É bem possível — tornou Adimanto —, mas não compreendo ainda quais são esses maiores de que falas.

— Aqueles que nos contavam Homero e Hesíodo, e com eles os demais poetas. São esses os forjadores dos falsos mitos que se têm contado e se contam por aí.

Homero e Hesíodo dão falsas representações dos deuses, e isso tem efeito nocivo no espírito dos jovens

— Mas a que mitos te referes? — perguntou. — E que achas de censurável neles?

— Aquilo que é, sobre todas as coisas, a mais digna de censura, isto é, a mentira; especialmente quando se trata de uma má mentira.

— Que mentira é essa?

— O oferecer, com palavras, uma imagem falsa da natureza dos deuses e dos homens, como um pintor cujo retrato não apresentasse a menor semelhança com o modelo.

— Sim — disse ele —, tal comportamento merece censura. Mas especifica quais são as histórias a que te referes.

— Em primeiro lugar — respondi —, não agiu bem quem inventou a maior das mentiras que se narra a respeito dos mais veneráveis seres. Refiro-me ao que fez Urano, segundo Hesíodo, e como Crono se vingou dele por sua vez. Quanto às façanhas de Crono e ao tratamento que lhe infligiu seu filho, ainda que fossem verdadeiros, me parece que não deveriam ser relatados levianamente a meninos que ainda não alcançaram o uso da razão. Melhor seria guardar silêncio sobre tais coisas; mas, se não há remédio senão mencioná-las, que as ouça em segredo o menor número possível de pessoas, com a condição de terem imolado previamente, não digo já um cerdo, mas uma vítima mais rara e valiosa, para que pouquíssimos estejam em condições de ouvir.

— Bem — disse ele —, a verdade é que tais histórias são perigosas.

— E jamais, Adimanto, devem ser narradas em nossa cidade, nem se deve dar a entender a um jovem ouvinte que ao cometer os maiores crimes não faz nada de extraordinário, e mesmo quando castiga por qualquer procedimento as más ações de seu pai não faz mais do que seguir o exemplo dado pelos primeiros e maiores dentre os deuses.

— Concordo inteiramente contigo — volveu Adimanto. — Essas histórias não me parecem próprias para serem divulgadas.

— Nem tampouco se deve dizer uma palavra sobre as guerras no céu, as lutas e as ciladas que os deuses armam uns aos outros... o que, aliás, não é verdade... se quisermos que os futuros vigilantes da cidade considerem como a mais vergonhosa das coisas o deixarem-se arrastar a disputas por motivos frívolos. Não, de modo algum se devem mencionar as batalhas dos gigantes, nem permitir que sejam bordadas tais cenas em peças de vestuário; e também silenciaremos sobre as inúmeras contendas que se teriam verificado entre os deuses ou heróis e seus amigos e parentes. Pelo contrário, se há meio de persuadi-los de que jamais houve cidadão algum que se tivesse inimizado com outro e de que é um crime fazer tal coisa, esse, e não outro, é o gênero de histórias que anciãos e anciãs deverão contar-lhes desde o berço; e, quando crescerem, será preciso ordenar aos poetas que componham suas fábulas dentro do mesmo espírito. Quanto aos relatos de como foi aferrolhada Hera por seu filho ou como, em outra ocasião, dispondo-se Hefesto a defender a mãe contra os golpes do pai, foi por este arrojado ao espaço, e todas as batalhas de deuses que inventou Homero, não é possível admiti-las na cidade, quer te-

Os meninos não entendem as interpretações alegóricas

nham, quer não tenham um significado alegórico. Porque os meninos não são capazes de distinguir o alegórico do literal, e as impressões recebidas nessa idade tendem a tornarem-se fixas e indeléveis. Portanto, é da mais alta importância que as primeiras fábulas que escutarem sejam de modo a despertar neles o amor da virtude.

— Sim, isso é razoável — disse ele. — Mas se alguém nos perguntar a que classe de fábulas nos referimos e onde podem ser encontrados esses modelos, quais são as que deveremos apontar?

E isto respondi:

— Ó Adimanto! Nem tu nem eu somos poetas neste momento, e sim fundadores de uma cidade. E os fundadores não têm obrigação de compor fábulas, mas apenas de conhecer as linhas gerais que os poetas devem seguir em seus mitos, a fim de não permitir jamais que se afastem delas.

— Tens razão — assentiu —, mas quais seriam essas linhas gerais em se tratando dos deuses?

— Mais ou menos as seguintes — respondi. — Deve-se representar sempre o deus como é na verdade, qualquer que seja o gênero de poesia... épico, lírico ou trágico.

O deus deve ser representado como realmente é

— Assim se deve fazer, com efeito.

— E não é a divindade essencialmente boa, devendo, portanto, ser representada como tal?

— Decerto.

— Pois muito bem: nada que seja bom pode ser nocivo, não é verdade?
— Não creio que possa.
— E o que não é nocivo pode prejudicar?
— De modo algum.
— O que não prejudica faz algum dano?
— Não.
— E o que não causa nenhum dano poderá fazer algum mal?
— Impossível.
— E o que é bom é proveitoso?
— É.
— E causa, portanto, do bem-estar e da felicidade?
— Sim.
— Segue-se daí que o bom não é causa de todas as coisas, mas unicamente das boas?
— Não cabe dúvida — disse ele.

A divindade, sendo boa, só é causa do bem

— Por conseguinte — continuei —, a divindade, sendo boa, não pode ser causa de tudo, como diz a maioria, mas de algumas coisas apenas, e não da maior parte das coisas que acontecem aos homens. Pois em nossa vida há muito menos coisas boas do que más. Quanto às primeiras, não há necessidade de atribuí-las a nenhum outro autor; mas as causas das segundas devem ser buscadas alhures, e não na divindade.
— Isto me parece muito verdadeiro — respondeu ele. — Nesse caso, não devemos dar ouvidos a Homero ou qualquer outro poeta quando cometem a tolice de dizer que

Na morada de Zeus há dois potes cheios de destinos;
Os de um são todos bons e os de outro, todos maus;

e aquele a quem Zeus confere uma mistura de uns e outros

Ora enfrenta dias sombrios, ora lhe sorri a fortuna,

mas o que recebe um quinhão de mal sem mistura,

A esse uma negra miséria obriga a vagar pela terra divina

Não admitiremos tampouco que seja Zeus "o que nos dispensa os bens e os males". E se alguém afirmar que a violação de juramentos e tratados, na realidade obra de Pândaro, foi instigada por Zeus e Atena, não o aprovaremos, como também não sancionaremos a discórdia e luta dos deuses, que teria sido promovida por Têmis e Zeus; nem se deve permitir que os jovens escutem o que disse Ésquilo:

A divindade torna os homens culpados quando quer demolir uma casa pelos alicerces.

Pelo contrário, quando um poeta canta os infortúnios de Níobe, como o autor destes versos iâmbicos, ou os dos Pelópidas, as calamidades da Guerra de Troia ou algum outro tema do mesmo gênero, não se deve deixar que explique esses males como obra divina; ou, se o fizer, terá de inventar uma explicação semelhante à que procuramos agora, dizendo que as ações divinas foram justas e boas e que o castigo redundou em benefício do culpado. Mas que chame infortunados aos que sofreram a pena e que a divindade foi autora de sua desgraça — isso não havemos de tolerar ao poeta; embora possam dizer que os maus foram infortunados precisamente porque necessitavam de castigo, e que ao recebê-lo foram objetos de um benefício divino. Mas, se queremos que uma cidade se desenvolva em boa ordem, é preciso impedir por todos os meios que nela se atribua à divindade, que é boa, a autoria dos males sofridos por mortal, e que narrações de tal espécie sejam escutadas por moços ou por velhos, estejam elas escritas em verso ou em prosa. Pois quem conta tais lendas profere coisas ímpias, inconvenientes e contraditórias entre si.

— Voto contigo essa lei, que muito me agrada — disse ele.

— Esta será, pois, a primeira de nossas regras relativas aos deuses e das normas a que deverão conformar-se poetas e narradores: que a divindade não é autora de todas as coisas, mas unicamente das boas.

— Isso é mais que bastante — volveu ele.

— Mas que me dizes de um segundo princípio? Deveremos por acaso considerar um deus como uma espécie de bruxo capaz de manifestar-se sob diferentes formas, quer mudando ele mesmo e modificando sua aparência para transformar-se de mil modos diversos, quer enganando-nos com o simulacro de tais transformações; ou o conceberemos como um ser simples e imutavelmente fixado na forma que lhe é própria?

As coisas têm de ser modificadas por outras ou por si mesmas

— Não posso responder-te sem maior reflexão — disse ele.

— Pois quê? Se supomos que uma coisa se modifica, não é forçoso que o faça por si mesma ou pela ação de alguma causa externa?

— Sim, forçosamente.

— E não são as coisas mais perfeitas as menos sujeitas a transformações ou alterações causadas por um agente externo? Por exemplo, o corpo humano mais são e robusto é o menos exposto a ser afetado por alimentos e bebidas, e a planta em pleno viço é a que menos sofre por efeito dos ventos, do calor do sol e outras causas semelhantes.

— Naturalmente.

— E a alma mais denodada e inteligente não será a que menos se deixe afetar ou alterar por qualquer influência exterior?

— Sim.

— E o mesmo sucede também, segundo me parece, com todas as coisas fabricadas: edifícios, utensílios e roupas. Quando são bem-feitas e se acham em bom estado, são as que menos se deixam alterar pelo tempo e outros agentes destrutivos.

— Com efeito, assim é.

— Portanto, tudo que é bom, seja produzido pela natureza, pela arte ou por ambas, está menos exposto que as outras coisas a sofrer alterações causadas por elementos externos?
— Assim parece.
— Mas é certo que a condição da divindade e de tudo que lhe diz respeito é ótima sob todos os aspectos?
— Como não?
— Logo, nada é menos capaz que a divindade de adotar formas diversas por influências externas?
— Evidentemente.
— Mas poderá ela alterar-se e transformar-se por sua própria vontade?
— Se se transforma, não pode ser de outro modo.

A divindade não pode ser modificada por outra coisa, nem deseja modificar-se a si mesma

— Nesse caso, achas que o faz para melhorar-se e aformosear-se, ou para piorar e desfigurar o seu aspecto?
— Será forçosamente para piorar, sempre na hipótese de que se transforme — disse ele. — Porque não podemos pretender que a divindade seja imperfeita em bondade ou em beleza.
— Dizes muito bem, Adimanto. Mas haverá alguém, deus ou homem, que deseje tornar-se pior do que é?
— Impossível.
— Então é impossível que um deus queira modificar-se a si mesmo; sendo eles, segundo creio, os seres mais belos e perfeitos que podem existir, terão de permanecer para sempre invariáveis na forma que lhes é própria.
— Tudo isso me parece inegável — disse ele.
— Então, meu amigo, que nenhum poeta nos venha dizer que

Os deuses, disfarçados como estrangeiros vindos de muitas terras, trilharam as ruas das cidades sob uma multidão de aparências, nem que caluniem Proteu e Tétis ou nos apresentem, em tragédias ou poemas, a Hera transformada em sacerdotisa mendicante, a pedir

Para os almos filhos de Ínaco, o rio argiano.

Poremos um fim a essas e a muitas outras patranhas que tais. E que tampouco as mães, influenciadas por elas, assustem seus filhos, deturpando as lendas e falando-lhes de deuses que andam pelo mundo à noite, disfarçados de estrangeiros vindos dos mais variados países. Assim não blasfemarão contra os seres divinos e evitarão, ao mesmo tempo, que as crianças se tornem mais medrosas.

— Os céus não permitam — disse ele.

— Mas, embora os deuses sejam em si mesmos imutáveis, dar-se-á o caso de quererem fazer crer a nós outros, com bruxarias e trapaças, que se apresentam sob diversas formas?

— Talvez — admitiu ele.

Tampouco desejam os deuses dar-nos uma falsa representação de si mesmos

— Mas como? — perguntei. — Acreditas que um deus deseje enganar-nos com palavras ou ações, apresentando-nos um fantasma de si mesmo?

— Não sei dizer — respondeu.

— Ignoras então que a verdadeira mentira, se é lícito empregar esta expressão, é odiada por todos os deuses e homens?

— Que queres dizer?

— Que ninguém deseja ser enganado na melhor parte de seu ser nem com respeito às coisas mais verdadeiras e mais transcendentais; não há nada que mais se tema do que ter arraigada aí a mentira.

— Continuo sem entender — disse ele.

— É porque atribuis alguma significação profunda às minhas palavras — respondi —, mas quero dizer apenas que se enganar, ser enganado ou permanecer na ignorância com respeito às coisas essenciais na parte mais nobre de nós mesmos, que é a alma, e albergar e ter

albergada ali a mentira, é algo que ninguém pode suportar de maneira alguma e, portanto, o que todos mais sumamente detestam.
— Tens toda a razão.
— Pois bem: podemos chamar "verdadeira mentira", como dizia há pouco, a essa ignorância que existe na alma do enganado; porque a mentira expressa por meio de palavras nada mais é que um reflexo da situação da alma e uma imagem que daí se origina, nunca uma mentira absolutamente pura. Digo bem?
— Perfeitamente.

A verdadeira mentira e a mentira expressa por meio de palavras

— Ficamos, pois, em que a verdadeira mentira é odiada não só pelos deuses, mas também pelos homens?
— Sim.
— E que dizer da mentira expressa por meio de palavras? Quando e para quem pode ser útil e não odiosa? Não será ela benéfica, como o remédio com que atalhamos um mal, quando a usamos contra os inimigos ou quando algum dos que consideramos amigos tenta praticar uma ação má, seja por efeito de um ataque de loucura ou de outra perturbação qualquer? Assim também nas lendas mitológicas de que falávamos antes e em que, por ignorarmos a verdade a respeito dos tempos antigos, fazemos a mentira o mais parecida possível com ela?
— Assim é, sem dúvida — assentiu ele.
— Mas pode alguma dessas razões aplicar-se à divindade? É crível que tenha de recorrer à invenção por desconhecer a antiguidade?
— Ora, isso seria ridículo! — exclamou.
— Não podemos, pois, conceber um deus como um poeta embusteiro.
— Não creio.
— Mentirá, então, por medo a seus inimigos?
— Isto é inconcebível.
— Ou o induzirá a isso alguma loucura ou insensatez de um amigo?

— Nenhum louco ou insensato é amigo dos deuses — respondeu ele.
— Logo, não há razão alguma para que um deus minta?
— Não há.
— Segue-se daí que todo o sobre-humano e divino é absolutamente incapaz de mentir.
— Incapaz, com efeito.
— A divindade é, portanto, absolutamente simples e veraz em palavras e atos, não muda por si mesma nem engana outrem, quer por sinais ou palavras, quer por sonhos ou aparições.
— Tal é a minha opinião também, depois de te ouvir — disse Adimanto.
— Concordas, pois, em que seja esta a segunda das normas que cumpre seguir em tudo quanto se diz ou escreve a respeito dos deuses: que eles não são feiticeiros que se transformem nem nos induzem em erro com ditos e atos mendazes?
— Concordo.
— Portanto, embora sejamos admiradores de Homero, não aprovaremos a passagem em que Zeus envia o sonho inverídico a Agamenon, nem louvaremos os versos de Ésquilo em que diz Tétis que Apolo cantou em suas bodas, celebrando sua ditosa progênie:

E minha longa vida, isenta de toda enfermidade.
E alfim, para honrar meu destino amado dos deuses,
Entoou o peã, enchendo-me a alma de júbilo.
E não pensei que coubesse mentira na boca divina
De Febo, sede das artes proféticas.
Pois bem: ele que cantava, que assistia ao festim e que disse tudo aquilo,
Ele mesmo foi o assassino de meu filho...

Esta é a espécie de narrações a respeito dos deuses que deve provocar nossa cólera e com que nos recusaremos a fazer coro; nem permitiremos que os mestres se sirvam de tais obras para educar os jovens, se quisermos que os guardiães sejam piedosos e se assemelhem aos deuses tanto quanto isso é permitido a um ser humano.

— Por minha parte — disse ele então —, concordo inteiramente com essas normas e estou disposto a aceitá-las como leis.

Livro III

— Bem — disse eu. — Tais são, segundo parece, as coisas referentes aos deuses que os jovens podem ou não escutar desde pequenos, para que saibam honrar mais tarde a divindade e os seus genitores, e dar o devido valor às suas mútuas relações de amizade.

— Sim — tornou Adimanto —, e julgo acertado os nossos princípios.

— Mas que devemos fazer para que sejam corajosos? Não será preciso ensinar-lhes coisas que sejam de modo a eliminar neles o temor da morte? Ou pensas, talvez, que possa ser valente quem leve em seu ânimo esse temor?

— Não, por Zeus! — exclamou.

— E poderá encarar a morte sem temor e preferi-la, nas batalhas, à derrota e à servidão aquele que acredita na existência do Hades e o considera terrível?

— De modo algum.

— Será, pois, necessário vigiar também os que se dedicam a contar esse gênero de fábulas, rogando-lhes que não se limitem a pintar com negras cores tudo que diz respeito ao Hades, mas antes o exaltem, pois suas atuais descrições são falsas e não beneficiam os nossos futuros guerreiros.

— Sim, isso é necessário — assentiu ele.

Devem ser rejeitadas as medonhas descrições que Homero faz do Hades

— Teremos de expungir, então, muitas passagens nocivas, a começar por estes versos:

Preferiria lavrar a terra a serviço de um homem pobre e sem recursos
A reinar sobre todos os mortos.

Ou estes:

> *Para que não se mostrasse aos olhos de mortais e imortais*
> *A morada lôbrega e horrorosa que os próprios deuses aborrecem.*

E mais estes:

> *Ó céus! Perduram, pois, na morada de Hades a alma e a forma espectral,*
> *Mas nenhum entendimento lhes resta!*

Ou este outro:

> *Conservar só ele a razão, rodeado de sombras errantes.*

Ou ainda:

> *E a alma abandonou seu corpo e voou para o Hades,*
> *Chorando seu destino e deixando mocidade e virilidade.*

Ou aquele:

> *E a alma se desvaneceu como fumo*
> *E sumiu-se uivando debaixo da terra.*

E aquele outro:

> *E como no fundo de uma gruta sagrada*
> *Revoluteiam guinchando os morcegos, quando um deles se desprendeu*
> *Da fileira colada à rocha, e voltam a enganchar-se uns aos outros,*
> *Assim se foram elas gritando em coro.*

Rogaremos a Homero e aos outros poetas que não se enfadem se riscarmos essas e semelhantes passagens, não por considerá-las prosaicas ou desagradáveis para os ouvidos do povo, mas na convicção de que quanto maior o seu encanto poético, menos devem escutá-las meninos e adultos que se destinam a ser livres e a temer mais a escravidão do que a morte.

— Indubitavelmente.

— Teremos de suprimir também todos os nomes terríveis e espantosos que se relacionam com o mundo inferior: Cocito e Estige, fantasmas debaixo da terra, formas exangues e as demais palavras do mesmo gênero cuja simples menção faz estremecer quantos as ouçam. Não digo que essas medonhas histórias não tenham sua utilidade, mas há perigo de que os nervos de nossos guardiães se tornem mais sensíveis e excitáveis do que seria conveniente.

— O perigo é bem real — disse ele.

— Suprimimo-las, então?

— Sim.

— E será preciso narrar e cantar de acordo com normas inteiramente opostas?

— Evidentemente.

— E, passando adiante, não riscaremos também os gemidos e lamentos em boca de homens famosos?

Convém suprimir também as lamentações de homens famosos, e muito mais ainda as dos deuses

— Será inevitável, depois do que fizemos no caso anterior.

— Mas teremos ou não razão em suprimi-los? Reflete: nosso princípio é que o homem de valor não deve considerar a morte como coisa temível para outro semelhante a ele, que seja seu camarada.

— Sim, esse é o nosso princípio.

— Não poderá, pois, lamentá-lo como se lhe tivesse acontecido algo horrível.

— Claro que não.

— Sustentamos, igualmente, que um homem assim é quem reúne em si mesmo todos os requisitos para viver bem e se distingue dos outros mortais por ser quem menos necessita de seu próximo.

— É verdade — disse ele.

— Por conseguinte, ser-lhe-á menos dolorosa que a qualquer outro a perda de um filho, de um irmão, de uma fortuna ou coisa semelhante.

— Menos que a qualquer outro, com efeito.

— E também será quem menos se lamente e quem mais facilmente se resigne quando lhe suceder uma desgraça dessa espécie.

— Evidentemente.

— Portanto, faremos bem em suprimir as lamentações de homens famosos e atribuí-las às mulheres, e não às de caráter mais nobre, ou a homens de condição mais vil, a fim de que a imitação de tal gente repugne aos que tencionamos educar para serem os defensores de seu país.

— Seria muito acertado — disse ele.

— Pediremos, pois, novamente a Homero e aos outros poetas que não nos apresentem Aquiles, filho de uma deusa, "estendido

Exemplos encontrados em Homero

ora de lado, ora de boca para cima, ora de boca para baixo; e erguendo-se logo depois para vaguear desatinado ao longo das praias do mar infecundo", nem "colhendo com ambas as mãos o pó escuro e derramando-o sobre a cabeça", nem, enfim, chorando e lamentando-se de maneira tão hiperbólica. Tampouco nos deve mostrar a Príamo, parente próximo dos deuses, suplicando e "rebolcando-se no esterco, a chamar cada qual pelo seu nome". Ainda mais encarecidamente lhe imploraremos que não represente os deuses a gemer e a dizer:

Ai de mim, desventurada! Ai de mim, triste mãe de um herói!

E, se não respeita os deuses, pelo menos que não tenha a ousadia de atribuir ao maior deles uma linguagem tão indigna como esta:

Ó Céus! Vejo com meus olhos um varão amado a quem perseguem em volta da cidade, e meu coração se aflige.

Ou então:

Ai de mim, que me coube em sorte ver Sarpédon, o mais querido dos homens, perecer às mãos de Pátroclo Menecíada!

Porque, meu bom Adimanto, se nossos jovens ouvirem a sério tais histórias em vez de levá-las em brincadeira como seria justo, raros serão os que considerem semelhantes ações indignas de si mesmos, uma vez que não passam de homens mortais; tampouco tratarão de refrear qualquer impulso que lhes venha de dizer e fazer o mesmo. Muito ao contrário, diante do menor contratempo se entregarão a longos trenos e lamentações, sem se envergonharem nem demonstrar qualquer domínio próprio.

— É muito verdadeiro o que dizes — assentiu.

— Pois bem, isso é justamente o que não deve suceder, segundo prova o nosso argumento de há pouco; e devemos segui-lo enquanto não aparecer alguém que nos convença com outro melhor.

— Realmente, não deve suceder.

— Tampouco convém que os guardiães sejam gente dada ao riso. Porque os acessos de hilaridade imoderada provocam quase sempre reações violentas.

Por outro lado, os guardiães não devem ser encorajados ao riso pelo exemplo dos deuses

— Assim creio — disse ele.

— Portanto, não se devem representar pessoas de prol dominadas pelo riso, e muito menos se forem deuses.

— Muito menos — concordou.

— Não aceitaremos, pois, descrições como esta de Homero, em que

Um riso inextinguível se apossou dos deuses bem-aventurados, quando viram Hefesto azafamar-se pela sala.

Isso não podemos admitir de acordo com o teu pensar.
— O meu pensar? Seja, se assim queres: não o admitiremos, com efeito.
— Por outro lado, a verdade merece ser estimada sobre todas as coisas. Se, como dizíamos, a mentira de nada serve aos deuses

A juventude deve ser veraz e temperante

e só pode ser útil aos homens como uma espécie de medicamento, convém que fique reservada aos médicos e que os indivíduos particulares não possam fazer uso dela.
— É evidente — disse.
— Se há, pois, alguém a quem seja lícito faltar à verdade, serão os governantes da cidade, os quais poderão mentir com respeito a seus inimigos e concidadãos, em benefício da comunidade, sem que nenhuma outra pessoa esteja autorizada a fazê-lo. E se um indivíduo enganar os governantes, será isso considerado uma falta não menos grave que a do doente ou do atleta que mente ao médico ou ao treinador em assuntos atinentes a seu corpo, ou a do marinheiro que não diz a verdade ao piloto sobre o estado do navio ou da tripulação, ou as condições em que se encontra ele ou qualquer de seus companheiros.
— Nada mais certo — disse Adimanto.
— De modo que, se o governante surpreender algum outro a mentir na cidade, alguém

da classe dos artesãos, seja ele adivinho, médico ou carpinteiro,

castigá-lo-á por introduzir uma prática tão perniciosa e subversiva na cidade quanto o seria num navio.
— Perniciosa, sem dúvida — disse ele —, se às palavras seguirem os atos.
— E que mais? Não convém que nossos jovens sejam também temperantes?
— Por certo.

— E, falando de um modo geral, não consiste a temperança acima de tudo em obedecer aos que mandam e mandar, por sua vez, em seus próprios apetites de comida, bebida e prazeres amorosos?

— Pelo menos é o que se me afigura.

— Aprovaremos, portanto, uma linguagem como a que usa Diômedes em Homero:

Amigo, senta-te em silêncio e obedece ao que ordeno,

e os versos seguintes:

Marchavam os aqueus respirando coragem,
Calados por temor a seus chefes,

e todos os mais que a estes se assemelham.

— Sim, aprovaremos.

— E que dizes deste:

Beberrão, que tens olhos de cão e coração de cervo

e das palavras que seguem? Achas que estão bem na boca de um indivíduo particular essas e semelhantes insolências quando se dirige a um superior?

— Estão muito mal.

— É bem possível que proporcionem algum deleite aos jovens ouvintes, mas não os incitam à temperança. Não concordas comigo neste ponto?

— Plenamente.

Os louvores aos prazeres da mesa, bem como histórias sobre a conduta indecente dos deuses, não devem ser recitados aos jovens

— E que mais? Parece-te próprio para despertar sentimentos de temperança nos jovens que se apresente o mais sábio dos homens a dizer que não há, na sua opinião, coisa mais bela no mundo do que

> *Quando as mesas estão pejadas de pão e carne, e o copeiro,*
> *Passando em volta com o cântaro de vinho, o deita nas taças?*

Ou este outro verso:

> *Não há mais triste destino do que a morte pela fome?*

Ou o espetáculo de Zeus, a quem a concupiscência amorosa faz esquecer subitamente todos os planos que maquinava, velando sozinho enquanto dormiam os demais deuses e os homens, e se excita de tal modo ao contemplar Hera que não tem paciência sequer para entrar em casa, mas quer deitar-se com ela ali mesmo, no chão, dizendo que nunca fora possuído de tão furioso desejo, nem mesmo quando se uniram pela primeira vez, "às escondidas de seus queridos pais"? Ou a passagem em que Hefesto acorrenta Ares e Afrodite por motivos da mesma ordem?

— Não, por Zeus! — respondeu ele. — Não acho que devam ouvir semelhantes coisas.

— Mas, se há homens famosos que deem mostras de fortaleza em todos os seus ditos e feitos, merecem que os jovens os contemplem e escutem versos como estes:

> *E, batendo no peito, assim repreendeu seu coração:*
> *— Tem valor, coração meu, que transes piores já suportaste!*

— Certamente — assentiu Adimanto.

— Tampouco se deve admitir que os homens sejam venais ou ávidos de riquezas.

— De modo algum.

— Nem se lhes deve cantar que

> *Os presentes persuadem os deuses e os reis veneráveis,*

nem louvar a prudência de Fênix, o preceptor de Aquiles, quando o aconselha a ajudar os aqueus se estes o presentearem, mas, em caso contrário, a não sofrear sua cólera contra eles. Tampouco

Falsos relatos sobre Aquiles e seu preceptor

nos disporemos a considerar o próprio Aquiles tão cúpido que aceitasse dádivas de Agamenon e concordasse na devolução do cadáver de Heitor mediante resgate, mas não sem ele.

— Sim — disse Adimanto —, não creio que esses relatos mereçam aprovação.

— E só o amor que tenho a Homero — continuei — me impede de afirmar que é uma verdadeira impiedade falar nesse tom de Aquiles ou dar crédito a quem conte tais histórias. Está no mesmo caso a narrativa de sua insolência para com Apolo, quando diz:

Enganaste-me, flecheiro, o mais abominável dos deuses!
Mas certamente me vingaria de ti se tivesse forças para tanto.

E quanto à sua insubordinação diante do rio divino, a quem pretende dar combate, e às palavras que se lhe atribuem: "Vou oferecer meus cabelos ao herói Pátroclo para que os leve", quando Pátroclo já era cadáver e esses cabelos tinham sido consagrados anteriormente a outro rio divino, o Esperqueu, não é de crer que tenha dito ou feito tais coisas. E muito menos que tenha arrastado Heitor em volta do monumento de Pátroclo ou imolado os prisioneiros sobre a pira. Não permitiremos acreditem nossos cidadãos que ele, filho de uma deusa e de Peleu, um homem dos mais sensatos e descendente em terceiro grau de Zeus — e, ademais, tendo sido Aquiles educado pelo sapientíssimo Quíron —, fosse pessoa de espírito tão incoerente que reunisse em si essas duas paixões contraditórias: uma vil avareza e um soberbo desprezo aos deuses e aos homens.

— Dizes bem — concordou ele.

— Pois neguemos crédito a tudo isso — continuei —, nem deixemos que se diga que Teseu, filho de Posseidon, e Pirítoo, filho de Zeus, intentaram tão revoltantes sequestros, nem

A história de Teseu e Pirítoo

que qualquer outro herói ou filho de Zeus tenha ousado jamais cometer delitos tão atrozes e sacrílegos como os que em nossos dias lhes são aleivosamente atribuídos. Obriguemos, pelo contrário, os poetas a dizer que semelhantes façanhas não são obras dos heróis, ou então que estes não são filhos dos deuses; mas que não afirmem ambas as coisas ao mesmo tempo nem procurem persuadir nossos jovens de que os deuses fazem barbaridades ou de que os heróis são tão ruins como qualquer outro homem... ideias que, como dizíamos, não são piedosas nem verdadeiras, pois já demonstramos que nada de mau pode vir dos deuses.

— De fato, não pode.

— E, além disso, prejudicam quem as escuta. Porque é indubitável que todos começarão a desculpar os seus próprios

O efeito prejudicial dessas narrações mitológicas sobre os jovens

vícios quando se convencerem de que o mesmo que eles fazem o fazem também

os descendentes dos deuses, os parentes de Zeus, que nos cumes etéreos do Monte Ideu têm sua ara ancestral

e

em cujas veias não secou o sangue dos deuses.

Razão pela qual é necessário pôr um dique a essa espécie de mitos, a fim de que não venham a engendrar a frouxidão moral entre os nossos jovens.

— Decerto.

— Mas vejamos se não foi omitido algum tema em nossa discriminação dos relatos que se podem e dos que não se podem contar. Já ficou estabelecida a maneira pela qual se há de tratar dos deuses, semideuses, heróis e assuntos de além-túmulo.

— Com efeito.

— Falta considerar ainda o que diz respeito aos homens, não é verdade?

— Sim, claro.

— Pois de momento, meu amigo, nos é impossível resolver essa questão.

— Por quê?

— Porque, se não me engano, teremos de dizer que poetas e narradores desvirtuam gravemente a verdade quando dizem que

Desvirtuamentos da verdade no que toca aos homens

muitos homens maus são felizes, enquanto existem justos que são desgraçados, que é vantajoso ser mau contanto que isso passe despercebido e que a justiça é um bem para o próximo, mas a ruína para quem a pratica. Proibiremos que se digam tais coisas e ordenaremos que se cante e se relate o contrário. Não te parece?

— Por certo que sim.

— Mas, se reconheces que tenho razão neste ponto, não poderei dizer que me deste razão também com respeito ao que vimos investigando desde o começo?

— A conclusão procede, não há dúvida.

— Se se deve ou não se deve dizer tais coisas sobre os homens, é uma questão que não podemos resolver enquanto não houvermos descoberto em que consiste a justiça e se ela é intrinsecamente benéfica para o justo, quer os outros o considerem como tal, quer não.

— Tens toda a razão — aprovou ele.

— Basta, pois, quanto aos temas da poesia. Cumpre examinar agora, creio eu, o que toca à maneira de desenvolvê-los, e com isso teremos completado o estudo do que se deve dizer e de como é preciso que se diga.

— Não entendo o que queres dizer com isso — redarguiu Adimanto.

— Então terei de fazer com que entendas. Talvez me torne mais claro se expuser o assunto desta forma: não é verdade que tudo o que contam fabulistas e poetas se reduz a uma narração de coisas passadas, presentes ou futuras?

— Pois que outra coisa pode ser?

— E isso se pode realizar por narração simples, por narração imitativa ou por uma mistura de ambos os sistemas?

— Este ponto também precisa ser explicado melhor — disse ele.

— Devo ser um mestre ridículo, uma vez que não consigo fazer-me compreender! — exclamei. — Farei, pois, como os que não sabem explicar-se: em vez de falar em termos gerais, tomarei uma parte da questão e procurarei mostrar-te o que quero dizer com relação a ela. Sem dúvida conheces os primeiros versos da *Ilíada*, em que o poeta diz que Crises solicitou a Agamenon a libertação de

Análise do elemento dramático na poesia épica

sua filha, que o outro se irritou e que o primeiro, ao ver que nada conseguia, invocou a cólera do deus contra os aqueus?

— Claro que conheço.

— Então sabes também que até estes versos:

> *E suplicou a todos os gregos,*
> *Mas em especial aos dois filhos de Atreu, chefes do povo,*

fala o próprio poeta, que não tenta sequer colocar-se na pele de outro. Mas a partir dos versos seguintes fala como se fosse Crises e procura por todos os meios induzir-nos a crer que quem pronuncia as palavras não é Homero e sim o velho sacerdote. E sob esta dupla forma desenrola-se toda a narrativa dos fatos ocorridos em Troia, em Ítaca e através da *Odisseia* inteira.

— Exatamente — disse ele.

— Pois bem: não é narração tanto o que ele apresenta nos diferentes diálogos como nas passagens intermediárias?
— Sim, por certo.
— Mas quando o poeta fala pela boca de outro, não podemos dizer que acomoda tanto quanto possível o seu modo de falar ao da pessoa que, segundo nos advertiu de antemão, vai tomar a palavra?
— Claro!
— E esse assimilar-se a uma outra pessoa na linguagem ou no aspecto não é imitar a pessoa em apreço?
— Que outra coisa pode ser?
— Então, num caso semelhante é lícito dizer que a narrativa do poeta procede por via de imitação?
— É verdade.
— Por outro lado, quando o poeta não se oculta detrás de ninguém, desaparece a imitação, e a obra poética se converte em narrativa simples. Para que fique bem claro o sentido de minhas palavras e não voltes a dizer

Exemplo de transferência de uma forma de narração para a outra

que não me entendes, vou mostrar-te como se poderia operar a mudança. Se, depois de ter dito "Chegou o sacerdote, trazendo nas mãos o resgate da filha, a suplicar os aqueus e acima de tudo os reis", Homero continuasse falando como Homero em vez de assumir a personalidade de Crises, bem percebes que não haveria imitação e sim narração simples, expressa mais ou menos nestes termos (falarei em prosa, pois não sou poeta): "Chegou o sacerdote e fez votos para que os deuses concedessem aos gregos o regressar indenes depois de haverem tomado Troia, rogando também que, em consideração ao deus, lhe devolvessem sua filha em troca do resgate. Diante destas palavras os outros assentiram respeitosamente, mas Agamenon enfureceu-se e lhe mandou que se retirasse imediatamente para não mais voltar, pois do contrário de nada lhe valeriam o cetro e as ínfulas do deus; que a filha de Crises não seria devolvida, mas envelheceria em Argos com ele, Agamenon. Disse-lhe, por fim, que se retirasse sem provocá-lo se quisesse voltar com saúde para sua casa. O ancião encheu-se de temor ao ouvi-lo e afastou-se em silêncio; mas, uma vez longe do acampamento, dirigiu uma longa súplica a Apolo, invocando-o por todos os seus apelativos divinos; lembrou-lhe tudo o que havia feito para lhe ser agradável, quer construindo templos, quer oferecendo sacrifícios, e rogou-lhe que em paga dessas boas ações fizesse expiar suas lágrimas aos aqueus com os dardos divinos." Eis aí, meu amigo, como se desenvolve uma narração simples, não imitativa.

— Agora percebo — disse ele.

— Pois bem: considera agora o caso oposto, aquele em que são omitidas as passagens intermediárias e fica apenas o diálogo.

— Perfeitamente — disse ele. — É o que ocorre, por exemplo, na tragédia.

Os três tipos de narração nos diferentes gêneros poéticos

— Isso mesmo — respondi. — Se não me engano, já te fiz ver com suficiente clareza o que antes não conseguia que entendesses: que há uma espécie de ficções poéticas que se desenvolvem inteiramente por imitação; neste grupo entram a tragédia, como dizes, e a comédia. Há também o estilo oposto, em que o poeta é o único a falar; o melhor exemplo desse estilo é o ditirambo. E, por fim, a combinação de ambos pode ser encontrada na epopeia e em outros gêneros de poesia. Entendeste-me?

— Sim, agora compreendo o que querias dizer.

— Recorda-te também do que eu disse a princípio: que já tínhamos tratado suficientemente do assunto e iríamos passar ao estilo.

— Bem me recordo.

— Pois o que queria dizer era precisamente que tínhamos de chegar a um acordo sobre a arte da imitação: se devemos permitir que os poetas lancem mão dela ao narrar suas histórias, se o poderão fazer totalmente ou apenas em parte... e, em tal caso, quando é lícito e quando não é... ou, finalmente, se os proibiremos em absoluto de imitar.

— Palpita-me — disse ele — que vais investigar se devemos ou não admitir a tragédia e a comédia na cidade.

— Talvez — respondi —, ou quem sabe se coisas mais importantes do que essas. Por enquanto não sei. Aonde quer que a argumentação nos arraste como o vento, para lá haveremos de ir.

— Dizes muito bem.

Nossos guardiães não devem ser imitadores

— Pois então, Adimanto, deixa-me fazer esta pergunta: os guardiães devem ser imitadores ou não? Ou melhor: esta questão não foi já resolvida pela regra que estabelecemos atrás, a de que cada qual só pode exercer bem um ofício e não muitos, e se quiser dedicar-se a mais de um não conseguirá distinguir-se em nenhum deles?

— Parece-me que sim.

— E o mesmo não se aplica igualmente à imitação, isto é: ninguém é capaz de imitar muitas coisas tão bem como uma só?

— De fato, não é.

— Pois muito menos poderá combinar a prática de um ofício respeitável com a imitação profissional de muitas coisas distintas, quando é certo que a mesma pessoa não pode cultivar com êxito nem mesmo dois tipos de imitação que parecem tão próximos um do outro como a tragédia e a comédia. Não chamavas há pouco imitações a esses dois gêneros?

— Sim, sem dúvida. E tens razão em dizer que a mesma pessoa não pode ser bem-sucedida em ambos.

— Como também não se pode ser rapsodo e ator ao mesmo tempo?

— É verdade.

— Nem são os mesmos os atores cômicos e os trágicos. E, no entanto, todos esses são gêneros de imitação, não é verdade?

— São.

— E a natureza humana, Adimanto, parece ter sido cunhada em moedas ainda menores, sendo tão incapaz de imitar bem muitas coisas como de fazer bem as próprias coisas que essas imitações copiam.

— Muito verdadeiro — disse ele.

— Pois bem, se nos mantivermos fiéis à norma que começamos por estabelecer, a de que nossos guardiães estejam isentos da prática de qualquer outro ofício e, sendo artesãos eficientíssimos da liberdade do Estado, não se dediquem a coisa alguma que não tenda para esse fim, não será possível que façam nem imitem algo estranho a esses misteres, seja lá o que for. Se alguma coisa hão de imitar, que se ocupem desde meninos com modelos dignos da sua posição, imitando caracteres valorosos; sensatos, piedosos, magnânimos e outros semelhantes; mas não devem cometer nem ser hábeis em remedar ações baixas, nem qualquer outra coisa vergonhosa, para que não acabem sendo em realidade aquilo que começaram por imitar. Não tens observado que quando se pratica a imitação durante muito tempo e desde a meninice ela acaba por se converter num hábito e numa segunda natureza, infiltrando-se no corpo, na voz e no próprio modo de pensar?

— Sim, com efeito — disse ele.

Imitações de espécie degradante

— Portanto — continuei —, não permitiremos que aqueles pelos quais dizemos interessar-nos e de que desejamos fazer homens de bem imitem, varões que são, mulheres jovens ou velhas que insultam seus maridos ou, ensoberbecidas pela sua felicidade, desafiam os deuses, ou ainda que, caindo no infortúnio, se entregam a prantos e lamentações. E muito menos lhes permitiremos que imitem mulheres doentes, apaixonadas ou parturientes.

— De modo algum — disse ele.

— Nem servas ou servos que desempenhem os misteres próprios de sua condição.

— Também não.

— Nem tampouco, creio eu, homens vis e covardes... homens que façam, em suma, o contrário do que prescrevemos atrás, insultando e enganando uns aos outros, proferindo obscenidades, embriagados ou não, e cometendo toda sorte de faltas com que os indivíduos dessa laia costumam ofender, por palavras e atos, a si mesmos e a seu próximo. Nem se deve acostumá-los a remedar a linguagem ou o proceder de pessoas dementes, pois, embora não seja menos necessário conhecer a loucura do que o vício em homens e mulheres, não convém imitar o que estes fazem.

— Muito acertado — concordou ele.

— E que mais? Poderão imitar os ferreiros e outros artífices, os galeotes de uma nau e os oficiais de galés, ou alguma outra coisa semelhante?

— Como hão de fazê-lo — disse —, se não lhes é lícito prestar a menor atenção a qualquer desses ofícios?

— E que mais ainda? Poderão talvez imitar o relincho do cavalo, o berro do touro, o marulhar do rio, os mugidos do mar e outros ruídos do mesmo gênero?

— Mas se os proibimos de enlouquecer ou de imitar os loucos! — exclamou.

— Então, se compreende bem o teu pensar — volvi eu —, há uma forma de estilo narrativo apta a ser empregada por um verdadeiro homem de bem quando tem algo a dizer; e outra forma, bem diversa da primeira, a que sempre recorre e de acordo com a qual se expressa aquele modo de ser e educação são opostos aos do homem de bem.

— E quais são essas duas formas? — perguntou.

— Suponhamos que um homem bom e justo, no curso da narração, chegue a uma passagem em que seja necessário transmitir a linguagem ou a ação de outro homem de bem; imagino que deseje referi-la como se ele mesmo fosse tal homem e não se peje em absoluto de imi-

Imitações que podem ser estimuladas

tar uma pessoa honesta quando age de maneira sensata e irrepreensível; mas o fará com menos gosto se se trata de imitar alguém que padece os efeitos da enfermidade, do amor, da embriaguez ou de outra circunstância semelhante. Mas, quando surge um personagem indigno do narrador, este desdenhará de imitá-lo seriamente ou só o fará de passagem se aquele, porventura, houver praticado alguma boa ação. Fora desses casos, terá vergonha de desempenhar um papel que nunca praticou e repelirá a ideia de amoldar-se e adaptar-se ao padrão de pessoas inferiores a ele, as quais despreza de todo o coração. Considerará indigno de si o exercício de tal arte, a não ser, é claro, que o faça por mero passatempo.

— Naturalmente — disse ele.

— Nosso homem adotará, pois, o tipo de narração que ilustramos há pouco com referência a Homero, isto é: seu estilo será ao mesmo tempo imitativo e narrativo; mas haverá muito pouco do primeiro e muito do segundo. Concordas comigo?

— Concordo — respondeu. — Eis aí o modelo que deverá forçosamente seguir um narrador como esse.

Imitações que convém condenar

— Por outro lado — continuei —, há uma espécie de gente que se inclina a contar tudo, e quanto menos valem, menos escrúpulo têm em fazê-lo. Nada consideram indigno de si mesmo e, portanto, não há coisa que não se abalancem a imitar seriamente e em presença de um auditório numeroso. Imitarão, por exemplo, como antes dizíamos, o trovão, o bramar dos ventos e o pipocar do granizo, o rangido de rodas e roldanas, trombetas, flautas e gaitas, sons de toda classe de instrumentos e até vozes de cães, ovelhas e pássaros. Sua arte converte-se assim numa simples imitação de ruídos e gestos, com uma parte narrativa muito reduzida.

— De fato — disse ele —, tal será o modo de narrar dessa gente.

— Temos aí, pois, as duas espécies de estilo de que eu falava.

— Sim.

O estilo simples e o estilo múltiplo; há uma terceira espécie, que é uma combinação dessas duas

— Pois bem. A primeira das duas classes apresenta poucas variações: depois de dar ao discurso a harmonia e o ritmo que melhor lhe assentam, o que quer declamar com correção nada mais tem a fazer senão manter-se nos limites da harmonia única e invariável (pois as variações não são grandes), seguindo, igualmente, um ritmo quase uniforme.

— Efetivamente, assim é — disse ele.

— Enquanto a outra classe, pelo fato de reunir em si variações das mais diversas espécies, requer, para ser empregada com propriedade, toda sorte de harmonias e ritmos.

— Isto também é muito exato — assentiu Adimanto.

— E não é verdade que todos os poetas ou narradores adotam um desses dois estilos, ou então misturam a ambos num terceiro tipo diferente?

— É forçoso que assim seja.

— Que faremos, então? — perguntei. — Aceitaremos na cidade todos esses gêneros, ou apenas um dos dois estilos puros? Ou talvez queiras incluir também o misto?

— Se há de prevalecer o meu critério — disse ele —, a imitação pura da virtude.

— Todavia, Adimanto, também o misto tem seus encantos; mas o que acima de todos mais agrada, tanto às crianças como aos seus aios e à multidão em geral, é o gênero oposto ao que escolhes.

— Não o nego.

— Mas negarás, suponho eu, que ele possa se adaptar à nossa cidade, baseando-te no fato de não existirem entre nós homens capazes de agir como dois ou como muitos, já que cada um se dedica a uma única coisa?

— Com efeito, não é possível.

— E essa é a razão por que nossa cidade é a única em que se encontram sapateiros que são exclusivamente sapateiros e não pilotos além de sapateiros, camponeses que são apenas camponeses, e não juízes além de camponeses, e soldados que se contentam em ser soldados e não pretendem ser negociantes ao mesmo tempo; e assim sucessivamente.

Só se admite o estilo simples na cidade; o artista da pantomima será deportado após receber grandes honras

— É verdade — disse ele.

— Portanto, quando um desses homens capacitados pela sua inteligência para adotar qualquer forma e imitar todas as coisas aparecer em nossa cidade, tencionando exibir-se com os seus poemas, cairemos de joelhos diante dele como diante de um ser divino, admirável e sedutor, mas, fazendo-lhe ver que não existe continuação nem é permitido que exista entre nós nenhum homem como ele, o reexportaremos para outra cidade, não sem antes o termos ungido de mirra e coroado com uma grinalda de lã. Pela parte que nos toca, e a bem da saúde de nossas almas, nos contentaremos em escutar um poeta ou fabulista mais austero, ainda que menos agradável, que não nos imite senão o estilo dos homens virtuosos e não se afaste, em sua linguagem, daquelas normas que estabelecemos a princípio, quando começamos a educar nossos soldados.

— Com efeito — disse ele —, assim faremos se tivermos tal poder.

— Pois bem — continuei —, agora parece, meu querido amigo, que podemos dar por terminada aquela parte da música que diz respeito a mitos e narrações; pois tanto os assuntos como os estilos já foram discutidos.

— Assim creio também.

— Seguem-se na ordem o canto e a melodia, não achas?

— Evidentemente.

— Qualquer um pode adivinhar desde já o que vamos dizer acerca de como devem ser um e outra, para sermos coerentes com o que já se falou.

Então Gláucon pôs-se a rir e disse:

— Receio, Sócrates, que as palavras "qualquer um" não incluam a minha pessoa, pois de momento não saberia dizer como devem ser eles, embora faça as minhas conjeturas.

— Em todo caso — respondi —, creio que uma coisa estás em condição de afirmar, isto é, que a melodia se compõe de três elementos: a letra, a harmonia e o ritmo.

— Sim — disse —, isto pelo menos eu sei.

A melodia e o ritmo

— Quanto às palavras da letra, tenho como certo que em nada diferem das que não são acompanhadas de música, quanto à necessidade de obedecerem umas e outras às mesmas normas que estabelecemos há pouco.

— Sem dúvida.

— E a harmonia e o ritmo devem acomodar-se à letra?

— Por certo.

— Mas dissemos que em nossas palavras não tínhamos nenhuma precisão de trenos e lamentos?

— É verdade.

— Quais são, pois, as harmonias plangentes? Dize-mo tu, que és músico.

— A lídia mista, a lídia tensa e outras mais — respondeu ele.

— Essas, portanto, devem ser suprimidas, não achas? Porque não são apropriadas nem sequer para mulheres de mediana condição, quanto mais para homens.

— Tens razão.

— Tampouco há coisa que seja menos apropriada para os guardiães que a embriaguez, a moleza e a preguiça.

— Nada menos apropriado, com efeito.

— Quais são, pois, as harmonias moles e conviviais?

As melodias ou harmonias jônia e lídia, chamadas "frouxas", devem ser banidas

— Há variedades da jônia e da lídia que costumam ser qualificadas de frouxas — respondeu ele.

— E teriam elas, meu caro, alguma utilidade para um público de guerreiros?
— De modo algum — respondeu. — Mas me parece que omites a dórica e a frígia.
— É que não entendo de harmonias — disse eu. — Mas quero uma que seja capaz de imitar devidamente a voz e os acentos de um herói na hora do perigo e da austera resolução, ou quando sofre um revés, um ferimento, a morte ou qualquer infortúnio semelhante, e em tais crises enfrenta os golpes da sorte a pé firme e com ânimo indomável. E outra que possa usar em tempo de paz, quando, em plena liberdade de agir e sem sentir a pressão da necessidade, procura convencer outrem de alguma coisa, com preces se é um deus ou com advertências e admoestações se se trata de um homem; ou quando, pelo contrário, exprime sua disposição de ceder às súplicas, lições e persuasões de um outro, e tendo logrado, pela sua conduta prudente, aquilo que tinha em mira, não se envaidece, mas em todos os momentos age com sensatez e moderação e se mostra satisfeito com a sua sorte. Essas duas harmonias são as que deves deixar: a voz da necessidade e a da liberdade, os acentos do homem infortunado e os do homem feliz, o canto da coragem e o da temperança.

A dórica e a frígia serão conservadas

— Pois essas — disse ele — não são outras senão a dórica e a frígia, de que eu falava há pouco.
— Então — prosseguiu —, se essas e não outras devem ser usadas em nossos cantos e melodias, não precisaremos de uma multiplicidade de notas nem de uma escala panarmônica?
— Não me parece.
— Não teremos, pois, de manter fabricantes de liras triangulares, péctides e outros instrumentos policordes e poliarmônicos?

Que instrumentos musicais devem ser conservados ou rejeitados

— Assim creio.

— Mas que dizes dos fabricantes e tocadores de flautas? Estarias disposto a admiti-los na cidade, sabendo que é esse o instrumento que maior variedade de sons possui, a tal ponto que os próprios instrumentos panarmônicos não passam de uma imitação da flauta?

— Realmente é assim — respondeu.

— Só restam, pois, a lira e a cítara como instrumentos úteis na cidade; no campo se poderá empregar uma espécie de flauta pastoril.

— Isto é, sem dúvida, o que se deve concluir do argumento.

— E não há nada de extraordinário, meu caro, em preferir Apolo e os instrumentos apolíneos a Mársias e os seus.[3]

— Em absoluto — disse ele.

— Pelo cão! — exclamei. — Sem nos aperceber disso, estamos de novo purificando a cidade que há pouco chamávamos cidade de luxo.

— E muito bem fazemos — aprovou Gláucon.

— Continuemos, então, a purificar o que ainda resta!

Às harmonias seguem-se naturalmente os ritmos, que devem ficar sujeitos às mesmas regras, pois neles não buscamos metros complexos nem muito variados, mas apenas tratamos de averiguar quais são os que exprimem uma vida ordenada e corajosa; e quando os tivermos descoberto, adaptaremos o pé e a melodia à linguagem de um homem dotado de tais qualidades, e não a linguagem àqueles. A ti compete ensinar-me quais são esses ritmos, como já me ensinastes as harmonias.

As três espécies de ritmo

— Pois a verdade é que não sei responder-te — replicou ele. — Existem três tipos de ritmos com os quais são formados os sistemas de metrificação, assim como são quatro os tipos tonais de onde procedem todas as harmonias. Isto eu sei por tê-lo observado; mas o que não estou em condições de dizer é que classe de vida exprime cada um deles.

— Nesse caso — disse eu — recorreremos aos ensinamentos de Damon. Ele nos ajudará a decidir quais são os metros que servem para indicar vileza, arrogância, loucura ou outros defeitos semelhantes, e quais devem ser reservados à expressão das qualidades opostas. Lembro-me vagamente de lhe ter ouvido falar num metro composto a que chamava enóplio, e de um dáctilo e um heroico que arranjava não sei como, igualmente a sílaba de cima à de baixo e fazendo-o terminar ora em breve, ora em longa; também mencionava, se não me engano, um ritmo iâmbico e outro trocaico, a cada um dos quais atribuía quantidades longas ou breves. No tocante a alguns deles creio que censurava ou elogiava o andamento do pé não menos que do ritmo em si mesmo. Ou talvez se tratasse de uma combinação de ambos; não posso precisar. Enfim, como dizia, é melhor deixar esses assuntos ao próprio Damon, pois sua análise nos tomaria demasiado tempo. Ou acaso não pensas assim?

— Eu? Que esperança!

— Mas não é difícil perceber que a graça ou a falta de graça dependem da eurritmia ou da arritmia do movimento.

Ritmo e harmonia dependem do estilo, e este é a expressão da alma

— Pois claro!

— E também que eurritmia e arritmia se assimilam naturalmente ao bom e ao mau estilo; e o mesmo sucede com a harmonia e a desarmonia, se, como dizíamos há pouco, ritmo e harmonia devem regular-se pelas palavras, e não estas por eles.

— Efetivamente — disse ele — devem guiar-se pelas palavras.

— E estilo e palavras — perguntei ainda — não dependerão da disposição espiritual?

— Como não?

— E o resto não depende das palavras?

— Depende.

Simplicidade, o grande princípio fundamental

— Então beleza de estilo, harmonia, graça e eurritmia não são mais que consequências da simplicidade; refiro-me à verdadeira simplicidade, própria de uma mente e de um caráter bem-formados e nobremente dispostos, e não àquela que assim chamamos por eufemia, quando o nome que realmente lhe cabe é estupidez.

— Não há coisa mais certa — disse ele.

— E para que nossos jovens cumpram com seu dever na vida não é necessário que tenham constantemente em mira essas qualidades?

— Assim é, com efeito.

— Pois podem encontrá-las facilmente, creio eu, na pintura e em qualquer das outras artes criadoras... a arte de tecer, a de recamar, a arquitetura e a fabricação de toda sorte de utensílios; bem como na natureza animal e vegetal... porque em tudo que mencionei cabem a graça e a ausência dela. Ora, a falta de graça, de ritmo ou de harmonia, está intimamente ligada com a maldade em palavras e modo de ser, ao passo que as qualidades opostas são irmãs gêmeas da bondade e da virtude e sua fiel imagem.

— Tens toda a razão — disse ele.

Os futuros cidadãos só devem ter impressões de graça e beleza em volta de si, com exclusão da fealdade e do vício

— Por conseguinte, não teremos de vigiar apenas os poetas, obrigando-os a expressar a imagem do bem em suas obras ou a não divulgá-las entre nós; será preciso fiscalizar igualmente os demais artistas e impedir que exibam as formas do vício, da intemperança, da vileza ou da indecência na escultura, na edificação e nas outras artes criadoras. E aos que não se conformarem a esta regra será proibido exercer sua arte em nossa cidade, para que não venham a corromper o gosto dos cidadãos. Não admitiremos que nossos guardiães cresçam rodeados de imagens de depravação moral, alimentando-se, por assim dizer, de uma erva má que houvessem pascido aqui e ali em pequenas quantidades, mas dia após dia, de modo a introduzirem, sem se aperceber disso, uma enorme fonte de corrupção em suas almas. Busquemos, pelo contrário, aqueles artistas cujos dotes naturais os levam a investigar a verdadeira essência do belo e do gracioso; destarte os jovens crescerão numa terra salubre, sem perder um só dos eflúvios de beleza que cheguem aos seus olhos e ouvidos, procedentes de todas as partes, como se uma aura vivificadora os trouxesse de regiões mais puras, induzindo nossos concidadãos desde a infância a imitar a ideia do belo, a amá-la e a sintonizar com ela.

— Não pode haver mais nobre educação do que esta — disse o filho de Aríston.

— E a educação musical não será mais poderosa que qualquer outra, ó Gláucon, porque o ritmo e a harmonia se introduzem no mais recôndito da alma e ali se aferram tenazmente, infundindo a graça na pessoa corretamente educada, porém não nas outras? E não será a pessoa que recebe a devida educação sob esse aspecto a mais sagaz em perceber falhas e omissões na arte e na natureza, e aquela a quem mais desagradarão tais deformidades? Por outro lado, não saberá louvar o que há de bom, recebê-lo com deleite e, acolhendo-o em sua alma, nutrir-se dele e fazer-se um homem de bem, ao mesmo tempo que repele e detesta o feio desde criança, mesmo antes de poder raciocinar? E assim, quando chegar a razão, a pessoa educada dessa forma a reconhecerá e acolherá com a maior alegria, como a uma velha amiga. Não é verdade?

— Sim — disse ele. — Concordo plenamente contigo em que a música tem grande poder educativo, pelas razões que expuseste.

— E, assim como ao aprender a ler não nos damos por satisfeitos enquanto não conhecemos todas as letras do alfabeto, que aliás são poucas, em cada uma das combinações em que aparecem; sem desprezar nenhuma, pequena ou grande, como indigna de nossa atenção, antes aplicando-nos com zelo a distinguir uma das outras, convencidos de que não saberemos ler enquanto não formos capazes de reconhecê-las onde quer que se encontrem...

— É verdade.

— E tampouco reconheceremos as imagens das letras refletidas na água ou num espelho, por exemplo, enquanto não conhecermos as próprias letras, pois um e outro são conhecimentos da mesma arte e disciplina?

O verdadeiro músico deve conhecer as formas essenciais da virtude e do vício

— Exatamente.

— Então, como sustento, nem nós nem nossos guardiães, a quem temos de educar, poderemos chegar a ser músicos enquanto não reconhecermos, onde quer que apareçam, as formas essenciais da temperança, da coragem, da generosidade, da magnanimidade e das outras virtudes suas irmãs, bem como das qualidades contrárias, e não nos apercebermos da existência dessas qualidades ou de suas imagens naqueles que as possuem, sem jamais desprezá-las tanto nas coisas pequenas como nas grandes, mas persuadidos de que o conhecimento de umas e outras é objeto da mesma arte e disciplina?

— Sem dúvida nenhuma.

A harmonia da alma e do corpo é o mais belo dos espetáculos

— Portanto — disse eu —, quando uma bela alma se harmoniza com uma bela forma e ambos são vazados no mesmo molde, não será esse o mais belo espetáculo para quem possa contemplá-lo?

— O mais belo, com efeito.

— E o mais belo não é o mais digno de ser amado?

— Como não há de ser?

— Então o homem que tem o espírito de harmonia amará as pessoas que mais se pareçam com o modelo que descrevi. Em compensação, não amará a pessoa inarmônica?

— Não a amará — objetou ele — se seus defeitos forem de ordem espiritual; mas, se disserem respeito unicamente ao corpo, os suportará talvez e se mostrará disposto a amá-la.

— Percebo — disse eu — que tiveste experiências dessa sorte e te desculpo. Mas responde a isto: o abuso do prazer tem alguma afinidade com a temperança?

— Como poderia tê-la — replicou —, se perturba a alma não menos que a dor?

— E com a virtude em geral?

— Absolutamente nenhuma.
— Com que então? Acaso será com o desregramento e a incontinência?
— Mais que com qualquer outra coisa.
— E haverá algum prazer maior e mais vivo que o do amor físico?
— Não há — respondeu —, nem tampouco nenhum que mais se pareça com a loucura.
— E não é o verdadeiro amor um amor sensato e harmonioso do que é belo e bem-ordenado?

O verdadeiro amor é moderado e harmonioso, isento de sensualidade e grosseria

— Efetivamente — respondeu ele.
— Então não se deve misturar ao verdadeiro amor nenhuma loucura ou incontinência?
— Por certo que não.
— É necessário, pois, separar dele o prazer de que falamos, para que não intervenha em absoluto nas relações entre amante e amado, quando seu amor é o que deve ser?
— Não, por Zeus, não pode haver tal mistura, ó Sócrates!
— Nesse caso, suponho que na cidade que estamos fundando terás de promulgar uma lei proibindo que o amante beije o amado, tenha qualquer familiaridade com ele ou o toque a não ser como um pai a um filho, com fins honestos e com seu consentimento prévio. De um modo geral, se prescreverá que as relações com o objeto de sua solicitude sejam tais que nunca deem motivo para crer que tenham ultrapassado esses limites. Do contrário, terá de suportar que o apodem de grosseiro e mal-educado.
— Assim será — disse ele.
— Muito bem. Não te parece que com isso chegamos ao fim de nossa discussão sobre a música? E a verdade é que terminou como devia, pois que outro fim pode ter a música senão o amor da beleza?
— De acordo — assentiu Gláucon.

A ginástica

— Prossigamos — disse eu. — Depois da música é preciso educar os nossos rapazes na ginástica.

— Certamente.

— Também aqui é necessário que a educação comece desde a infância, que seja feita com grande cuidado e se prolongue durante a vida inteira. Vou dar-te a minha opinião sobre o assunto, mas gostaria de saber se é confirmada pela tua. Não creio que o corpo bem-constituído possa melhorar a alma com suas excelências corporais, mas, pelo contrário, é a alma boa que, mercê de suas virtudes, aperfeiçoa o corpo na medida em que isso for possível. E tu, que pensas a respeito?

— O mesmo que tu — respondeu.

A alma convenientemente educada se encarregará do corpo

— Então não seria melhor que deixássemos à alma convenientemente educada o encargo de precisar os detalhes da educação corporal, limitando-nos a traçar as linhas gerais da matéria a fim de evitar a prolixidade?

— Muito bem.

— Já dissemos que tinham de renunciar à embriaguez, pois de todas as pessoas, o guardião deve ser menos capaz de embriagar-se e não saber sequer em que lugar da Terra se encontra.

— Sim — disse Gláucon —, seria ridículo que um guardião necessitasse de outro guardião para cuidar dele.

— E quanto à alimentação? Nossos homens são atletas que estão sendo treinados para lutar no maior de todos os certames, não é mesmo?

— Sim.

— Acaso lhes convirá, então, o regime de vida que observam comumente os atletas?

— Talvez.

— Mas me parece — objetei — que o tal regime é demasiado

O regime usual dos atletas não convém

sonolento e bastante perigoso para a saúde. Não observaste que esses atletas passam a vida dormindo e, por pouco que se afastem das normas prescritas, ficam sujeitos às mais violentas enfermidades?
— Sim, observei.
— Necessitamos, então, de um regime de vida mais flexível para os nossos atletas guerreiros, que devem ser como cães sempre vigilantes, de vista e ouvido aguçadíssimos, e cuja saúde não deve ressentir-se por forma alguma das muitas mudanças de águas e alimentos, de sol ardente e frio invernal, que terão de suportar em suas campanhas.
— Assim creio também.
— Não será a melhor das ginásticas a irmã gêmea daquela música simples que descrevíamos há pouco?
— Como assim?
— Pois me parece que há uma ginástica que, como a nossa música, é simples e equilibrada; sobretudo a ginástica militar.

A ginástica militar

— Como será ela, então?
— No próprio Homero — respondi — poderás encontrar exemplos do que quero dizer. Como sabes, quando os heróis tomam suas refeições em campanha, o poeta não lhes serve pescados, embora estejam no Helesponto, à beira do mar, nem carnes guisadas, mas unicamente assados. Com efeito, essa é a alimentação mais apropriada a soldados, uma vez que não têm outra coisa a fazer senão acender uma fogueira e não precisam andar para baixo e para cima carregando panelas e caçarolas.
— É verdade.
— E, creio que posso afirmá-lo sem medo de errar, tampouco faz Homero jamais menção de guloseimas. Não é, aliás, o único a proscrevê-las, pois nenhum atleta profissional ignora que é preciso se abster de toda essa classe de manjares para que o corpo se mantenha em boas condições.

— Muito bem o sabem — assentiu — e efetivamente se abstêm deles.

Os refinamentos da cozinha e a libertinagem são proibidos

— Suponho então, meu caro, que não aprovarias os banquetes siracusanos, nem, de um modo geral, os refinamentos da cozinha siciliana?
— Acho que não.
— E, se um homem deve manter seu corpo em forma, tampouco permitirás que tenha uma amiguinha coríntia?
— Tampouco.
— E as supostas delícias da pastelaria ateniense?
— Por certo que não.
— Parece-me que não andaríamos errados se comparássemos esse gênero de vida e de alimentação com as melodias e cantos compostos no estilo panarmônico e em toda sorte de ritmos.
— Exatamente.
— Naquele caso a variedade engendrava a licença, e aqui gera a enfermidade; por outro lado, a simplicidade da música infunde temperança nas almas e a da ginástica promove a saúde dos corpos?
— Nada mais verdadeiro.
— E quando prevalecem numa cidade a licença e as enfermidades, não se multiplicam ali os tribunais e as casas de saúde, e as artes do médico e do advogado assumem enorme importância, visto que até muitos homens livres se ocupam delas com o maior interesse?
— Como não?
— E poderá haver maior testemunho que esse da má e viciosa educação de uma cidade, quando não só os artesãos e gentes

Cada qual deve ser médico e advogado de si mesmo

das classes mais baixas, mas até os que se prezam de ter sido educados como homens livres precisam recorrer aos serviços de hábeis médicos e juízes? E não te parece uma vergonha e um grande indício de educação deficiente o ter um homem de recorrer à justiça alheia por não a possuir em si mesmo, entregando-se assim às mãos de outros homens, de quem faz seus senhores e juízes?

— Não há vergonha maior — assentiu.

— Mas continuarás achando que essa é a maior de todas quando considerares que o mal pode assumir um aspecto ainda mais grave: o do homem que não só passa a melhor parte de sua vida demandando e sendo demandado ante os tribunais, mas tem o mau gosto de jactar-se disso e faz alarde de sua habilidade em burlar a lei, usando toda sorte de rodeios, enveredando por todos os caminhos e dobrando-se como uma vara de vime para escapar ao justo castigo... e tudo isso com o fito de obter vantagens insignificantes, sem compreender quanto melhor e mais decoroso seria dispor sua vida de modo a poder dispensar a intervenção de um sonolento juiz?

— Na verdade, isso ainda é pior.

— E necessitar do auxílio da medicina quando não obrigue a isso algum ferimento ou um surto de epidemia, mas simplesmente porque, em resultado da sua moleza e de um regime de vida como o que descrevemos, os homens se enchem de flatos e de humores, como se os seus corpos fossem pântanos, obrigando os engenhosos filhos de Asclépio[4] a inventar novos nomes de enfermidades como "flatulências" e "catarros": isso não te parece vergonhoso?

— Muito — respondeu. — E o fato é que dão nomes bem esquisitos às doenças.

— Pois é. E não creio que existissem tais moléstias no tempo de Asclépio. Leva-me a tirar essa conclusão o fato de que o herói Eurípilo, após ter sido ferido diante de Troia, bebe uma poção de vinho de Pramno abundantemente polvilhado com farinha de cevada e queijo ralado, ingredientes que me parecem ser inflamativos, e contudo os filhos de Asclépio, que tomavam parte naquela guerra, não censuram a donzela que lhe ministra tal medicamento nem tampouco Pátroclo, que cuidava do paciente.

— Mas que bebida estranha para dar a uma pessoa naquelas condições! — comentou ele.

— Nem tanto assim — repliquei — se te recordas que o nosso atual sistema de medicina, que consiste, por assim dizer, em educar as doenças, não estava em uso entre os Asclepíadas, de acordo com a opinião geral, antes da época de Heródico. Mas este, que era mestre de ginástica e perdeu a saúde, inventou uma mistura de ginástica e medicina com que começou a torturar em primeiro lugar a si mesmo e depois o resto da humanidade.

— Como assim? — perguntou ele.

— Dando a si próprio uma morte lenta — respondi. — Porque tinha uma doença mortal que se dedicou a cuidar constantemente e, como não havia possibilidade de cura, passou a vida inteira como valetudinário, sem outra ocupação que não essa, atormentando-se sempre com a ideia de não se afastar no mais mínimo detalhe da sua dieta costumeira; e assim conseguiu chegar a uma idade avançada, morrendo continuamente em vida por culpa de sua própria ciência.

— Uma bela recompensa para tamanho zelo, não há dúvida!

— Como é natural que aconteça — disse eu — a quem não sabe que não foi por ignorância nem por inexperiência desse ramo da medicina que Asclépio deixou de transmiti-lo aos seus descendentes, mas porque sabia que em toda cidade bem governada cada indivíduo tem uma ocupação a que deve dedicar-se forçosamente, sem que ninguém disponha de tempo para estar continuamente enfermo. O engraçado é que nos damos conta disso quando se trata de artesãos, mas não aplicamos a mesma regra às pessoas afazendadas e que parecem ser felizes.

— Que queres dizer? — perguntou Gláucon.

— O seguinte: quando adoece um carpinteiro, pede ao médico uma poção que lhe faça vomitar a enfermidade ou que o libere

A cura lenta, um obstáculo tanto para as artes mecânicas como para a prática da virtude e qualquer espécie de estudo ou de meditação

dela mediante uma evacuação por baixo; e, se esses meios são ineficazes, recorre a um cautério ou a uma incisão: tais são os seus remédios. Mas se alguém lhe vier prescrever uma longa dieta, aconselhando-o a que cubra a cabeça com um barretinho de lã e quejandas precauções, responderá em seguida que não tem tempo para andar doente nem vale a pena viver dessa maneira, absorvido pela enfermidade e sem poder ocupar-se com a sua obrigação. Portanto, manda passear o médico, volta aos seus hábitos normais, e ou se cura e vive daí por diante atendendo aos seus afazeres, ou então, se seu organismo não pode resistir ao mal, morre e fica livre de cuidados.

— Com efeito — disse ele — tal é o gênero de medicina que parece apropriado a um homem dessa classe.

— E não será assim porque ele tem uma ocupação sem a qual sua vida não valeria a pena ser vivida?

— Pois claro!

— Mas com o homem rico é diferente; dele não se pode dizer que tenha alguma tarefa especial a desempenhar e a que lhe seria insuportável ter de renunciar por força das circunstâncias.

— Em geral passa por não ter nada que fazer.

— Não sabes o que disse Focílides: que após ter adquirido suficientes meios de vida um homem deve começar a praticar a virtude?

— A mim me parece que devia começar um pouco mais cedo!

— Não disputemos com ele a esse respeito, antes procuremos saber se a prática da virtude deve ser a ocupação do rico, de tal modo que, sem ela, sua vida não valha a pena ser vivida; ou se essa dedicação às enfermidades, que impede os carpinteiros e demais artesãos de atender a seus ofícios, não se opõe em nada a que se siga a exortação de Focílides.

— Quanto a isso, não pode haver dúvida. Não existe, talvez, maior impedimento à prática de virtude que a preocupação excessiva com o corpo, ultrapassando as regras da simples ginástica, pois constitui também um obstáculo à administração da casa, ao serviço militar e ao desempenho de qualquer cargo público na cidade.

— E, o que é pior ainda — ajuntei —, dificulta todo gênero de estudos, meditações e reflexões interiores, pelo temor constante de sofrer enxaquecas e vertigens, cuja causa é atribuída à filosofia; e assim se entrava todo exercício ou manifestação da virtude, pois a pessoa

imagina-se sempre enferma e vive numa constante ansiedade quanto ao estado de seu corpo.
— É natural — disse Gláucon.

Asclépio negava-se a tratar pessoas de constituição doentia, por serem inúteis para a sociedade

— E não teria isso em vista o próprio Asclépio quando reservou os poderes de sua arte às pessoas que, tendo os corpos sãos por natureza e em virtude de seu regime de vida, contraíam alguma enfermidade bem determinada? A essas ele curava por meio de purgas e operações e as mandava seguir o regime ordinário, consultando em tudo isso os interesses da comunidade. Mas, quanto às pessoas cronicamente minadas por males internos, não tentava prolongar-lhes a vida por meio de um regime de paulatinas infusões e evacuações, de modo que o doente pudesse gerar filhos que, naturalmente, herdariam a sua constituição. Quem não fosse capaz de levar uma existência normal não merecia cuidados de sua parte, por ser uma pessoa inútil a si mesma e à sociedade.

— De acordo com tua descrição, Asclépio foi um verdadeiro estadista! — exclamou Gláucon.

O caso de Menelau, tratado pelos filhos de Asclépio

— Claro que foi — disse eu. — E não vês como seus filhos, que se revelaram tão excelentes guerreiros no cerco de Troia, empregavam a espécie de medicina de que estou falando? Hás de lembrar-te de que, ao ser Menelau ferido por Pândaro, eles

Chuparam-lhe o sangue e verteram em cima remédios calmantes

mas não prescreveram o que o paciente devia comer e beber depois disso, tanto no caso de Menelau como no de Eurípilo. Esses remédios, pensavam eles, eram suficientes para curar qualquer homem que antes de receber seus ferimentos gozasse de saúde e tivesse levado uma existência morigerada; e nem a poção de vinho de Pramno impediria que se restabelecessem. Mas quanto às pessoas de constituição doentia ou hábitos desregrados, afastavam-nas de si como seres cuja vida não tinha utilidade nem para eles mesmos nem para o seu próximo; a arte da medicina não visava beneficiar gente dessa espécie e, ainda que fossem mais ricos do que Midas, ter-se-iam recusado a atendê-los.

— Muito argutos esses filhos de Asclépio, a julgar pelo que dizes! — exclamou ele.

— Como não podiam deixar de ser — respondi.

Não obstante, os trágicos e Píndaro contam, em desobediência às nossas normas, que Asclépio, filho de Apolo, deixou-se induzir por dinheiro a curar um homem rico que estava já moribundo, e por esse motivo foi fulminado por um raio. Nós, porém, de acordo com o princípio que já estabelecemos, não lhes daremos crédito quando nos dizem ambas essas coisas: se era filho de um deus, não podia ser avaro, e se era avaro, não podia ser filho de um deus.

— Tudo isso está muito bem, Sócrates — volveu ele. — Mas que me dizes a isto: não é preciso que haja bons médicos na cidade? E esses serão, imagino eu, aqueles que hajam tratado o maior número de pessoas sãs e doentes, assim como os melhores juízes são os que tiveram contato com homens das índoles mais diversas.

Requisitos do bom médico e do bom juiz

— Com efeito — respondi —, e muito bons, por sinal. Mas sabes a quem considero como tais?

— Se tu mo disseres!

— Vou tentá-lo — disse eu. — Mas olha que em tua pergunta equiparaste duas coisas diferentes!

— Como assim?

— Os médicos mais hábeis — comecei — são aqueles que desde a juventude tiveram combinado com o conhecimento da sua arte a maior experiência das enfermidades; seria preferível que eles mesmos não possuíssem uma constituição muito robusta e houvessem sofrido pessoalmente toda sorte de moléstias. Porque não é com o corpo, segundo concebo, que cuidam dos corpos... nesse caso não se poderia admitir que estivessem ou houvessem jamais estado doentes... mas com a alma; e se esta é ou se tornou má, não está em condições de curar o que quer que seja.

— Tens razão — disse ele.

— Mas o caso do juiz, meu caro, é diferente. Esse governa as almas por meio da alma, da qual não podemos exigir que se tenha formado desde a infância no trato com naturezas depravadas, nem que haja percorrido toda a gama das ações criminosas a fim de que, baseada em sua própria experiência, possa aquilatar com sagacidade os delitos alheios, como o médico no tocante às enfermidades do corpo. Pelo contrário, o homem íntegro e capaz de julgar com critério são acerca do que é justo deve ter-se mantido puro e livre da contaminação dos maus hábitos quando jovem. E esse é o motivo pelo qual as boas pessoas parecem simples em sua mocidade e se deixam enganar facilmente pelos maus; é que não levam em si mesmas nenhum exemplo que lhes permita identificar a perversidade.

— Com efeito — disse ele —, estão muito sujeitas a ser enganadas.

— Por isso — continuei — o bom juiz não deve ser jovem, mas um ancião que haja aprendido tardiamente a identificar o mal, não por trazê-lo arraigado na sua própria alma e sim por tê-lo observado nas almas alheias; o estudo deve ser o seu guia, e não a experiência pessoal.

— Como parece nobre esse juiz! — exclamou ele.

— E que bom homem! — volvi. — E esta é a minha resposta à pergunta que fizeste; porque quem tem a alma boa é bom. Mas aquela natureza astuta e suspicaz de que falávamos... o homem que cometeu mil atos condenáveis e se considera esperto e inteligente, no trato com seus iguais se mostra hábil e cauteloso, porque os julga por si mesmo. Mas quando entra em contato com pessoas virtuosas e de mais idade que ele, revela-se um tolo, com suas suspeitas descabidas e incapacidade de compreender os caracteres íntegros, próprias de quem não tem em si mesmo nenhum padrão de honestidade; e unicamente porque os maus são mais numerosos do que os bons e eles os encontra mais amiúde, é considerado antes inteligente do que estúpido, tanto por si mesmo como pelos outros.

— É a pura verdade — disse Gláucon.

— Portanto, o juiz bom e sábio não é este homem, mas o outro; porque o vício jamais poderá conhecer simultaneamente a si mesmo e à virtude, ao passo que esta, educada pelo tempo, chegará a adquirir o conhecimento tanto de si mesma como da maldade. Em minha opinião, pois, é o homem virtuoso que possui a sabedoria, e não o mau.

— Também penso assim.

— Esta é a espécie de medicina e esta é a espécie de lei que terás de estabelecer na cidade. Elas zelarão pelos cidadãos que tiverem corpo e alma bem-constituídos, mas quanto aos incapacitados pelas suas próprias deficiências físicas, deixá-los-ão morrer, e àqueles cuja alma for naturalmente corrupta e incorrigível, condenarão à morte.

— Não há dúvida — disse ele — de que esta é a melhor solução, tanto para os próprios indivíduos como para a cidade em geral.

— No que toca aos jovens — continuei — é evidente que não se mostrarão muito dispostos a recorrer à justiça se praticarem aquela música simples que, como dizíamos, concita à temperança.

— Efetivamente.

— E o músico que, obedecendo às mesmas normas, se contenta em cultivar a ginástica simples, não terá necessidade alguma de recorrer à medicina, a não ser em casos de força maior?

— Creio que não.

— E os próprios exercícios de ginástica e trabalhos a que se entregar terão em mira antes de estimular o elemento impetuoso de sua natureza do que o mero vigor corporal; ao contrário dos atletas comuns, cujos exercícios e regime alimentar visam desenvolver os músculos.

— Muito acertado — apoiou.

— Será certo, ó Gláucon, como creem alguns, que as duas artes da música e da ginástica se destinam, uma, a atender à alma e, a outra, ao corpo?

— Pois que outro fim poderão ter?

Tanto a música como a ginástica têm em mira o aperfeiçoamento da alma

— É muito possível — disse eu — que tanto uma como a outra tenham sido criadas com vistas, sobretudo, no aperfeiçoamento da alma.

— Como assim?

— Nunca observaste os efeitos contrários que têm sobre a própria alma o devotamento exclusivo à ginástica, de um lado, e à música de outro?

— A que te referes? — perguntou ele.

— À ferocidade e dureza no primeiro caso e à brandura e mansuetude no outro — expliquei.

— Sim, por certo — volveu Gláucon. — Os que praticam exclusivamente a ginástica tornam-se por demais abrutalhados, e os dedicados unicamente à música amolecem-se mais do que lhes convém.

— E no entanto essa ferocidade provém de uma impetuosidade inata, que, bem-educada, se converterá em valentia, mas, se a deixarmos entregue a si mesma, passará, como é natural, à brutalidade e à dureza.

— Assim creio.

— E, por outro lado, não é característica do caráter filosófico a suavidade, que por uma relaxação excessiva se transforma em moleza, mas, corretamente educada, não vai além da mansuetude e afabilidade?

— Realmente.

— Pois bem: não afirmávamos que os guardiães devem possuir ambas essas qualidades?

— Devem, sim.

— E não será necessário que uma e outra se harmonizem entre si?

— Como não?

— A alma em que se verificar essa harmonia será ao mesmo tempo sóbria e corajosa?

— Sim.

— E covarde e grosseira a que carecer dela?

— Evidentemente.

— Pois bem, quando alguém se entrega à música e deixa que ela lhe derrame na alma, pelo canal dos ouvidos, aquelas doces, suaves e melancólicas

A música, quando cultivada em excesso, torna efeminada a natureza mais fraca e irritável a mais forte

harmonias de que falávamos há pouco, e toda a sua vida transcorre entre gorjeios e deleites musicais, essa pessoa começa por temperar, como o ferro ao fogo, a impetuosidade que possa existir em sua natureza, tornando-a útil ao invés de dura e inaproveitável. Se continuar, porém, esse processo de abrandamento, acabará por amolecê-la e aniquilá-la, até que, derretida por completo e cortados, por assim dizer, os tendões da alma, a pessoa se transforma num "fraco guerreiro".

— Muito verdadeiro isso.

— Se nesse homem for escasso por natureza o elemento de impetuosidade, a transformação não tardará a operar-se. Se, todavia, o possuir em dose considerável, o efeito enervante da música sobre o seu espírito o tornará instável e propenso a excitar-se ou abater-se facilmente e pelos menores motivos. De impetuoso que era, converte-se em colérico e irritável, sempre mal-humorado.

— Exatamente.

Do mesmo modo, o atleta supernutrido, se não tiver educação adequada, degenera num animal feroz

— E o que acontece quando um homem se dedica com assiduidade à ginástica e à boa mesa, olvidando o estudo da filosofia e da música? Não se encherá a princípio de coragem e de orgulho, cônscio do seu bem-estar físico, e não se tornará mais valente do que era antes?

— Com efeito.

— E que mais? Se outra coisa não faz e evita todo comércio com as Musas, não sucederá que, por não se aplicar a nenhuma espécie de estudo ou investigação, nem poder participar de qualquer discussão ou exercício musical, aquela inteligência que por acaso possuir venha a atrofiar-se e ficar como surda e muda por falta de algo que a alimente e desperte, varrendo a névoa que lhe tolda os sentidos?

— É verdade.

— Tal homem terminará por odiar a filosofia e as Musas, incivilizado, sem usar jamais a linguagem para persuadir, mas tentando, como os animais ferozes, conseguir tudo pela força e pela brutalidade; viverá, em suma, afundado na mais torpe ignorância, insensível a tudo que for graça e harmonia.

— De fato, assim é.

— E como existem dois princípios na natureza humana, o princípio impetuoso e o filosófico, deve ser essa a causa de ter a divindade outorgado aos homens as duas artes da ginástica e da música, que a eles correspondem... e não à alma e ao corpo, senão de um modo indireto para que esses dois princípios, como as cordas de um instrumento, pudessem ser retesados e afrouxados até chegarem a uma perfeita armação.

— Quer-me parecer, com efeito, que a intenção foi essa.

— Por conseguinte, aquele que melhor saiba combinar a ginástica com a música e ajustá-las à sua alma na mais justa proporção, esse será o homem a quem poderemos considerar o verdadeiro músico e harmonista, com muito mais razão que ao simples afinador de cordas.

— Muito verossímil, Sócrates!

— E um espírito desse quilate deverá sempre presidir à nossa cidade, para que o governo não se esfacele.

— Sim, será absolutamente necessário.

— Eis aí, pois, as normas gerais da instrução e da educação. Escusamos de entrar em maiores detalhes, entretendo-nos com as danças de nossos cidadãos, as caçadas com cães ou sem eles, ou os concursos ginásticos e hípicos, pois tudo isso se subordina aos mesmos princípios gerais e não será difícil acomodá-lo a estes.

A nova questão: quem deve governar?

— Sim — disse Gláucon —, creio que não haverá dificuldade.

— Muito bem — concluí. — Então qual é a questão seguinte? Não convém investigar quais são os cidadãos que devem governar e os que devem ser governados?

— Por que não?

— Não pode haver dúvida de que os mais velhos devam governar os mais jovens?
— É evidente.
— E que, dentre eles, é aos melhores que compete fazê-lo?
— Também.
— Os melhores lavradores não são os mais bem-dotados para a agricultura?
— São.
— Então, já que os chefes devem ser os melhores dentre os guardiães, não convém que sejam também os mais aptos para guardar uma cidade?
— Sim, convém.
— E para isso não é preciso que sejam pessoas sensatas, eficientes e que dediquem, ademais, um cuidado especial à comunidade?
— Assim é.
— Pois bem: cada qual costuma preocupar-se acima de tudo com aquilo a que tem amor.
— Forçosamente.
— E o que mais amamos é aquilo que consideramos como tendo os mesmos interesses que nós próprios, e de cuja boa ou má fortuna cremos depender a nossa?
— Por certo.
— Será preciso, pois, escolher entre todos os guardiães aqueles homens que durante a vida inteira se tiverem mostrado mais inclinados a ocupar-se com o que julguem útil à cidade e mais avessos a fazer o que lhes pareça contrariar os interesses dela.
— Esses são os mais indicados.
— Creio, pois, que teremos de vigiá-los em todas as idades de sua vida para comprovar se mantêm o seu propósito e não há sedução nem violência capaz de fazer-lhes esquecer ou jogar pela borda fora o sentimento de dever para com a comunidade.
— Mas que quer dizer isso de "jogar pela borda fora"? — perguntou ele.
— Vou explicar-te — respondi. — A mim me parece que uma opinião pode sair de nosso espírito com nosso consentimento ou sem

ele; com nosso consentimento quando, sendo falsa, reconhecemos a sua falsidade; sem ele, sempre que se trata de uma opinião verdadeira.

— Compreendo bem o primeiro caso, mas, quanto ao segundo, preciso que mo expliques melhor.

— Mas como? Não vês então que os homens são privados das coisas boas involuntariamente e das más, voluntariamente? E não é um mal o ter perdido a verdade e um bem o possuí-la? Ou não crês que conceber as coisas tais como são seja possuir a verdade?

— Sim — disse ele —, concordo contigo em que os homens são privados contra a sua vontade das opiniões verdadeiras.

— E não é o que acontece quando os roubam, seduzem ou forçam?

— Isto tampouco entendo bem.

— Receio que minha linguagem seja um tanto obscura, como a dos trágicos — volvi. — Queria dizer simplesmente que alguns homens são dissuadidos, enquanto outros esquecem; o argumento priva de sua opinião uns e o tempo os outros, sem que se apercebam do ocorrido; e a isso chamo roubo. Entendes-me agora?

— Sim.

— Os forçados, por outra parte, são aqueles a quem a violência de alguma dor ou desgosto obriga a mudar de opinião.

— Também isto entendo. Dizes muito bem.

— E por fim, tu mesmo poderias dizer, creio eu, que os seduzidos são aqueles que mudam de critério sob a influência do prazer ou do medo.

— Sim — tornou ele. — De tudo que engana pode-se dizer que seduz.

— Pois bem, como dizia um instante atrás, devemos investigar quais são os melhores guardiães de sua própria convicção de que é preciso fazer a todos os momentos aquilo que julgam mais vantajoso para a comunidade. Cumpre vigiá-los desde a meninice, portanto, encarregando-os de tarefas em que mais facilmente estejam expostos a esquecer ou a deixar-se enganar. Ao que tiver boa memória e for mais difícil de ludibriar, a esses escolheremos; ao que falhar na prova, rejeitaremos. Que te parece?

— Ótimo.
— E também lhes prescreveremos trabalhos, dores e perigos em que possamos observá-los do mesmo modo.
— Muito bem.
— Mas não será preciso — continuei — instituir uma terceira espécie de prova, a prova da sedução, para ver como se comportam diante dela? Como aqueles que levam seus potros a lugares onde haja ruído e tumulto para verificar se são espantadiços, colocaremos nossos jovens em situações que provoquem temor e em seguida os iniciaremos nos prazeres. Com isso os provaremos muito melhor do que ao ouro com o fogo e veremos se estão bem apercebidos contra todas as seduções, se se conduzem sempre com decência, bons guardiães de si mesmos e da música que aprenderam, e sem jamais se apartar das leis do ritmo e da harmonia; se são, numa palavra, como devem ser os homens mais úteis tanto para si mesmos como para a cidade. E aquele que em todas as idades, como menino, como mancebo e como homem-feito, sair puro e vitorioso da prova, será investido nas funções de governante e guardião da cidade. Hão de conceder-se-lhe dignidades em vida e, depois de morto, seus despojos serão honrados com os mais solenes funerais e sua memória com monumentos. Mas o que fracassar será rejeitado. Tal me parece, Gláucon, que deve ser o sistema de escolha e designação de governantes e guardiães. Falo em linhas gerais, sem entrar em pormenores.
— Também em linhas gerais concordo contigo — disse ele.
— E talvez a palavra "guardião" em seu sentido pleno deva ser reservada a essa classe superior, que nos protege contra os inimigos de fora e mantém a paz entre os cidadãos dentro da comunidade, de modo que estes não tenham o poder nem aqueles a vontade de nos fazer mal. Quanto aos jovens que antes chamávamos guardiães, será mais apropriado designá-los como auxiliares e executores das decisões dos chefes.
— De acordo.
— Como nos arranjaremos agora — continuei — para inventar uma daquelas mentiras úteis de que falávamos anteriormente... uma

nobre mentira que seja capaz de convencer antes de tudo os chefes, se possível, ou pelo menos o resto dos cidadãos?
— A que te referes? — perguntou.
— Não se trata de nenhuma novidade, mas apenas de uma velha história sobre fatos que, segundo dizem os poetas e fazem crer à humanidade, teriam ocorrido muitas vezes em outros tempos, mas que nunca aconteceram em nossos dias, nem creio que possam acontecer. É qualquer coisa que requer grandes dotes de persuasão para torná-la aceitável.
— Como hesitas em falar!
— Não te admirarás da minha hesitação — repliquei — quando eu to houver contado.
— Fala sem receio — disse ele.

O mito que se deve contar aos cidadãos

— Falarei, pois, embora não saiba se terei coragem de olhar-te em face nem com que palavras ousarei comunicar-te a audaciosa ficção que pretendo inculcar em primeiro lugar aos próprios governantes e estrategos, e depois à cidade inteira. Trata-se de fazer-lhes crer que sua juventude não foi mais que um sonho e toda essa educação e instrução que lhes demos, mera aparência; que na realidade permaneceram durante todo esse tempo debaixo da terra, onde seus corpos se formaram e cresceram enquanto eram fabricadas as suas armas e utensílios; e, assim que tudo ficou perfeitamente acabado, a terra, sua mãe, os deu à luz; portanto, devem zelar pela cidade em que moram como por sua mãe e nutriz, defendendo-a se alguém a ataca, e considerar os demais cidadãos como irmãos seus, filhos da mesma mãe.
— Não te faltavam razões — disse ele — para envergonhar-te da mentira que ias contar.
— Naturalmente — respondi. — Mas ainda há mais; escuta agora o resto do mito. "Cidadãos", lhes diremos prosseguindo com a fábula, "sois todos irmãos, porém os deuses vos formaram de maneira diversa. Alguns dentre vós têm o poder do mando, e em sua composição fizeram eles entrar o ouro, motivo pelo qual valem mais do que ninguém;

a outros fizeram de prata, para serem auxiliares; outros, ainda, que se destinam a ser lavradores e artesãos, foram compostos de ferro e bronze. Como procedeis todos da mesma origem, embora a composição paterna seja geralmente conservada nos filhos, pode suceder que nasça um filho de prata de um pai de ouro, ou um filho de ouro de um pai de prata, e da mesma forma nas demais classes. E esta é a primeira e principal regra que a divindade impõe aos magistrados: que, de todas as coisas das quais devem ser bons guardiães, a nenhuma dediquem maior zelo que às combinações de metais de que estão compostas as almas das crianças. E se uma destas, ainda que seja seu próprio filho, tiver uma mistura de bronze ou ferro, o governante deve estimar-lhe a natureza pelo que realmente vale e relegá-la, sem nenhuma contemplação, à classe dos artesãos e lavradores. E por outro lado, se destes nascer um rebento que contenha ouro ou prata, deve também apreciar-lhe o valor e educá-lo como guardião no primeiro caso e como auxiliar no segundo. Porque diz um oráculo que a cidade perecerá no dia em que tiver à testa um guardião de ferro ou de bronze". Aí tens a fábula. Podes sugerir-me algum meio de fazer com que acreditem nela?

— Nenhum — respondeu ele —, pelo menos na primeira geração. Mas é possível que seus filhos chegassem a aceitá-la, e depois deles seus descendentes, e assim a posteridade inteira.

— Percebo a dificuldade. No entanto, bastaria que alimentassem essa crença para cuidar melhor da cidade e de seus concidadãos. Mas agora deixemos que o nosso mito alce o voo e se vá para onde o levar a voz do povo, enquanto nós outros cuidamos de armar os nossos terrígenas e de conduzi-los sob a direção de seus chefes. Uma

A escolha de um local para o acampamento dos guerreiros

vez chegados, que examinem o terreno e vejam qual o lugar da cidade mais apropriado para nele acamparem: uma base de onde possam reprimir as insurreições internas, se alguma houver, e ao mesmo tempo defender-se dos inimigos que possam vir de fora, como lobos dispostos a atacar um rebanho. E após terem acampado e oferecido sacrifícios a quem de direito, que preparem sua cama. Não é assim?

— Assim mesmo.
— Pois bem: não o farão em lugar que os proteja contra o frio do inverno e o calor do verão?
— Como não? Pois me parece que falas de habitações — disse ele.
— Sim — respondi. — Mas devem ser casas de soldados, e não de negociantes.
— Qual é a diferença?
— Vou tentar explicar-te. Poderia haver, para um pastor, coisa mais perigosa e humilhante do que criar cães de guarda que, levados pela fome, pela indisciplina ou por algum mau hábito, fossem capazes

Os guerreiros devem ser humanizados pela educação

de voltar-se contra o próprio rebanho, portando-se como lobos e não como cães?
— Seria horrível, como não!
— Não deveremos, pois, tomar todo cuidado para que os nossos auxiliares, sendo mais fortes que os outros cidadãos, abusem do seu poder e se convertam em tiranos selvagens ao invés de amigos e aliados?
— Sim, é preciso estar vigilante — disse.
— E uma educação verdadeiramente boa não seria a melhor garantia?
— Mas se já estão educados! — exclamou.
Então disse eu:
— Não tenho tanta certeza disso, meu querido Gláucon, mas sim de que deveriam sê-lo e de que a verdadeira educação, seja ela qual for, é o que mais contribuirá para civilizá-los em suas relações entre si e com aqueles que se acham sob a sua proteção.
— Muito certo — disse.
— E não só a educação, mas também as habitações e tudo que lhes pertence devem ser de modo a não abalar sua virtude de guardiães nem tentá-los a saquear os outros cidadãos. Qualquer pessoa de bom senso reconhecerá isto.
— E com razão.

O gênero de vida que lhes é prescrito

— Vejamos, então, qual será o seu gênero de vida para que correspondam à ideia que deles fazemos. Antes de mais nada, nenhum deles terá quaisquer bens próprios, exceto o que for absolutamente necessário. Em segundo lugar, ninguém tampouco terá uma habitação privada ou uma despensa que não esteja franqueada a quem ali queira entrar. Quanto a víveres, receberão dos demais cidadãos, em paga de sua guarda, o que possam necessitar guerreiros fortes, sóbrios e valorosos, fixando-se com tal exatidão a quantidade que tenham o suficiente para o ano, sem sobrar nada. Viverão em comum, participando regularmente das refeições coletivas como se estivessem em campanha. No que se refere ao ouro e à prata, lhes diremos que já os receberam dos deuses em suas almas, e para sempre; portanto, não têm nenhuma necessidade do vil metal terreno, nem é lícito que contaminem aquele dom divino e puro aliando sua posse à do ouro material, que tantos e tão grandes crimes tem provocado. Serão eles, pois, os únicos cidadãos a quem não se permitirá manusear ou tocar o ouro e a prata, nem penetrar debaixo do mesmo teto que abrigue esses metais, nem levá-los sobre si, nem beber de recipientes fabricados com eles. Se assim procederem, salvarão a si mesmos e à cidade; mas se adquirirem casas, terras e dinheiro, deixarão de ser guardiães para se tornarem proprietários e agricultores, e de amigos de seus concidadãos se transformarão em detestáveis tiranos. Passarão a vida inteira odiando e sendo odiados, conspirando e sendo alvo de conspirações... temendo, numa palavra, mais os inimigos de dentro que os de fora; e não virá longe a hora da derrocada final, tanto para eles como para a cidade. Por todas essas razões conviremos em prescrever um tal regime para o alojamento e as demais necessidades dos guardiães, e o estabeleceremos como digo. Ou não pensas assim?

— Estou de pleno acordo contigo — respondeu Gláucon.

Livro IV

Aqui Adimanto interpôs uma pergunta:
— Que responderias, Sócrates, se alguém objetasse que não fazes nada felizes esses homens, e eles próprios são culpados disso? De fato, embora a cidade lhes pertença, não auferem daí nenhum proveito... enquanto os outros adquirem terras e constroem belas e espaçosas vivendas, dotando-as de móveis e alfaias condignos, oferecendo sacrifícios aos deuses por sua própria conta e praticando a hospitalidade; e além disso, como dizias,

A objeção de Adimanto: Sócrates faz os guardiães pobres e infelizes

granjeiam prata, ouro e tudo mais que possuem os favoritos da sorte. Aqueles, pelo contrário, parecem estar aquartelados na cidade como meros auxiliares a soldo, montando guarda constantemente.

— Sim — disse eu —, e podes acrescentar que o fazem apenas em troca do sustento, sem receber salário algum em acréscimo, de modo que não lhes seria possível fazer uma viagem de recreio se assim o desejassem, nem pagar cortesãs, nem brindar-se com qualquer dos outros luxos em que gastam seu dinheiro aqueles que passam por ser felizes. E muitas outras acusações da mesma natureza poderiam ser ainda ajuntadas.

— Pois suponhamos que tenham sido feitas — replicou ele.
— E queres saber qual seria a nossa defesa?
— Sim.
— Se não nos afastarmos do caminho que escolhemos — disse eu —, creio que encontraremos a resposta. E diremos que, mesmo

No entanto, é bem possível que os guardiães sejam os mais felizes dos homens

assim, é bem provável que nossos guardiães sejam os mais felizes dos homens; mas, seja lá como for, nosso objetivo ao fundar a cidade não foi tornar especialmente feliz a uma determinada classe, e sim alcançar a maior felicidade possível para a cidade inteira. Pensávamos que numa cidade assim organizada seria mais fácil encontrar a justiça do que em qualquer outra, do mesmo modo que a injustiça teria mais probabilidades de se manifestar numa cidade mal-ordenada, e que ao reconhecer isso poderíamos chegar a uma conclusão sobre o assunto que vimos investigando. Por ora estamos formando uma cidade feliz, não por partes nem com vistas a tornar felizes alguns cidadãos, mas como um todo; mais tarde passaremos a considerar a cidade de índole oposta. Suponhamos que estivéssemos pintando uma estátua e viesse alguém censurar-nos, dizendo: "Por que não pondes as mais belas cores nas partes mais belas do corpo? Os olhos, por exemplo, que são o que uma pessoa tem de mais belo, deviam ser pintados de púrpura e não de negro." Não lhe poderíamos responder assim: "Não

A cidade, como uma estátua, deve ser apreciada em conjunto

pretendes por certo, meu distinto amigo, levar-nos a aformosear os olhos a tal ponto que deixem de ser olhos, nem tampouco as outras partes do corpo; examina apenas se, dando a cada parte o que lhe é próprio, tornamos belo o conjunto?" E do mesmo modo te digo: não me obrigues a pôr tanta felicidade nos guardiães que os torne qualquer coisa menos guardiães; porque também podemos vestir os lavradores com mantos de púrpura, cingir-lhes a cabeça com coroas de ouro e dizer-lhes que lavrem a terra quando isso lhes der prazer; os oleiros seriam estendidos em leitos à volta de uma mesa, junto ao fogo, para que se banqueteassem passando a taça de mão em mão, tendo os seus tornos a uma distância conveniente para quando lhes desse vontade de fazer cerâmica; dessa forma poderíamos tornar todas as classes felizes... e portanto, segundo imaginas, a cidade inteira seria feliz. Mas tira essa ideia da cabeça; porque, se te déssemos ouvidos, o lavrador já não seria lavrador, o oleiro deixaria de ser oleiro, e nenhuma classe preservaria os caracteres que devem distingui-la na cidade. Ora, que os sapateiros se corrompam e pretendem ser o que não são é coisa que não apresenta grande perigo para a comunidade; mas quando os guardiães das leis e do governo o são apenas em aparência e não na realidade, bem vês que arruínam a cidade de alto a baixo; e, por outro lado, são eles os únicos que têm o poder de impor a ordem no Estado e de torná-lo feliz. Nós queremos que os guardiães sejam os verdadeiros salvadores da cidade e não os fautores de sua ruína, enquanto o nosso contendor, ao pretender que os lavradores vivam em banquetes e festas, não está falando de uma cidade e sim de outra coisa. Temos, pois, de examinar se os guardiães devem ser nomeados com a mira na maior felicidade possível para eles ou tendo em vista a cidade inteira. Se este último critério for o mais acertado, então será preciso persuadir e obrigar os auxiliares e guardiães a que sejam operários perfeitos no seu mister, não menos que os demais; de sorte que, prosperando a cidade em conjunto e vivendo-se bem nela, cada classe de pessoas possa fruir o quinhão de felicidade que lhes faculte a natureza.

— Na verdade, creio que falas com acerto — disse ele. — Gostaria de saber se concordas com outra observação que me ocorreu agora.

— De que se trata?

— A corrupção dos demais trabalhadores parece-me provir de duas causas.

— E quais são elas?

— A riqueza e a indigência — respondi.

— Como agem essas causas?

— Vou dizer-te: acreditas que quando um oleiro enriquece continue dedicando o mesmo zelo ao seu ofício?

— Claro que não.

— Não se tornará mais folgazão e negligente do que era?

— Sim, sem dúvida.

— E, em consequência, passará a ser menos bom oleiro?
— Muito pior, com efeito.

A cidade não deve ser pobre nem rica

— Mas, por outro lado, se for indigente e não puder adquirir ferramentas e outras coisas necessárias à sua arte, nem ele próprio trabalhará bem, nem ensinará seus filhos e aprendizes a serem bons artesãos.
— Tens razão.
— Por conseguinte, tanto a indigência como a riqueza tendem a fazer degenerar os trabalhadores e o produto de suas atividades?
— Assim parece.
— Acabamos, pois, de descobrir dois novos males sobre os quais devem os guardiães exercer vigilância, para que não se introduzam despercebidos na cidade.
— Que males?
— A riqueza e a indigência, já que uma traz consigo a moleza e a ociosidade, e a outra, a vileza e a degradação da arte; e tanto esta como aquela, a tendência para inovar.
— Isso é bem verdade — disse ele. — Mas gostaria de saber, ó Sócrates, como nossa cidade poderá entrar em guerra sem estar na posse de riquezas, especialmente tratando-se de um inimigo rico e poderoso.
— Está claro que contra um só será mais difícil — respondi —, mas a dificuldade não será tão grande quando se lutar com duas dessas cidades.

Nossos aguerridos soldados poderão facilmente enfrentar seus vizinhos

— Como é isso? — inquiriu Adimanto.
— Em primeiro lugar, se tiverem de lutar, não combaterão contra homens ricos, sendo eles guerreiros adestrados?
— Sim, é verdade.
— E não te parece, Adimanto, que um único lutador que esteja perfeitamente treinado na sua arte poderá dominar facilmente outros dois homens ricos e gordos, que não sejam lutadores?
— Não se for atacado pelos dois ao mesmo tempo — respondeu.

— E se lhe fosse possível fugir para voltar-se novamente e enfrentar um a um os que o fossem alcançando? E se o fizesse debaixo de um sol ardente, não poderia ele, lutador aguerrido como é, levar a melhor até a mais de dois desses homens de que falamos?
— Sem dúvida, não haveria nada de surpreendente nisso.
— E não crês que os ricos são mais peritos na ciência e na prática da luta que na arte militar?
— É muito provável.
— Então nossos atletas poderão, sem dúvida, combater com um número de inimigos duplo ou triplo do seu próprio.
— Concedo-o — disse ele —, porque de fato me parece que tens razão.

Terão, além disso, aliados

— E suponhamos que, antes de travar batalha, enviem uma embaixada a uma das duas cidades, dizendo (o que, aliás, seria verdadeiro): "Ouro e prata não temos nem nos é permitido possuí-los, mas a vós sim; lutai, pois, ao nosso lado e os despojos do inimigo serão vossos." Quem, ao ouvir estas palavras, preferiria combater contra uma matilha de cães magros e nervosos a aliar-se com eles contra carneiros gordos e tenros?
— Não é muito provável, com efeito — disse. — Mas olha que, se as riquezas de muitas cidades se juntarem numa só, poderá haver perigo para a mais pobre.
— És um bem-aventurado — retruquei — se acreditas que se deva chamar cidade a outra que não a nossa!
— Por quê?

As outras cidades não representam grande perigo porque lhes falta unidade interna

— Devias falar dos outros Estados no plural; nenhum deles é uma cidade, mas muitas cidades, como no jogo que conheces.[5] No mínimo duas, inimigas uma da outra: a dos pobres e a dos ricos. E em cada uma destas há muitas divisões menores, de modo que te enganarias redondamente se a encarasses como uma só. Mas se te aproveitas da sua diversidade e entregas a uns as riquezas, o poder e mesmo as pessoas dos outros, contarás sempre com muitos aliados e poucos inimigos. E a tua cidade, enquanto prevalecer nela a sábia ordem que estivemos prescrevendo, será a maior de todas, não digo já em fama ou aparência, mas na realidade dos fatos, ainda que não possua mais de um milhar de combatentes. Dificilmente acharás outra que se possa igualar a ela, quer entre os helenos, quer entre os bárbaros, embora muitas pareçam ser várias vezes maiores. Ou talvez não penses assim?

— Absolutamente. Tens toda a razão.

O limite que se deve prescrever ao tamanho da cidade

— De modo — prossegui — que será esse, para os nossos governantes, o melhor limite que prescreverão ao desenvolvimento da cidade e ao território que lhe designarem de acordo com esse desenvolvimento, deixando fora o resto.

— Que limite? — perguntou ele.

— Eu permitiria que a cidade crescesse até o ponto em que isso fosse compatível com a unidade; mas não a deixaria passar daí.

— Muito bem.

— E aqui temos outra regra a que deverão ater-se nossos guardiães: envidar todos os esforços para que a cidade não seja pequena nem pareça grande, mas seja suficiente em sua unidade.

— E por certo não é uma regra muito severa que lhes impomos! — disse ele.

— E a outra, de que falávamos anteriormente, é ainda mais leve: refiro-me à degradação dos rebentos dos guardiães, quando

O dever de ajustar os cidadãos à função social
para que os destinou a natureza

de pouco valor, e à elevação dos descendentes das classes mais baixas à categoria daqueles quando se revelarem suficientemente aptos. Com isso se quer mostrar que, entre os cidadãos em geral, cada indivíduo deve ser aproveitado numa espécie de trabalho que é aquela para que se acha mais bem-dotado, de modo que, atendendo a uma coisa só, conserve ele próprio a sua unidade e não se divida. E assim se conseguirá que a cidade inteira seja uma e não muitas.

— Sim, não há dúvida! — disse ele. — Esta regra é ainda mais insignificante que a outra!

— Na verdade, meu bom Adimanto, pode parecer que estas prescrições são muitas e bastante pesadas; mas todas são realmente de pouca importância, contanto que se observe, de acordo com o ditado, aquela única grande coisa que eu, de minha parte, não chamaria grande, mas suficiente para os nossos fins.

— E qual é ela? — perguntou.

— A educação e a criação — respondi —, porque, se nossos cidadãos forem bem-educados e se tornarem homens sensatos, perceberão facilmente todas essas coisas e muitas outras que passamos por alto, como por exemplo que a posse das mulheres, o casamento e a procriação dos filhos devem seguir o princípio geral de que os amigos possuem todas as coisas em comum, como diz o provérbio.

— Seria, mesmo, a melhor maneira de regular esse assunto — disse.

— Sucede, ademais, que o Estado, após tomar um impulso favorável, vai crescendo à moda de um círculo; porque a boa criação e educação produzem boas índoles, e estas, por sua vez, implantadas na boa educação, se fazem cada vez melhores em tudo, como ocorre entre os outros animais.

— É natural.

— Resumindo, então: este é o ponto em que deve se concentrar acima de tudo a atenção de nossos governantes — que

Não são permissíveis inovações na ginástica ou na música

a música e a ginástica sejam preservadas em sua forma original, sem que haja inovações. Devem fazer o possível para mantê-las intatas e sentir medo quando alguém diz:

A todos os cantos preferem os homens
O que brota mais novo dos lábios dos cantores,

não vão porventura acreditar os cidadãos que o poeta fale, não já de cantos novos, mas de um estilo novo de canto, e o celebrem por isso; pois não se deve celebrar tal coisa nem fazer semelhante suposição. Toda inovação musical é prenhe de perigos para a cidade inteira e faz-se mister proibi-la. Assim o assevera Damon, e eu o creio: diz ele, com efeito, que não se pode alterar os modos musicais sem alterar ao mesmo tempo as leis fundamentais do Estado.

— Inclui-me a mim também entre os convencidos — disse Adimanto.

— Portanto — continuei —, é no campo da música que nossos guardiães devem assentar os alicerces de sua fortaleza.

— Sim, pois é aí que a ilegalidade se insinua mais facilmente, sem ser percebida.

— Isso mesmo — respondi —, sob a forma de recreação, à primeira vista inofensiva.

**O espírito de licença introduzindo-se na música
invade gradualmente todos os setores da vida**

— Nem a princípio causa dano algum — disse ele. — Mas esse espírito de licença, depois de encontrar um abrigo, vai-se introduzindo imperceptivelmente nos usos e costumes; e dali passa, já fortalecido, para os contratos entre os cidadãos, e após os contratos invade as leis e constituições, com a maior impudência, até que por fim, ó Sócrates, transforma toda a vida privada e pública.

— Será mesmo assim? — perguntei.

— É o que me parece — retrucou ele.

— De modo que, como dizíamos, nossos meninos devem ser educados desde o começo dentro de um sistema mais rigoroso, já que, se nem eles nem os seus jogos se atêm a certas normas, é impossível que, ao crescerem, se façam varões justos e operosos.

— Como não?

— E quando os jogos são bem regulados e os meninos, com o auxílio da música, adquirem o hábito da boa ordem, esse hábito, ao contrário do que sucede com os outros, os acompanhará em todos os seus atos e tomará

O hábito da ordem é a base da educação

corpo, reerguendo tudo quanto estava anteriormente caído na cidade.

— Tens razão.

— E assim educados — prossegui — tornarão a descobrir por si mesmos todas aquelas pequenas regras que seus predecessores deixaram perder-se totalmente.

— Que regras são essas?

— Refiro-me a coisas deste gênero: o silêncio que os jovens devem guardar diante de pessoas mais velhas; a obrigação de fazê-las sentar-se e ficar em pé na sua presença; o respeito aos pais; a maneira de vestir-se, de calçar-se, de aparar o cabelo, a postura do corpo... enfim, o comportamento em geral. Concordas comigo?

— Evidentemente.

— Mas seria tolice, creio eu, legislar sobre todas essas coisas. Isso não se faz em parte alguma e, supondo que se fizesse, duvido que fosse observado por muito tempo.

— Como seria possível?

— É provável, pois, ó Adimanto, que o caminho em que é orientado um homem pela sua educação determine toda a sua vida futura. Ou não é verdade que o semelhante sempre atrai o semelhante?

— Como poderia ser de outra forma?

— Até que por fim, creio que não erraríamos em dizê-lo, resultará daí algo completo e vigoroso, que tanto pode ser bom como mau.

— Não se pode negá-lo.

— E por esse motivo — disse eu — não tentarei legislar sobre tais coisas.

— E com razão — volveu Adimanto.

— Mas que diremos, pelos deuses, dessas transações do mercado, dos convênios que uns cidadãos fazem com outros, ou, se quiseres, dos tratos com artesãos, das injúrias e atropelos, das citações em juízo e da escolha de magistrados, da necessidade de tais e tais exações e tributações em praças e portos... enfim, todos esses direitos

Os detalhes da administração podem ser deixados ao critério dos cidadãos bem-formados

comerciais, urbanos, marítimos e o mais que se segue? Achas que devemos dar-nos o trabalho de legislar sobre tais coisas?

— Não vale a pena dar tais ordenanças a cidadãos bem-formados — respondeu Adimanto. — Eles próprios descobrirão facilmente o que convém regulamentar.

— Sim, meu amigo, se os deuses lhes permitirem conservar as leis que antes estabelecemos para eles.

— Sem a ajuda divina — disse — passarão a vida impondo e retificando normas, na esperança de alcançar a perfeição.

— Queres dizer — tornei eu — que essa gente viverá como aqueles doentes que não sabem dominar-se e não querem renunciar aos seus hábitos de intemperança?

— Exatamente.

— E o certo é que têm um modo de viver engraçado. Estão constantemente a medicar-se, com o que não fazem mais que agravar e complicar os seus males, e sempre imaginam que vão curar-se com a última mezinha que lhes foi aconselhada.

— É, de fato, o que comumente acontece com tais doentes — disse ele.

— Sim — repliquei —, e o mais encantador é que consideram como seus piores inimigos aqueles que lhes dizem a verdade, isto é: que se não deixam simplesmente suas bebedeiras, suas comezainas, suas libertinagens e sua ociosidade, não há droga, cautério, sangria, nem tampouco ensalmo, talismã ou qualquer outro remédio que lhes valha.

— Encantador! — exclamou ele. — Não vejo nada de encantador em zangar-se com quem fala de modo razoável.

— Pelo que vejo, esses senhores não gozam de tua simpatia.

— Não, por Zeus!

— Muito menos aprovarias o procedimento de cidades inteiras que agissem como o homem a quem acabamos de descrever. Pois não existem cidades malregidas em que se proíbe aos cidadãos, sob pena de morte, tocar em qualquer ponto da constituição, e aquele que melhor sabe adular os que vivem em semelhante regime e mais hábil se mostra em prever-lhes e satisfazer-lhes os desejos é celebrado como um grande e excelente estadista? Não achas que tais cidades se parecem com o homem de que falávamos?

— Sim, fazem o mesmo que ele — respondeu. — E estou longe de aprová-las.

— Mas quanto aos que se prestam com tanto afã a curar essas cidades? Não admiras o seu valor e a sua boa vontade?

— Admiro, sim — disse ele —, com exceção, todavia, daqueles

Os demagogos ignorantes que se metem a legislar

a quem o aplauso da multidão convence de que são verdadeiros estadistas. Esses não são muito dignos de admiração.

— Como assim? Não os perdoas? Quando um homem não sabe medir e muitos outros, que tampouco o sabem, lhe dizem que ele tem quatro côvados de estatura, poderá deixar de acreditá-los?

— De fato, não pode.

— Não te irrites com eles, portanto. A verdade é que são impagáveis; põem-se a legislar sobre toda as bagatelas que enumerávamos há pouco, fazendo constantemente retificações e imaginando sempre que vão encontrar um remédio para as fraudes nos contratos e as outras patifarias de que falei, sem perceber que não fazem mais do que cortar as cabeças da Hidra.[6]

— E por certo — disse — não é outra a sua tarefa.

— Por isso — continuei —, não creio que o verdadeiro legislador deva preocupar-se com esse gênero de leis e constituições, tanto na cidade bem regida como na que não o é; pois nesta não têm nenhuma eficácia e, naquela, não há a menor dificuldade em traçá-las, havendo, até, muitas que decorrem por si mesmas do sistema de vida reinante.

— Que nos resta, pois, fazer em matéria de legislação? — perguntou.

Ao que respondi:

— Para nós, nada; mas para Apolo, o deus de Delfos, os maiores, os mais belos e os primeiros de todos os estatutos legais.

— Quais são eles?

A religião deve ser deixada a Apolo Délfico

— A ereção de templos, a instituição de sacrifícios e demais cultos dos deuses, semideuses e heróis; além da sepultura dos mortos e dos ritos que deve observar quem deseja aplacar os habitantes do mundo de além. Nós outros não entendemos desses assuntos, e como fundadores de uma cidade seria imprudência confiarmo-los a qualquer intérprete que não fosse a nossa divindade ancestral. É ele, sem dúvida alguma, o deus que está sentado sobre o umbigo da Terra, no próprio centro do mundo, e interpreta a religião para todos os homens.

— Falas com acerto — disse Adimanto — e faremos como propões.

— Mas, agora que está fundada a cidade e tornou-se habitável, ó filho de Aríston, o que deves fazer é acender uma vela e examiná-la com atenção; chama em teu auxílio Gláucon, Polemarco e o resto de nossos amigos para ver se podemos descobrir em que lugares se escondem a justiça e a injustiça, em que se diferenciam uma da outra e qual das duas deve escolher o homem que há de ser feliz, seja ele ou não visto pelos deuses e pelos homens.

— Nada disso — objetou Gláucon. — Não prometeste fazer tu mesmo a investigação, dizendo que seria impiedade de tua parte deixar de defender a justiça por todos os meios ao teu alcance?

— Não nego que o tenha dito — respondi. — E cumprirei minha palavra; mas é preciso que vós outros me ajudeis na empresa.

— Assim faremos.

— Pois espero encontrar o que procuramos do seguinte modo — prossegui. — Começarei pela suposição de que nossa cidade, bem fundada como está, é perfeitamente boa.

— Quanto a isso não há dúvida.
— E, sendo perfeitamente boa, podemos concluir que é prudente, valorosa, moderada e justa?
— Pois claro.
— Portanto, se nela encontrarmos uma ou mais dessas qualidades, as outras devem por força estar presentes?
— Não pode ser de outro modo.
— Se houvesse quatro coisas e estivéssemos procurando uma delas, nos daríamos por satisfeitos uma vez que a tivéssemos reconhecido; mas, se antes houvéssemos encontrado as outras três, a restante seria evidentemente a que nos faltava.
— Dizes bem.
— E assim, no tocante às qualidades que mencionei, uma vez que são também quatro, procederemos à investigação do mesmo modo?
— É claro.
— Das virtudes encontradas na cidade, a primeira a patentear-se é a prudência; e com respeito a ela noto algo de singular.
— Que é? — perguntou.

O lugar das quatro virtudes na cidade: (1) a prudência do estadista

— A cidade que vimos descrevendo é considerada prudente por ser acertada em suas determinações, não é verdade?
— Sim.
— E esse próprio acerto é uma espécie de ciência, pois é por ela e não pela ignorância que os homens acertam.
— Evidentemente.
— Mas na cidade há grande número e variedade de ciências.
— Como não?
— E acaso consideraremos prudente e acertada a cidade por causa da ciência dos construtores?
— Não, por isso não a chamaríamos assim, mas apenas mestra em construções.

— Nem tampouco chamaremos prudente a cidade pela ciência da marcenaria, quando esta delibera sobre a maneira de fazer os melhores móveis possíveis?

— Não, por certo.

— Por que será, então? Talvez pela ciência dos bronzistas, ou por outra semelhante?

— Por nenhuma delas — respondeu.

— Nem mesmo pela ciência do cultivo da terra, pois isso lhe valeria o nome de cidade agrícola?

— Claro.

— Bem — disse eu. — Haverá então na cidade que acabamos de fundar alguma ciência entre determinados cidadãos, pela qual não se tomam resoluções sobre este ou aquele aspecto particular, mas sobre o todo, considerando o modo de manter as melhores relações possíveis, tanto no interior como com as demais cidades?

— Por certo que há.

— Qual é ela, então — perguntei —, e entre que pessoas se encontra?

— É a ciência da preservação — disse ele — e encontra-se entre aqueles a quem descrevíamos há pouco como guardiães perfeitos.

— E como chamaremos a cidade em virtude dessa ciência?

— Acertada em suas resoluções e verdadeiramente prudente — respondeu.

A classe dos estadistas ou guardiães é a menos numerosa de todas

— E de quem pensar que haverá maior número em nossa cidade, de bronzistas ou desses verdadeiros guardiães?

— Muito mais bronzistas — respondeu.

— E não serão os guardiães a menor de todas as classes que recebem um nome determinado em razão de sua ciência?

— Muito menor, sem dúvida.

— Portanto, a cidade inteira, quando constituída de acordo com a natureza, será prudente graças à classe de pessoas mais reduzida que nela existe, e que é aquela que preside e governa; e esse grupo, o único que possui um saber digno do nome de prudência, determinou a natureza que fosse o menos numeroso de todos.

— Dizes a pura verdade — volveu ele.

— E assim, não sei como, encontramos a primeira das quatro virtudes e a parte da cidade em que reside.

— E, na minha humilde opinião, encontramo-la de maneira muito satisfatória — respondeu.

(2) A coragem se encontra principalmente no soldado

— Quanto à coragem, não me parece difícil perceber em que consiste e em que parte da cidade se encontra essa virtude que lhe dá o nome de valorosa.

— Como assim?

— Ora — disse eu —, quem quer que chame uma cidade de valorosa ou covarde estará por força pensando naquela sua parte que a defende e entra em guerra a seu favor.

— Não poderia ter outra coisa em vista — respondeu. — Os demais cidadãos podem ser corajosos ou poltrões, mas seu valor ou covardia, segundo me parece, não tem o poder de tornar a cidade uma coisa ou a outra.

— Por certo.

— A cidade será valorosa em virtude de uma parte de si mesma que preserva em todas as circunstâncias aquela opinião acerca das coisas a serem e a não serem temidas, que lhe inculcou o legislador por meio da educação. Ou não é a isso que chamas coragem?

— Não entendo bem o que dizes — respondeu. — Repete-o mais uma vez.

— Quero dizer que a coragem é uma espécie de conservação.

— Conservação de quê?

— Da opinião sobre as coisas a serem temidas, sobre sua espécie e natureza, a qual é implantada pela lei através da educação; e quando acrescento "em todas as circunstâncias" quero dizer que, entre prazeres ou dores, sob a influência do desejo ou do medo, um homem a mantém consigo e não a abandona jamais. Gostarias que te desse um exemplo?

— Faze-o, por favor.

Exemplo tirado da arte da tinturaria

— Como sabes — disse eu —, os tintureiros, quando querem tingir lãs para lhes dar a cor da verdadeira púrpura, começam por escolher, entre todas as cores de lãs que existem, uma só classe: a das brancas. A estas preparam com meticuloso cuidado, para que adquiram o maior brilho possível e absorvam perfeitamente a tintura. Procedem então ao tingimento; e tudo que é tingido dessa maneira assume uma cor indelével, e não há lavagem, com detergente ou sem ele, que lhe possa tirar o brilho. E também sabes como ficam os panos que não são tingidos assim, quer por se empregarem lãs de outras cores, quer por não serem previamente preparadas.

— Sim — respondeu —, ficam desbotados e com um aspecto ridículo.

— Agora compreenderás qual era o nosso objetivo ao selecionar nossos soldados e educá-los na música e na ginástica: procurávamos submetê-los a influências que os preparassem para absorver com perfeição a tintura das leis, e para que a cor de suas opiniões sobre o que se deve e o que não se deve temer fosse indelevelmente fixada pela criação e educação, resistindo a dissolventes tão poderosos como o prazer... mais terrível em seus efeitos que qualquer soda ou lixívia... ou o pesar, o medo e a concupiscência, que são os mais fortes detergentes que existem. E a essa espécie de poder preservador, em todas as circunstâncias, da opinião reta e legítima sobre os perigos reais e imaginários é que eu chamo coragem e considero como tal, a não ser que discordes de mim.

— De modo algum — respondeu Gláucon —, porque suponho que pretendas excluir a coragem espontânea e não educada, como a de um animal feroz ou de um escravo. A essa, por certo, não consideras verdadeiramente legítima nem lhe dás o nome de coragem, mas outro diferente.

— Pois claro — disse eu.

— Admito, pois, que seja isso a coragem.

— Admite também — ajuntei — que é qualidade própria da cidade, e terás acertado. Em outra ocasião, se quiseres, levaremos mais longe essa investigação, mas por ora o que procuramos não é a coragem e sim a justiça; e quanto àquela já dissemos o suficiente.

— Tens razão — disse ele.

A temperança e a justiça

— Resta descobrir duas virtudes na cidade: primeiro a temperança e depois a justiça, que é a meta de nossa pesquisa.

— Exatamente.

— Mas quem sabe se poderemos encontrar a justiça sem primeiro nos ocuparmos com a temperança?

— Eu, por minha parte, não sei — respondeu — nem desejo que se traga à luz primeiro a justiça e se perca a outra de vista. Dá-me, pois, o gosto de voltar tua atenção para esta antes daquela.

— Certamente — disse eu. — Nada justificaria uma recusa ao teu pedido.

— Examina-a, pois.

— Vou examinar. À primeira vista, parece-me que participa mais da natureza da música e da harmonia que as precedentes.

— Como assim? — perguntou.

— A temperança — respondi — é uma regulação e domínio de prazeres e desejos. É o que está implicado, de maneira curiosa, na frase "ser senhor de si mesmo"; e ainda outros vestígios da mesma ideia podem ser encontrados na linguagem.

— Sem dúvida.

O homem, senhor e escravo de si mesmo

— Há qualquer coisa de ridículo na expressão "senhor de si mesmo", pois o senhor é ao mesmo tempo o escravo e este, o senhor, já que em todos esses ditos se fala de uma só pessoa.

— Como não?

— Significa ela, segundo creio, que na alma do mesmo homem existe algo que é melhor e algo que é pior, e quando o que por natureza é melhor domina o pior, diz-se que o homem "é senhor de si mesmo", o que constitui um encômio; mas quando, por educação defeituosa ou em resultado de más companhias, o melhor leva desvantagem e é sobrepujado pela força numérica do pior, isto se censura como opróbrio e diz-se do homem em tais condições que é escravo de si mesmo e um intemperante.

— Sim, a interpretação é razoável.

— Volta agora os olhos — disse eu — para a nossa recém-fundada cidade, e nela verás realizada uma dessas duas condições; porque, como hás de reconhecer, é com razão que se proclama a cidade senhora de si mesma, se as palavras "temperança" e "autodomínio" realmente expressam o domínio da parte melhor sobre a pior.

— Sim — volveu ele —, percebo a verdade do que dizes.

— E deixa-me acrescentar que os múltiplos e mais variados apetites, prazeres e desgostos se encontram geralmente em crianças, mulheres e escravos, bem como em muitos homens chamados livres, conquanto sejam depravados.

— Por certo.

— Ao passo que os afetos mais simples e moderados, aqueles que a razão guia com sensatez e critério, são encontrados em alguns poucos, que são os de melhor índole e educação.

— É verdade — disse ele.

— E não vês que ambas essas coisas existem também na cidade, onde os apetites mais baixos dos muitos são sujeitados pelos desejos virtuosos e pela sabedoria dos poucos?

— Bem o vejo.

— Se há, pois, uma cidade a que se possa chamar senhora de seus apetites e desejos, e senhora de si mesma, é a nossa que com justiça merece tais títulos.

— Inegavelmente — disse ele.

— E, pelas mesmas razões, também podemos chamá-la temperante?

— Podemos.

— E se em alguma cidade vigorar a mesma opinião, tanto entre governantes como entre governados, a respeito de quem deve governar, essa também será a nossa?

— Sem a menor dúvida.

— E quando os cidadãos se mostram assim concordes entre si — perguntei —, em que classe dirás que reside a temperança? Entre os governantes ou os governados?

— Em ambas, creio.

— Vês, então, como estávamos acertados há pouco, quando comparávamos a temperança com uma espécie de harmonia musical?

— E por quê?

A temperança reside na cidade em conjunto

— Porque a temperança difere da coragem e da prudência, cada uma das quais reside apenas numa parte, tornando uma a cidade prudente e a outra, valorosa. A temperança, esta, se alastra pela cidade inteira, fazendo com que cantem em perfeito uníssono os mais fracos, os mais fortes e os medianos, quer os consideres do ponto de vista da força, da inteligência, do número, da riqueza ou qualquer outro semelhante; de sorte que poderíamos com razão chamar temperança a esse acordo, entre o que é superior e o que é inferior por natureza, acerca de qual desses dois elementos deve governar, tanto na cidade como em cada indivíduo.

— Concordo inteiramente contigo.

— Bem — disse eu —, creio que podemos dar como descobertas três virtudes na cidade. Mas qual será a quarta qualidade que a torna virtuosa? Claro que há de ser a justiça.

— Claro.

A justiça não está muito longe

— Chegou pois a hora, Gláucon, em que, como caçadores, devemos rodear a mata e estar bem atentos para que a justiça não nos escape e desapareça de nossas vistas. Pois é evidente que está por aí. Olho vivo, portanto; e, se a avistares primeiro que eu, avisa-me.

— Quem me dera! — exclamou ele. — Mas melhor será que te siga e procure ver o que me mostrares, pois fora disso pouca serventia tenho.

— Faze, então, a invocação comigo e segue-me.

— Assim farei — respondeu —, mas deves mostrar-me o caminho.

— Aqui não há caminho — disse eu —, e a mata é escura e pouco penetrável à vista. Sem embargo, temos de tocar para a frente.

— Vamos, pois.

Aí estaquei e deixei escapar uma exclamação:

— Olá! Começo a perceber um rastro e creio que a caça não nos escapará.

— Boas-novas! — disse ele.

— Que estúpidos fomos, meu caro!

— Como assim?

— Há que tempos ela está rolando diante de nossos pés, e não a víamos! Pode haver algo mais ridículo? Como aqueles que andam à procura de uma coisa que têm nas mãos, não olhávamos o que buscávamos, mas dirigíamos a vista para longe. Talvez por isso nos passou despercebida.

— Que queres dizer? — perguntou.

— Quero dizer que há muito tempo estamos falando e ouvindo falar da justiça, sem nos dar conta de que o fazíamos.

— Bem longo é este exórdio — disse ele — para quem anseia escutar.

A justiça consiste em fazer cada um aquilo para que o dotou a natureza

— Ouve, pois, e dize se tenho ou não razão. Lembras-te daquele princípio original em que sempre insistíamos durante a fundação da cidade: o de que um homem deve atender a uma coisa só, isto é, aquilo para que a sua natureza está melhor dotada? Pois a justiça é esse princípio, ou pelo menos um aspecto dele.

— Com efeito, dissemos muitas vezes que cada um devia fazer uma coisa só.

— Afirmávamos, ademais, que a justiça consistia em tratar cada um do que lhe compete e não se intrometer nos assuntos alheios. Vezes sem conta o dissemos e ouvimos dizê-lo a outros.

— De fato, isso ficou assentado.

— Então, meu amigo, podemos presumir que, de certo modo, a justiça consiste nisso: em fazer cada qual o que lhe compete. E sabes de onde tiro essa inferência?

— Não, mas gostaria de saber.

— Parece-me que é esta a única virtude que resta na cidade após fazermos abstração da temperança, da coragem e da prudência, em outras palavras, trata-se daquela que é causa primeira e condição de existência de todas as outras três, e que as conserva enquanto nelas subsiste. Dissemos também que, se encontrássemos as outras três, a que faltasse seria a justiça.

— Forçosamente.

— E se fosse necessário decidir — continuei —, qual dessas quatro qualidades, pela sua presença, mais contribui para a excelência da cidade, seria difícil determinar se é a igualdade de opiniões entre governantes e governados, ou a conservação, por parte dos soldados, da opinião legítima sobre o que é realmente temível e o que não o é, ou a sabedoria e vigilância dos governantes, ou, ainda, se o que leva a palma é o inculcar na criança, na mulher, no escravo, no homem livre, no artesão, no governado e no governante esse princípio de que cada qual deve fazer o que lhe compete e não se dedicar a outra coisa.

— Questão difícil, como não! — disse ele.

— Portanto, segundo parece, no que toca à excelência da cidade essa virtude de fazer cada um nela o que lhe é próprio revela-se como êmulo da prudência, da temperança e da coragem.

— Com efeito.

— E a virtude que assim entra em competição com aquelas é a justiça?

— Exatamente.

— Encaremos a questão de outro ponto de vista: não é aos governantes que atribuis a função de julgar os processos na cidade?
— Pois lógico!
— E ao julgar terão outra maior preocupação que a de que ninguém se aposse do alheio nem seja privado do que lhe pertence?
— Não, essa é a principal.
— Considerando isso como justo?
— Sim.
— Por conseguinte, a posse e prática do que é próprio de cada um será reconhecida como justiça.
— Assim é.

As classes, como os indivíduos, não devem intervir nas funções umas das outras

— Reflete agora, e dize-me se estás ou não de acordo comigo. Suponhamos que um carpinteiro queira fazer o trabalho de um sapateiro, ou um sapateiro o de um carpinteiro, ou que ambos troquem seus instrumentos e funções, ou ainda que um deles se encarregue do trabalho dos dois... enfim, seja qual for a troca: achas que isso poderia causar grande dano à cidade?
— Não muito — disse.
— Mas quando um artesão qualquer, a quem a natureza destinou para os negócios privados, envaidecido pela sua força, pela sua riqueza, pelo número de seus seguidores ou qualquer outra vantagem do mesmo gênero, tente introduzir-se na classe dos guerreiros, ou um dos guerreiros na dos conselheiros ou guardiães, sem ter mérito para tal, e assim troque seus instrumentos e funções; ou quando um homem só pretende ser ao mesmo tempo negociante, legislador e guerreiro... então, creio, concordarás comigo em que semelhantes trocas e intromissões não podem deixar de ser ruinosas para a cidade.
— Sem a menor dúvida.
— Visto, pois, que há três classes distintas, qualquer troca ou intromissão mútua representa o maior dano para a cidade e pode, com plena razão, ser qualificada de crime.

— Com toda a razão.
— E ao maior crime contra a própria cidade não qualificarás de injustiça?
— Por certo.
— Isso é, pois, injustiça; e, por outro lado, quando o negociante, o auxiliar e o guardião fazem cada um o que lhe compete, não será isso justiça e não tornará justa a cidade?
— De inteiro acordo.

Aplicação deste conceito de justiça ao indivíduo

— Não o afirmemos ainda com tanta segurança — disse eu —, mas se, transferindo este conceito da cidade para cada indivíduo, reconhecermos que também neste é justiça, já não haverá lugar para dúvidas. Se não for assim, teremos de voltar nossa atenção para outro lado. Primeiro terminemos nossa investigação inicial, que empreendemos, se bem te lembras, com a ideia de que se pudéssemos identificar a justiça num âmbito mais extenso não seria tão difícil observá-la num homem só. Esse âmbito mais extenso nos pareceu ser a cidade, e por isso a fundamos com a maior excelência possível, persuadidos de que era precisamente na cidade boa que se poderia encontrar a justiça. Pois apliquemos agora ao indivíduo a descoberta que fizemos. Se há conformidade, nos daremos por satisfeitos; mas se no indivíduo aparecer como algo diferente, volveremos à cidade para pôr a teoria mais uma vez à prova. O atrito entre os dois fará quiçá saltar uma centelha de luz em que transpareça a justiça, e essa visão havemos de entesourar em nossas almas.

— Este é o bom caminho — tornou ele. — Façamos como dizes.
— Muito bem: quando se dá a mesma denominação a duas coisas, uma maior e outra menor, são elas semelhantes ou dessemelhantes naquilo que lhes valeu tal denominação?
— Semelhantes.
— De modo que o homem justo, se encararmos apenas a ideia de justiça, será semelhante à cidade justa?
— Será.

— E a cidade nos pareceu ser justa quando os três gêneros de naturezas que nela existem faziam cada um o que lhe era próprio; e nos pareceu temperante, valorosa e prudente por outras determinadas condições e dotes dessas mesmas naturezas.

— É verdade — disse ele.

— Portanto, meu caro, opinaremos que o indivíduo que tem em sua própria alma essas mesmas espécies faz jus aos mesmos qualificativos que a cidade, quando tais espécies apresentam as mesmas condições que naquela?

— É ineludível — respondeu.

Por ora é difícil decidir se a alma possui ou não três princípios distintos

— Eis, ó varão admirável!, que se nos depara neste momento um pequeno problema acerca da natureza da alma: se ela possui em si esses três princípios ou não.

— Pequeno problema! Não me parece nada fácil, ó Sócrates, se é verdade o que se costuma dizer: que tudo quanto é belo é difícil.

— É bem verdade — disse eu — e não creio que com métodos como os que até agora temos empregado cheguemos a alcançar o que nos propomos, pois o caminho que leva até lá é um outro, mais longo e mais complicado. Entretanto, podemos chegar a uma solução dentro do nível de nossas investigações anteriores.

— Não seria isso suficiente? — disse ele. — A mim me basta, ao menos por ora.

— Para mim também será inteiramente satisfatório.

— Então prossegue tua investigação sem fraquejar — disse.

— Não nos será forçoso reconhecer — comecei — que em cada um de nós existem os mesmos princípios e modos de ser que na cidade? Pois de onde lhe viriam eles senão de nós mesmos? Considera a índole colérica e arrebatada: seria ridículo pensar que nas cidades a que ela é atribuída, como as da Trácia, da Cítia e em geral das regiões setentrionais, essa qualidade não lhes venha dos indivíduos. E o mesmo se pode dizer do amor ao saber, que é característica especial de nossas regiões, e da avareza, que costuma ser assacada aos naturais da Fenícia e do Egito.

— Exatamente — disse ele.

— Assim, pois, são essas coisas — ajuntei —, e não é difícil reconhecê-lo.

— Não, por certo.

— Mas o problema já não é tão fácil quando passamos a indagar se esses princípios são três ou um só, isto é: se aprendemos com uma parte de nossa natureza, nos encolerizamos com outra e apetecemos com uma terceira os prazeres da mesa, da geração e outros semelhantes, ou se a alma inteira coopera em cada uma dessas coisas. Isto é que é difícil determinar com precisão.

— Sim — disse ele —, aí é que está a dificuldade.

— Tratemos, então, de decidir se esses elementos são os mesmos ou são diferentes.

— Como o faremos? — perguntou.

— É evidente que a mesma coisa não pode exercer ou sofrer ações contrárias ao mesmo tempo, na mesma parte de si própria e com relação ao mesmo objeto; portanto, sempre que observarmos

O princípio de contradição, critério da verdade

essa contradição em coisas que aparentemente são unas, viremos a saber que na realidade não são uma só, mas várias.

— Muito bem.

— Presta, pois, atenção ao que vou dizer.

— Fala — disse ele.

— Por exemplo: pode uma coisa estar em repouso e em movimento ao mesmo tempo e na mesma parte de si própria?

— Impossível.

— No entanto, convém precisar isto melhor, para que não venhamos a vacilar no que segue. Imagina o caso de um homem que esteja parado num lugar, mas que apesar disso mova as mãos e a cabeça: se alguém disser que esse homem está ao mesmo tempo em repouso e em movimento, objetaremos a tal modo de exprimir-se, pois o certo é dizer que uma parte dele está em repouso e uma outra se move. Não é assim?

— Perfeitamente.

— E se o contestante prosseguisse em suas facécias, pretendendo que não apenas uma parte do pião, mas o pião inteiro está ao mesmo tempo em repouso e em movimento quando dança com a pua fixada num ponto, e que o mesmo sucede com qualquer objeto que gire sem sair do seu lugar, não admitiríamos essa objeção porque em tais casos eles não estão parados e se movem na mesma parte de si próprios. Diríamos que têm um eixo e uma circunferência, e que o eixo está parado, pois não se desvia da perpendicular, mas a circunferência anda em volta. Mas se, enquanto gira o pião, o eixo se inclina para a direita ou para a esquerda, para diante ou para trás, então não se pode dizer que aquele esteja em repouso sob qualquer ponto de vista.

— Tens toda a razão — disse ele.

— Nenhuma dessas objeções, portanto, nos abalará nem nos inclinará a crer que a mesma coisa possa exercer ou sofrer ações contrárias ao mesmo tempo, na mesma parte de si própria e com relação ao mesmo objeto.

— A mim, pelo menos, não.

— Entretanto — disse eu —, para que não tenhamos de examinar todas as objeções desse tipo e provar a falsidade de cada uma delas, deixemos assentado que é assim e passemos adiante, com a seguinte reserva: se esta suposição se revelar de algum modo falsa, todas as consequências que dela houvermos tirado serão vãs.

— Sim — tornou ele —, reconheço que este é o melhor método.

— Bem: não reconheces igualmente que o assentimento e a recusa, o desejo e a aversão, a atração e a repulsão e todas as coisas do mesmo gênero são contrárias umas às outras, quer sejam consideradas como ativas, quer como passivas, pois isto não vem ao caso?

— Sim, são contrárias.

— E que mais? A fome e a sede, o querer e o desejar... todos os apetites, em suma, não os incluis nas classes que acabamos de mencionar? Não dirás, por exemplo, que a alma daquele que apetece alguma coisa tende para o objeto de seu desejo, ou que, quando quer que este lhe seja entregue, no afã de consegui-lo exprime seu assentimento com um gesto de cabeça, como se alguém lho perguntasse?

— Assim creio.

— E o não querer nem apetecer, não o incluis na classe contrária, que é a da repulsa e da rejeição?

— Como não?

— Admitindo que isso se aplique aos apetites em geral, consideremos agora uma classe especial deles, entre os quais os que se acham mais em evidência são a fome e a sede.

— Sim, consideremos estes.

— Não é o objeto de um a comida e do outro a bebida?

— É.

— E acaso a sede, considerada como sede, poderá ser na alma um apetite de algo mais que a bebida? Será, por exemplo, sede de uma bebida quente ou fria, de muita ou pouca bebida ou, numa

> Cada apetite tem um objeto específico próprio: as qualificações que possa apresentar não lhe são essenciais

palavra, de uma determinada espécie de bebida? Ou é mais certo dizer que quando é acompanhada de calor o apetite será de uma bebida fria e, quando se lhe acrescente o frio, de uma bebida quente? Do mesmo modo, quando for excessiva, será sede de muita bebida, e quando pequena, de pouca? Mas a sede em si mesma não é, de forma alguma, apetite de outra coisa que não seja o seu objeto natural, isto é, de bebida, assim como a fome é apetite de comida?

— De fato — disse ele. — Cada apetite não é apetite de outra coisa senão daquela que lhe convém por natureza; e quando lhe apetece tal ou qual qualidade, isso resulta de algo acidental que se lhe acrescenta.

— Fiquemos de sobreaviso, pois, não vá alguém nos colher de surpresa objetando que ninguém apetece bebida, mas boa bebida, nem simplesmente comida, mas boa comida. Porque, na verdade, todos apetecem o bom; portanto se a

Exceção: o bom é uma qualificação universal

sede é apetite, será apetite de algo bom, quer se trate de bebida ou de outra coisa; e assim os demais apetites.

— De fato, talvez julgue dizer algo importante o que assim fala — respondeu.

— Como quer que seja — continuei —, sustento que todas aquelas coisas que por sua índole têm um objeto, enquanto são de tal ou tal modo se referem a tal ou tal espécie de objeto; mas elas em si mesmas só se referem ao seu objeto próprio.

— Não entendi — disse ele.

— Sabes, naturalmente, que uma coisa é maior em relação a outra?

— Naturalmente.

— E esta última será menor do que aquela?

— Sim.

— E o que é muito maior o é em relação a uma coisa muito menor; não é assim?

— É.

— E o outrora maior, ao outrora menor; e o futuramente maior, ao futuramente menor?

— Como não! — respondeu ele.

— E não sucede o mesmo com respeito ao mais e ao menos, ao dobro e à metade, ao mais pesado e ao mais leve, ao mais rápido e ao mais lento, ao quente e ao frio... a todas as coisas desse gênero, em suma?

— Seguramente.

— E que diremos das ciências? Não acontece o mesmo? A ciência em si é ciência do conhecimento em si (admitindo-se que seja este o seu verdadeiro objeto); mas uma determinada ciência o é de um determinado conhecimento. Vejamos um exemplo: não é verdade que, quando se criou a ciência de construir edifícios, ficou separada das outras ciências e recebeu por isso o nome de arquitetura?

— Sem dúvida!

— E não foi assim por ser ela uma ciência especial, distinta de todas as outras?
— Foi.
— Portanto, ficou qualificada quando a conceberam como ciência de um objeto determinado. E não sucede o mesmo com as outras artes e ciências?
— Sucede.

Recapitulação

— Agora, se me exprimi com clareza, deves compreender o que eu queria dizer quando falei dos termos relativos; minha intenção era fazer-te ver que quando um termo de uma relação é considerado em si mesmo, o outro termo também é considerado em si mesmo; e quando o primeiro é qualificado, o outro também é qualificado. Não quero dizer que não possa haver disparidade entre esses termos... por exemplo, que a ciência da saúde e da doença seja necessariamente sã ou enferma, ou que a ciência do bem e do mal seja por isso mesmo boa ou má... mas apenas que quando a palavra ciência já não é usada em sentido absoluto, mas tem um objeto determinado, que no caso presente é a natureza da saúde e da doença, a própria ciência fica determinada, motivo pelo qual já não lhe chamamos simplesmente ciência, mas ciência da medicina.
— Compreendo muito bem, e penso como tu.
— E a sede? — perguntei. — Não a incluirás por sua natureza entre aquelas coisas que têm um objeto? Porque a sede, evidentemente, é relativa...
— Sim, à bebida — disse ele.
— E uma certa espécie de sede é relativa a uma certa espécie de bebida; mas a sede em si não é sede de muita ou pouca bebida, nem de bebida boa ou má, nem, numa palavra, de qualquer espécie determinada de bebida, mas simplesmente de bebida?
— De inteiro acordo.
— A alma do sedento, pois, na medida em que tem sede, não deseja outra coisa senão beber; a isso aspira e a isso se lança?
— Pois claro.

Os impulsos em conflito

— Portanto, se alguma coisa a retém em sua sede, deve ser algo diferente daquilo que sente a sede e a impele, como um animal, a beber; porque, como dizíamos, uma mesma coisa não pode exercer ações contrárias na mesma parte de si própria, com relação ao mesmo objeto, e ao mesmo tempo.

— Não, por certo.

— Como, por exemplo, ao falar do arqueiro não seria acertado dizer que suas mãos puxam e empurram o arco ao mesmo tempo, mas sim que uma das mãos o puxa e a outra o empurra.

— Exatamente.

— E não é possível que um homem tenha sede e não queira beber?

— Decerto — respondeu — isso acontece muitas vezes.

— Em tal caso — prossegui —, que se poderia dizer? Não há em sua alma uma coisa que a impele a beber e outra que a retém, sendo esta última diferente daquela e mais poderosa?

— Assim me parece.

A oposição do desejo e da razão

— E não deriva da razão aquilo que o retém, enquanto os impulsos que o movem e arrastam procedem da paixão e da enfermidade?

— É claro.

— Então nos é lícito admitir que se trata de duas coisas diferentes uma da outra, chamando àquilo com que o homem raciocina o princípio racional da alma, e àquilo com que deseja, sente fome ou sede e é perturbada pelos demais apetites, o irracional ou apetitivo, afeiçoado a toda sorte de prazeres e excessos.

— Sim, podemos admiti-lo.

— Deixemos, pois, assentado que existem dois princípios na alma. Mas que dizer da cólera e daquilo com que nos encolerizamos? Teremos aí um terceiro princípio ou será da mesma natureza que algum dos dois precedentes?

— Inclino-me a crer que seja da mesma natureza que o desejo — respondeu.

— Pois eu ouvi contar certa vez uma história na qual acredito, e é a seguinte: Leôncio, filho de Agláion, subia do Pireu pela parte exterior do muro do norte quando avistou uns cadáveres que estavam atirados ao chão, ao lado do verdugo. Começou então a sentir desejos de vê-los, mas ao mesmo tempo o espetáculo lhe causava repugnância e horror; esteve, assim, alguns momentos lutando e cobrindo o rosto, até que o desejo levou a melhor; abriu bem os olhos e, correndo para os mortos, disse: "Aí os tendes, malditos; saciai-vos com esta linda cena!"

— Eu também tinha ouvido essa história — disse ele.

— Pois ela nos mostra — observei — que a cólera combate por vezes os apetites, como coisa distinta deles.

— Mostra-o, com efeito.

— E não notamos também em muitas outras ocasiões, quando os desejos de um homem tentam prevalecer pela violência contra

A cólera nunca toma o partido dos desejos contra a razão

a razão, que aquele injuria a si mesmo e se irrita contra o que procura forçá-lo em seu interior... e assim, como numa luta de facções dentro da cidade, a cólera se faz aliada da razão? Em troca, não creio que tenhas observado jamais, quer em ti mesmo, quer em outra pessoa, que, quando a razão determine que se faça uma coisa, a cólera se oponha a isso fazendo causa comum com os desejos.

— Não, por Zeus!

— E que acontece — perguntei — quando um homem julga ter agido injustamente? Quanto mais generosa for a sua índole, menos capaz será de irritar-se por causa de um sofrimento, seja fome, frio ou qualquer coisa semelhante, que lhe inflija a pessoa ofendida, pois considera merecidos tais castigos e sua cólera recusa levantar-se contra eles.

— É verdade — disse Gláucon.

— Mas, quando crê ter sofrido uma injustiça, ferve nele a cólera impetuosa e toma o partido do que lhe parece ser justo; e, embora passando fome, frio e todos os rigores dessa ordem, suporta-os até triunfar deles e não desiste de seu propósito enquanto não o leva a cabo ou perece na tentativa, ou até que a voz da razão o faça voltar atrás, como a voz do pastor ao seu cão.

— A comparação é perfeita — disse ele. — Realmente, em nossa cidade pusemos os auxiliares como cães à disposição dos governantes, que são os pastores dela.

— Entendeste muito bem o que quis dizer — observei. — Há, contudo, outro ponto a considerar.

— Qual é?

— Hás de lembrar-te que a cólera ou impetuosidade nos pareceu a princípio ser uma espécie de desejo; mas agora vemos que está longe de sê-lo, pois no conflito da alma cerra fileiras com a razão.

— Absolutamente certo — disse Gláucon.

— E será ela algo diferente da razão ou uma modalidade desta, de forma que na alma não existam afinal três princípios, mas apenas dois, o racional e o apetitivo? Ou então assim, como na cidade

Na alma, como na cidade, não existem dois princípios, mas três

eram três as classes que a mantinham... o negociante, o auxiliar e o deliberante... não haverá também um terceiro princípio na alma, o colérico ou impetuoso, auxiliar por natureza do racional a menos que seja pervertido pela má educação?

— Sim — disse ele —, deve forçosamente ser esse o terceiro.

— Não há dúvida — volvi —, contanto que se nos revele distinto do racional, como já se revelou distinto do apetitivo.

— Pois não é difícil prová-lo — tornou Gláucon. — Qualquer um pode observar que as crianças pequenas estão cheias de cólera desde o momento em que nascem, ao passo que algumas delas nunca parecem alcançar o uso da razão e a maioria o fazem bastante tarde.

— Dizes bem, por Zeus! — repliquei. — Também entre os animais se observa a mesma coisa, o que é uma nova prova da verdade do que afirmas. E mais uma vez podemos reportar-nos às palavras de Homero que citamos atrás:

E, batendo no peito, assim repreendeu seu coração.

Exprimindo-se assim, é evidente que ele pensa em duas coisas distintas, uma a increpar a outra: o princípio que raciocina sobre o bem e o mal contra o que se encoleriza sem raciocinar.

— Tens inteira razão — disse Gláucon.

— Assim, pois, chegamos ao ponto depois de muito trabalho e estamos mais ou menos de acordo em que na alma de cada indivíduo existem as mesmas classes que na cidade, e que são em número de três.

Os mesmos três princípios existem tanto na cidade como no indivíduo

— Assim é.

— Não devemos então concluir que o indivíduo é prudente da mesma maneira e pela mesma razão que torna prudente a cidade?

— Como não?

— E que a mesma qualidade que constitui a coragem na cidade, constitui a coragem no indivíduo, e outro tanto sucede em tudo mais que, neste como naquela, se relaciona com a virtude?

— Seguramente.

— Portanto, Gláucon, creio que reconheceremos também que o indivíduo é justo da mesma maneira por que o é a cidade.

— Também isto é forçoso.

— Por outro lado, não esqueçamos ainda que a justiça consistia, na cidade, em realizar cada classe a espécie de trabalho que lhe era própria.

— Não creio que o tenhamos esquecido — disse ele. — Devemos, pois, ter presente que cada indivíduo só será justo e fará também o que lhe é próprio quando cada uma das partes que nele existem fizer o que lhe é próprio.

— Sim, precisamos ter isso em mente.

— E não é ao princípio racional que compete o governo, em virtude de sua prudência e da previsão que exerce sobre a alma inteira, assim como ao princípio irascível cabe ser seu súdito e aliado?

— Indubitavelmente.

A música e a ginástica porão em harmonia a razão e o princípio irascível, e ambos combinados controlarão os apetites

— E, como dizíamos, a influência combinada da música e da ginástica porá a ambos de acordo, vigorizando e nutrindo a razão com boas palavras e ensinamentos, enquanto modera e civiliza a cólera por meio da harmonia e do ritmo?

— Por certo — disse ele.

— E esses dois, assim criados e educados, e verdadeiramente instruídos no tocante as suas funções, se imporão ao princípio concupiscente, que, ocupando a maior parte da alma de cada um, é por índole insaciável de bens. A ele montarão guarda, para que, repleto dos chamados prazeres do corpo, não se faça grande e forte, e, deixando de executar o que lhe cabe, tente escravizar e governar o que por natureza não lhe está sujeito, e deste modo transtorne a vida inteira do homem?

— Não há dúvida — respondeu.

— E não serão também esses dois os melhores defensores da alma e do corpo inteiro contra os inimigos de fora, um tomando resoluções e o outro lutando sob as suas ordens e executando corajosamente o que ele determinar?

— Assim é.

O corajoso

— E, segundo penso, chamaremos corajoso àquele cujo princípio irascível mantiver, através de dores e prazeres, os preceitos da razão a respeito do que se deve e do que não se deve temer?

— Exatamente.

O prudente

— E chamaremos prudente ao que tem em si aquela pequena parte que governa e formula tais preceitos, já que ela, por sua vez,

possui o conhecimento do que mais convém a cada uma das três partes e ao todo inteiro?
— Sem dúvida alguma.

O temperante

— E que mais? Não diremos que é temperante aquele que mantém essas três partes em concórdia e harmonia, quando o princípio dominante da razão e os dois princípios subordinados da cólera e do desejo convêm em que o primeiro deve mandar e não se rebelam contra isso?
— Outra coisa não é a temperança senão o que dizes — respondeu —, tanto na cidade como no indivíduo.

O justo

— E quanto à justiça — disse eu —, já explicamos muitas e muitas vezes como e em virtude de que qualidade um homem será justo.
— Por certo.
— Mas não haverá perigo de que ela se mostre obscura no indivíduo e nos pareça diferente da que vimos na cidade?
— Não creio — respondeu.
— Porque, se ainda permanece em nossos espíritos um resquício de dúvida, alguns exemplos de normas correntes bastarão para nos convencer de todo.
— A que normas te referes?
— Por exemplo: não é forçoso reconhecer que a cidade justa, ou o homem que por sua natureza e educação a ela se assemelha, é menos capaz que o injusto de se apropriar de um depósito de ouro ou prata? Haverá alguém que o negue?
— Ninguém — disse.
— E, igualmente, estará muito longe de cometer sacrilégios, furtos ou traições privadas ou públicas, contra seus amigos ou contra a cidade?
— Muito longe.

— Nem jamais será infiel aos seus juramentos e outros acordos?
— Impossível.
— Nem haverá pessoa menos capaz de cometer adultérios, de abandonar seus pais ou de faltar aos seus deveres religiosos?
— Ninguém menos capaz, com efeito — respondeu. — E a razão de tudo isso não é que cada uma de suas partes faz o que lhe compete, tanto no que se refere a governar como a obedecer?
— Essa, indubitavelmente, é a razão.
— Estás convencido, pois, de que a justiça é a virtude que produz tais homens e tais cidades, ou ainda esperas descobrir alguma outra?
— Eu? Não, por Zeus!
— E assim nosso sonho converteu-se em realidade e verificou-se o pressentimento que tivemos ao iniciar o trabalho de construção da cidade: o de que algum poder divino nos ajudaria a encontrar ali um certo princípio e imagem da justiça.
— É bem verdade.
— E a divisão do trabalho, que impunha ao carpinteiro, ao sapateiro e aos demais cidadãos a obrigação de fazer cada um aquilo a que tinha sido destinado por sua natureza, e não outra coisa... essa era a imagem da justiça que buscávamos, e precisamente por essa razão se revelou proveitosa.
— Assim parece.

Os três princípios harmonizam-se num só

— E na realidade a justiça é tal como a descrevíamos... não, porém, no que se refere à ação exterior do homem, mas à interior, sobre si mesmo e as coisas, que nele existem, quando não permite que nenhuma delas faça o que é próprio das demais nem interfira nas atividades destas, mas, regulando devidamente os seus assuntos domésticos, torna-se seu próprio senhor e legislador, em paz consigo mesmo; e, tendo posto de acordo seus três elementos, exatamente como os três termos de uma harmonia, o da corda grave, o da alta e o da intermédia, e qualquer outro que possa haver entre esses... depois de enlaçar tudo isso, digo, e de construir com essa variedade a sua própria unidade, então é que, bem afinado e temperado, passa a agir, quer na aquisição de riquezas, quer no cuidado de seu corpo, quer na política, quer em seus contratos privados; e em tudo isso julga e denomina justa e boa à ação que conserve e corrobore esse estado, e prudente ao conhecimento que a ela presida... e injusta, por outro lado, à ação que prejudique essa disposição de coisas, e ignorante à opinião em que tal ação se inspire.

— Disseste a pura verdade, Sócrates.
— Muito bem — tornei eu. — Creio que não estaríamos mentindo se afirmássemos ter descoberto o homem justo, a cidade justa e a justiça que neles existe.
— De forma alguma — disse ele.
— Podemos afirmá-lo, então?
— Podemos.
— Agora, então, será preciso considerar a injustiça.
— Sim, claro.
— Não será ela uma sedição daqueles três elementos... uma intromissão, uma interferência, e a sublevação de uma parte da alma

A injustiça, o contrário da justiça

contra a alma inteira para usurpar o governo dela, como a de um súdito que se rebela contra o verdadeiro príncipe, de quem é vassalo natural? Com efeito, que é toda essa perturbação e extravio senão injustiça e indisciplina, intemperança, covardia e ignorância, em suma, perversidade total?

— Precisamente — anuiu Gláucon.
— E, agora que conhecemos a natureza da justiça e da injustiça, compreendemos com toda a clareza o que significa fazer coisas injustas, violar a justiça, e igualmente o agir de acordo com ela?
— Como assim?

Analogia do corpo e da alma

— Porque, na realidade — disse eu —, em nada diferem da doença e da saúde, sendo elas na alma o que estas são no corpo.
— Explica-te melhor — pediu ele.

— As coisas sãs produzem saúde, se não me engano; e as coisas mórbidas, doença.
— Sim.
— E não podemos dizer que as ações justas produzem justiça, enquanto as outras são causa de injustiça?
— Por certo.
— E o produzir saúde é dispor os elementos existentes no corpo de modo que uns dominem e outros sejam dominados de acordo com a natureza. Por outro lado, o produzir doença é fazer com que mandem e obedeçam uns aos outros contra a ordem natural.
— É verdade.
— E o produzir justiça — tornei — não será dispor os elementos da alma de modo que uns dominem e outros sejam dominados de acordo com a natureza; e o produzir injustiça, o fazer com que mandem e obedeçam uns aos outros contra a ordem natural?
— Tens razão — disse ele.
— Assim, pois, segundo se vê, a virtude será uma espécie de saúde, beleza e bem-estar da alma; e o vício, uma doença, fealdade e fraqueza da mesma.
— Assim é.
— E não é certo que as boas práticas levam à consecução da virtude e as vergonhosas à do vício?
— Sem dúvida nenhuma.
— No entanto, nossa velha questão sobre as vantagens relativas da justiça e da injustiça ainda não foi resolvida. Qual é o mais proveitoso: ser

Tornou-se ridícula a velha questão sobre se é o justo ou o injusto quem é mais feliz

justo, agir de acordo com a justiça e praticar a virtude, quer sejamos quer não sejamos, vistos pelos deuses e pelos homens, ou ser injusto e cometer injustiças, contanto que possamos escapar à respectiva penalidade e não nos vejamos obrigados a melhorar pelo castigo?
— No meu modo de ver, Sócrates — disse ele —, a questão tornou-se ridícula a esta altura da investigação. Sabemos já que não se pode viver uma vez transtornada e destruída a constituição corporal,

ainda que se disponha de todos os alimentos e bebidas e de toda classe de riquezas e poder; e admitiremos que ainda valha a pena viver quando se transtorna e corrompe a própria essência daquilo que nos dá a vida, fazendo o homem o que bem lhe apraz, menos aquelas coisas que têm o poder de afastá-lo do vício e encaminhá-lo para a virtude e a justiça? Tudo isso, naturalmente, supondo que essas coisas sejam tais como as descrevemos.

— Ridículo, sem dúvida — disse eu —, no entanto, como nos aproximamos do ponto em que poderemos discernir a verdade com a máxima clareza, não nos deixaremos vencer pelo cansaço.

— Não, por Zeus! — replicou. — Não desistiremos.

— Vem comigo, pois, e observa as várias formas de vício; pelo menos as mais dignas de consideração.

— Acompanho-te — volveu ele. — Podes prosseguir.

Falei então assim:

— A discussão parece ter atingido uma altura de onde podemos perceber, como de uma torre de vigia, que há uma só espécie de virtude e inúmeras de vício, se bem que sejam quatro as mais dignas de nota.

— Que queres dizer? — perguntou.

— Que parece haver tantas formas de alma quantas são as formas distintas de governo.

— E quantas são?

Tantas formas de alma quantas são as formas de governo

— Cinco — respondi —, tanto num como na outra.

— Dize-me quais são.

— A primeira é aquela que estivemos descrevendo, e que pode receber duas denominações: monarquia ou aristocracia, conforme sobressaia entre os governantes um homem só ou muitos.

— É verdade — disse ele.

— Considero a ambas como uma espécie única — prossegui — porque, sejam muitos os governantes ou um só, ninguém tocará nas leis importantes da cidade se houver sido educado da maneira que prescrevemos.

— Não é provável — respondeu ele.

Livro V

— Tal é, pois, a espécie de cidade e forma de governo que qualifico de boa e justa, e tal a espécie de homem. Ora bem: se este for bom, serão maus e viciosos tanto os demais tipos de organização política como de caracteres individuais, maldade essa que pode assumir quatro formas distintas.

— Quais são elas? — perguntou.

Ia eu enumerá-las uma por uma, segundo a ordem em que me pareciam proceder umas das outras, quando Polemarco, que estava sentado um pouco adiante de Adimanto, estendeu o braço e, segurando-o pela parte superior da capa, junto ao ombro, puxou-o para si; depois inclinou-se para ele e disse-lhe ao ouvido algumas palavras, de que só pudemos perceber as seguintes:

— Deixamo-lo então, ou que fazemos?

— De modo algum — respondeu Adimanto, já com voz alta.

— Quem é esse que não quereis deixar? — perguntei.

— És tu mesmo — foi a resposta.

— Mas por quê?

— Porque nos parece que, por preguiça, estás tentando escamotear um aspecto inteiro, e não o menos importante, da questão. Pensas que não notamos quão por alto tocaste nele, dizendo, como se fosse algo evidente aos olhos de qualquer um, que no tocante a mulheres e filhos "os amigos possuem todas as coisas em comum"?

A comunhão das mulheres e dos filhos

— E não tinha eu razão, Adimanto?

— Sim — respondeu —, mas o que é acertado requer explicação neste caso particular, como em tudo mais, pois há muitas espécies de comunhão. Faze-nos o favor de precisar, portanto, a que espécie te referes. Há muito que esperamos ouvir-te dizer alguma coisa sobre a vida familiar de teus cidadãos: como será a procriação dos descendentes, a educação destes uma vez nascidos... numa palavra, tudo que diz respeito a essa comunhão de mulheres e filhos de que falaste. Somos de opinião que a boa ou má gerência desses assuntos é de grande, ou melhor, de capital importância para a sociedade. Por isso, vendo que tencionas passar a outro tipo de constituição sem haver aclarado suficientemente este ponto, decidimos, como ouviste há pouco, não permitir que o faças enquanto não o tiveres examinado do mesmo modo que aos restantes.

— Registra também o meu voto favorável a esta moção — disse Gláucon.

— Sim — ajuntou Trasímaco —, podes considerá-la de uma vez como aprovada por unanimidade.

— Não sabeis o que fazeis, lançando-vos assim contra mim! — exclamei. — Que discussão ides provocar de novo acerca da cidade! Estava eu tão contente por haver escapado a esse ponto e me alegrava de que o tivésseis deixado passar, aceitando aquelas minhas palavras! E agora quereis volver atrás, sem suspeitar que enxame de questões levantais com a vossa exigência. Bem que eu o previa, e por isso pus o problema de lado naquela ocasião para que não nos desse tanto trabalho.

— Para que pensas que viemos aqui? — disse Trasímaco. — Para buscar ouro ou para ouvir uma discussão?

— Sim, mas as discussões têm limites.

— A vida inteira, ó Sócrates — acudiu Gláucon —, é o limite que os homens sensatos prescrevem à audição de tais debates. Mas não te preocupes conosco e, quanto a ti, não esmoreças e responde como melhor te parecer à pergunta:

Que espécie de comunhão de mulheres e de crianças é essa que deve prevalecer entre os nossos guardiães, e como serão criados os pequenos, no período intermediário ao nascimento e ao começo da educação, período que parece requerer os maiores cuidados? Dize-nos como serão essas coisas.

— Sim, meu rico Gláucon — disse eu —, mas não é nada fácil responder-vos; muito mais dúvidas surgirão a este respeito que as suscitadas por nossas conclusões anteriores. Porque tanto se pode duvidar da viabilidade do que eu disser como também de que o plano, ainda que viável, seja realmente bom. Daí a minha relutância em abordar o assunto, não vá, meu querido amigo, parecer simples quimera tudo quanto disser.

— Nada temas — respondeu —, pois não tens diante de ti um público ignorante, nem incrédulo, nem malévolo.

Então disse eu:

— Meu bom amigo, presumo que assim fales na intenção de me animar.

— Sim, por certo — admitiu ele.

— Pois deixa-me dizer-te que estás fazendo justamente o contrário. Se acreditasse na certeza do que digo, estariam bem tuas palavras de estímulo; quem declara a verdade sobre assuntos do mais palpitante

O auditório benévolo é mais perigoso que o hostil

interesse entre homens inteligentes e dispostos em seu favor pode fazê-lo confiado e seguro; mas dissertar sobre algo que ainda investigamos cheios de hesitação, como é o meu caso presente, equivale a pisar em terreno perigoso e resvaladiço, não que tema provocar o vosso riso, pois isso seria pueril; meu receio é o de dar em terra, arrastando após mim os meus amigos, e isso em questões nas quais cumpre evitar cuidadosamente um mau passo. Suplico a Nêmesis que não me castigue pelas palavras que vou pronunciar, pois acredito sinceramente que dar morte a alguém sem premeditação é um crime menos grave do que enganá-lo a respeito da nobreza, bondade e justiça das instituições. Esse é um risco a que eu preferiria expor-me entre inimigos e não entre amigos; portanto, fazes mal em estimular-me.

Aí Gláucon desatou a rir e disse:

— Pois bem, Sócrates, se algum dano grave nos causarem tuas palavras, ficas desde já absolvido de homicídio; nem tampouco serás acusado de impostura. Fala, pois, sem medo.

— Bem — tornei eu —, a lei declara que quando um homem é absolvido fica livre de culpa, e o que vale perante a lei deve valer também na discussão.

— Boa razão para que fales.

— Será preciso, pois, voltar atrás — comecei —, para dizermos o que talvez devêssemos ter dito antes, no lugar apropriado. Mas quiçá não seja de todo descabido que, uma vez representado o papel dos homens, se passe à parte feminina,[7] mormente em vista de tua insistência. Para homens nascidos e educados como os nossos cidadãos, o único meio, creio eu, de chegar a uma conclusão acertada sobre a posse e o trato de suas mulheres e filhos é seguir o caminho em que nos colocamos desde o princípio, ao constituir os homens em guardiães, por assim dizer, de um rebanho.

— Sim.

— Pois demos às mulheres nascimento e educação semelhantes e vejamos se o resultado convém aos nossos desígnios.

— Como assim? — perguntou ele.

— Do modo que segue: está o trabalho dos cães dividido entre os sexos, ou ambos participam igualmente da caça, do serviço de guarda e dos outros deveres caninos? Ou será que confiamos exclusivamente aos machos o cuidado do rebanho e deixamos as fêmeas em casa,

Entre os animais não há distinção semelhante à que se faz entre homens e mulheres

na suposição de que os partos e a criação dos filhotes seja ocupação suficiente para elas?

— Não — disse ele —, fazem tudo em comum. A única diferença é que tratamos os machos como mais fortes e as fêmeas como mais fracas.

— Mas poderemos empregar animais diferentes nas mesmas tarefas se não lhes damos a mesma criação e educação?

— Não é possível.

— Portanto, se havemos de empregar as mulheres nas mesmas tarefas que os homens, será preciso dar-lhes também os mesmos ensinamentos.

— Sim.

— Ora, a educação que se preceituou para os homens foi a música e a ginástica.

— Foi.

As mulheres terão a mesma educação que os homens

— Por conseguinte, as mulheres devem aprender música e ginástica, e também a arte da guerra, em que se adestrarão como os homens.

— É o que se deduz do que dizes.

— Desconfio — continuei — que várias destas coisas que propomos parecerão ridículas se postas em prática, de insólitas que são.

— Que dúvida!

— Sim, e o mais ridículo de tudo será o espetáculo das mulheres exercitando-se nuas nas palestras, junto com os homens, especialmente quando já não forem jovens, como esses velhos entusiastas que, apesar das rugas e das deformidades, continuam a frequentar os ginásios.

— Sim, por Zeus! — exclamou Gláucon. — Pareceria ridículo, pelo menos em nossos tempos.

— Mas — disse eu — já que nos pusemos a falar, não devemos recuar diante dos epigramas que os trocistas dirigirem contra essa inovação, por mais que metam à bulha as mulheres a cultivar a música e a ginástica, e acima de tudo terçando armas e montando a cavalo!

— Tens razão.

— Sim, já que começamos é preciso ir direto aos pontos mais íngremes da lei e rogar a esses senhores que pelo menos uma vez na vida olhem as coisas com seriedade, lembrando-lhes que não há muito tempo os gregos achavam ridícula e vergonhosa a vista de um homem nu, e que ainda parece tal aos bárbaros; e quando os cretenses introduziram pela primeira vez esse costume, seguidos pelos lacedemônios, os farçolas de então devem tê-lo tomado igualmente como alvo de suas zombarias. Não concordas comigo?

— Sim, por certo.

— Mas quando a experiência, segundo imagino, lhes demonstrou que era melhor despir todo o corpo do que trazê-lo coberto, o ridículo que os olhos percebiam dissipou-se diante do que a razão apontava como mais conveniente; e assim ficou patenteada a estultícia de quem considera ridícula outra coisa que não o mal, de quem dirige os dardos da zombaria contra outro alvo que não a estupidez e a maldade, ou se inclina seriamente a julgar o belo por outro critério que não o bem.

— Perfeitamente — disse ele.

— Em primeiro lugar, pois, decidiremos se tais coisas são ou não factíveis, sem entrar em controvérsia com quem, por gracejo ou a sério, pretenda discutir se as mulheres são capazes, por sua natureza, de compartilhar todas as tarefas dos homens, ou nenhuma delas, ou umas sim e outras não... e, por fim, em qual dessas categorias se inclui a arte militar. Esta será a melhor maneira de começar a investigação e, provavelmente, conduzirá ao resultado mais satisfatório.

— É evidente — disse ele.

— Queres que nos coloquemos primeiro na posição da parte contrária e discutamos com nós mesmos, a fim de que ela não fique sem defesa ante os nossos ataques?

— Nada há que o impeça — respondeu.

— Digamos, pois, em nome de nossos adversários: "Sócrates e Gláucon, nenhuma necessidade há de que vos contradigam, pois vós próprios, ao lançar os primeiros fundamentos da cidade, admitistes o princípio de que cada um deve exercer um só ofício, aquele para que o destinou a natureza." E não há dúvida de que o admitimos. "E pode negar-se que a natureza da mulher difere enormemente da do homem?" A isto responderemos: "Como não

A objeção do adversário: há grande disparidade de natureza entre o homem e a mulher

que difere?" Então nos será perguntado: "Nesse caso, não serão também diferentes as tarefas que se deve designar a um e à outra, de acordo com a natureza de cada sexo?" "Por certo que devem." "Mas não vedes, então, que caís em séria contradição ao afirmar que homens e mulheres devem fazer as mesmas coisas apesar de suas naturezas tão desiguais?" Que defesa apresentarias tu, meu admirável amigo, contra estas objeções?

— Não é fácil responder à pergunta, feita assim à queima-roupa — respondeu. — Mas suplico-te que exponhas também as nossas razões, sejam elas quais forem.

— Tais são, Gláucon, as dificuldades que, com muitas outras semelhantes, eu vinha prevendo já há tempo; daí o meu temor e relutância em tocar nas normas relativas à posse e educação de mulheres e crianças.

— Não, por Zeus! Não parece nada fácil.

— Tens razão — disse eu. — Mas o fato é que quando um homem perde o pé na água tem de se pôr a nadar, quer tenha caído numa pequena piscina, quer no centro do mais profundo oceano.

— Com efeito.

— Pois também nós teremos de nadar, forcejando por alcançar a praia. Esperemos que nos recolha um golfinho ou nos seja estendido algum outro auxílio milagroso.

— Sim, esperemo-lo.

— Eia, pois! — exclamei. — Vejamos se podemos encontrar uma saída. Reconhecemos, pelo visto, que cada natureza deve dedicar-se a um trabalho diferente, e que as naturezas do homem e da mulher são distintas; não obstante, dizemos agora que essas naturezas distintas devem ter as mesmas ocupações. É isto o que nos censurais?

— Exatamente.

— Que extraordinário poder, ó Gláucon — disse eu —, tem a arte da contradição!

— Por quê?

A aparente contradição é apenas verbal

— Porque me parece que muitos vão cair nela involuntariamente, julgando discutir, quando o que fazem na realidade é disputar; incapazes de definir e estabelecer distinções, de modo a saber de que estão falando, atêm-se unicamente às palavras em busca de argumentos, e assim o que travam não é uma verdadeira discussão, mas simples pendência.

— De fato — disse ele —, isso é bastante comum. Mas em que se aplica ao nosso caso presente?

— Em tudo — respondi —, pois é bem real o perigo de cairmos sem querer numa contradição verbal.

— De que maneira?

— Porque, muito denodados e pugnazes, nos escoramos tão somente nas palavras para sustentar que naturezas diferentes não devem dedicar-se às mesmas ocupações, sem examinar de modo algum em que consistia essa diversidade ou identidade de naturezas que pressupusemos ao atribuir ocupações diferentes a naturezas distintas e os mesmos misteres às mesmas naturezas.

— É verdade, não levamos isso em conta.

— Suponhamos, à guisa de ilustração — disse eu —, que perguntássemos a nós mesmos se os calvos e os cabeludos têm a mesma natureza ou naturezas opostas, e uma vez chegados à conclusão de que são opostas proibíssemos os calvos de serem sapateiros no caso de o serem os cabeludos, e vice-versa? Seria ridículo, não há dúvida! E por que ridículo? Porque, ao organizarmos a cidade, nunca pretendemos que a oposição das naturezas se estendesse a todas as diferenças que elas pudessem apresentar, mas apenas àquelas que se relacionassem com o mister a ser exercido pelo indivíduo. Queríamos dizer, por exemplo, que dois homens de almas dotadas para a medicina têm a mesma natureza. Não achas?

— Sim, por certo.

— Enquanto o médico e o carpinteiro têm natureza diferentes?

— Como não?

— E se os dois sexos nos parecerem diferir em sua aptidão para qualquer arte ou profissão, diremos que tal profissão ou arte deve ser atribuída a este ou àquele sexo; mas, se a diversidade consistir apenas no fato de que as mulheres têm filhos e os homens os procriam, isto não provará que uma mulher seja diferente de um homem no que tange à educação que convém dar a ambos. Continuaremos, portanto, a sustentar que os guardiães e suas esposas devem ter as mesmas ocupações.

— Muito bem — disse ele.

— Em seguida perguntaremos ao nosso contraditor em que diferem a natureza de uma mulher e a de um homem com referência a qualquer das artes e misteres próprios da cidade.

— É justo que assim façamos.

— E talvez ele, como tu, seja de opinião que não é fácil dar uma resposta satisfatória assim de improviso; mas depois de refletir um pouco não haverá dificuldade.

— Sim, talvez.

— Convidemo-lo, pois, a acompanhar o nosso raciocínio, esperando convencê-lo de que não há nada de especial na constituição das mulheres que possa influir no seu exercício das funções administrativas da cidade.

— Perfeitamente.

— "Vamos lá", lhe diremos, "responde: não dizias que há naturezas bem-dotadas com respeito a alguma coisa e outras que não o são; e que as primeiras aprendem com facilidade e as segundas, dificilmente? E que a um basta um pequeno ensino para ser capaz de descobrir muito mais do que aprendeu, enquanto o outro nem sequer pode guardar o que aprendeu em longos anos de estudo e exercício? E que no primeiro as forças físicas auxiliam eficazmente a inteligência, ao passo que para o segundo constituem um obstáculo? Não são desta sorte as diferenças

Ambos os sexos possuem os mesmos dons naturais, mas os homens os têm em grau maior que as mulheres

que distinguem o homem bem-dotado pela natureza para uma espécie de trabalho do que não o é?".

— Ninguém o negaria — disse Gláucon.

— E conheces algum ofício exercido por seres humanos em que o sexo masculino se não avantaje sob todos esses aspectos ao feminino? Ou vamos perder tempo falando da arte de tecer e do preparo de pastéis e guisados, misteres em que a mulher parece realmente valer alguma coisa e nos quais seria absurdo que fosse sobrepujada pelo homem?

— Tens toda a razão — respondeu ele — em afirmar a inferioridade geral do sexo feminino; se bem que muitas mulheres sejam em muitas coisas superiores a muitos homens tomados os dois sexos em conjunto é assim como dizes.

— Portanto, meu caro, não existe no regimento da cidade nenhuma ocupação que seja própria da mulher como tal, nem do varão como tal, mas os dotes naturais se acham distribuídos igualmente entre uns e outras; todas as ocupações próprias de homens são também próprias de mulheres, só que estas são em tudo mais fracas do que aqueles.

— Exatamente.

Homens e mulheres devem ser regidos pelas mesmas leis e exercer os mesmos misteres

— Devemos, então, impor todas as obrigações aos homens e nenhuma às mulheres?

— Não é possível.

— Mas há mulheres dotadas para a medicina e outras não; mulheres musicistas e outras de quem a natureza fez verdadeiras negações para essa arte?

— Há, como não!

— E uma mulher tem queda para a ginástica e os exercícios militares, enquanto outra é a antítese do caráter belicoso e detesta a ginástica?

— Creio que sim.

— E que mais? Amantes e inimigas da sabedoria? E umas impetuosas e outras destituídas de impetuosidade?

— Também há.

— Portanto, há mulheres que têm vocação para guardiãs e outras que não a têm. Acaso a seleção dos guardiães masculinos não foi determinada por diferenças dessa espécie?

— Por essas mesmas.

— Tanto homens como mulheres possuem as qualidades que fazem um guardião, diferindo apenas quanto à força ou fraqueza relativa.
— Assim parece.
— E as mulheres que possuem tais qualidades devem ser escolhidas como companheiras e colegas dos homens da mesma classe, aos quais se assemelham pelo caráter e pelas aptidões?
— Evidentemente.
— E não convém dar os mesmos encargos às mesmas naturezas?
— Os mesmos.
— Eis, portanto, que após um rodeio voltamos à nossa posição inicial: não há nada de antinatural em educar na música e na ginástica as mulheres dos guardiães.
— Decerto que não.
— A lei que instituímos não é, pois, irrealizável nem quimérica, visto que está de acordo com a natureza; o sistema contrário, que hoje se pratica, é que parece violar as condições naturais.
— Com efeito, assim parece.
— Pois bem: não nos propusemos a examinar se o que dizíamos era realizável e, em segundo lugar, se era o melhor dos sistemas possíveis?
— Sim.
— Já ficou assentado que é realizável?
— Ficou.
— Falta agora verificar se é o melhor?
— Claro.

Tanto nos homens como nas mulheres há diferentes graus de bondade

— Admites que a mesma educação que faz de um homem um bom guardião também fará de uma mulher uma boa guardiã, uma vez que a natureza de ambos é a mesma?
— Admito, como não?
— Gostaria de fazer-te agora uma pergunta.
— Qual é?
— Acreditas que haja alguns homens melhores e outros piores, ou os consideras a todos iguais?

— De modo algum.

— E na cidade que fundamos, crês que tornamos melhores aos guardiães recipientes daquela educação modelar, ou aos sapateiros, educados na arte de consertar calçados?

— Que pergunta mais descabida!

— Já a respondeste — disse eu. — E que mais? Não podemos acrescentar que são eles os melhores de todos os cidadãos?

— Muito melhores.

— E não serão suas mulheres as melhores entre o seu sexo?

— Muito melhores, também.

— E existe coisa mais vantajosa para uma cidade que o possuir homens e mulheres dotados da maior excelência possível?

— Não existe.

— E isso será conseguido por meio da música e da ginástica, atuando da maneira que descrevemos?

— Por certo.

— Portanto, a instituição que estabelecemos não é apenas viável, mas altamente benéfica para a cidade?

— Assim é.

— Que se dispam, pois, as esposas de nossos guardiães, e cubram-se com a sua virtude. Compartilharão os trabalhos da guerra e as demais tarefas da vigilância pública, sem dedicar-se a qualquer outra coisa; só que os mais leves desses trabalhos serão destinados de preferência a elas, atendendo-se à debilidade de seu sexo. E quanto ao homem que se ria de mulheres nuas a exercitar seus corpos para os mais nobres fins, esse "colhe verde o fruto de seu riso", e não sabe nem de que ri, nem o que faz, pois com toda a razão se diz e se dirá sempre que o útil é o belo e o nocivo é o feio.

— Certamente.

— Podemos dizer, pois, que vencemos a primeira dificuldade no que se relaciona com a posição legal das mulheres; não só nos livramos de sermos engolidos vivos pela onda ao estabelecer que ambos os sexos devem exercer todos os ofícios em comum, mas a própria argumentação atesta a possibilidade e as vantagens de tudo quando se sustenta.

— Com efeito — disse ele —, não foi brincadeira escapar dessa onda.

— Mas já não a terás por tão grande — tornei eu — quando vires a que vem atrás dela.

— Continua, então, e mostra-ma.

— Disto — comecei — e de todas as coisas que precederam, segue-se, na minha opinião, uma lei.

— Qual?

— Que todos os guardiães terão suas esposas em comum e nenhuma coabitará privadamente com qualquer deles; e os filhos serão igualmente comuns, e nem o pai conhecerá a seu filho nem o filho a seu pai.

A utilidade e a possibilidade de uma comunhão de mulheres e filhos

— Sim — disse ele —, tal lei provocará ainda mais incredulidade que o que precede quanto à sua viabilidade e às suas vantagens.

— Não creio — respondi — que se duvide da grande vantagem de ter mulheres e filhos em comum; mas a viabilidade é assunto bem diverso, talhado para suscitar discussões sem fim.

— Pois a mim me parece que tanto uma coisa como a outra dão lugar a muitas dúvidas.

— Queres dizer que as duas questões devem ser examinadas conjuntamente. E eu que pensava escapar pelo menos a uma delas levando-te a reconhecer as vantagens, de modo que só me ficasse o problema da possibilidade!

— Pois não passou despercebido o teu subterfúgio — disse ele. — Terás de dar conta dos dois.

— Bem, submeto-me ao castigo. Mas só te peço este favor: permite que me regale com um sonho, como costumam fazer as pessoas de espírito preguiçoso quando passeiam sós; pois, a considerar as possibilidades e preocupar-se com os meios de pôr em prática os seus desejos (este é um assunto que nunca lhes dá o que pensar), preferem supor que já possuem o objeto almejado e prosseguem em seus planos, deleitando-se nos pormenores do que farão com ele. Com isso tornam

As vantagens serão consideradas em primeiro lugar, ficando para mais tarde a possibilidade

ainda mais indolente uma alma que já de *per si* o era. Ora, eu também já começo a perder a coragem e desejaria, com teu consentimento, deixar para mais tarde a questão da possibilidade; por ora, dando como assente que a ideia é realizável, examinarei as disposições que a tal respeito devem tomar os governantes e mostrarei que não pode haver prática mais benéfica para a cidade e para os guardiães. Isso é o que antes de tudo me proponho investigar com tua ajuda; e depois a outra parte, se estás de acordo.

— De inteiro acordo — disse ele. — Investiga, pois.

— Em primeiro lugar — comecei —, creio que, se os nossos governantes e seus auxiliares forem dignos desses nomes, estarão uns dispostos a fazer o que se lhes mande e os outros a ordenar em obediência às leis ou seguindo-lhes o espírito em todos os detalhes que forem confiados à sua direção.

— É natural.

— Então tu, que és o legislador, escolherás as mulheres do mesmo modo que escolheste os varões e lhes entregarás aquelas cuja natureza se assemelhe o máximo possível à deles. E, como morarão e tomarão suas refeições em comum, sem que ninguém possua nada como coisa própria, e como estarão juntos e se misturarão uns com os outros, tanto nos ginásios como nos demais atos de sua vida, uma necessidade irresistível os impelirá, imagino eu, a unirem-se entre si. Ou não crês nessa necessidade de que falo?

— Não será uma necessidade geométrica — disse ele —, mas uma necessidade de outra sorte, que os amantes conhecem e que é muito mais convincente e capaz de arrastar as grandes multidões.

— Com efeito. Mas sigamos adiante, Gláucon: numa cidade de gente feliz, a promiscuidade é um vício detestável que os governantes certamente proibirão.

— Sim — respondeu —, não deve ser permitida.

Como procriadores serão escolhidos os melhores, que estiverem na flor da idade

— É evidente, pois, que devemos fazer com que os casamentos sejam sagrados no mais alto grau possível. E quanto mais vantajosos, mais sagrados serão?

— Exatamente.

— E como podemos fazer com que os casamentos sejam os mais vantajosos possíveis? Pergunto-te isto porque vejo que tens cães de caça e grande quantidade de aves de raça aqui em tua casa. Dize-me, por favor: nunca atendeste aos seus acasalamentos e crias?

— Como? — perguntou.

— Em primeiro lugar, embora sejam todos de boa raça, não há alguns melhores do que os outros?

— Há, sim.

— E tiras crias de todos indistintamente, ou tomas o cuidado de escolheres sempre os melhores para procriar?

— Sempre os melhores.

— E que mais? Escolhes os mais novos, os mais velhos, ou os que estão na flor da idade?

— Os que estão na flor da idade.

— E, se não tomasses essas precauções, crês que degenerariam muito tuas raças de cães e aves?

— Sim, creio.

— E o mesmo se pode dizer dos cavalos e dos outros animais em geral?

— Sem dúvida alguma.

— Oh, querido amigo! — exclamei. — Que exímia habilidade deverão possuir os nossos governantes se o mesmo sucede com a raça dos homens!

— Está claro que o mesmo princípio continua a vigorar. Mas por que é necessária tanta habilidade?

— Porque não serão poucas as drogas que terão de administrar. Ora, tu sabes que quando o doente não precisa de remédios, bastando que se submeta a um regime, qualquer médico é considerado suficientemente apto para tratá-lo; mas quando se faz necessário recorrer também às drogas, o médico deve ser dos mais idôneos.

— É verdade. Mas a que te referes?

— Ao seguinte: é possível que os nossos governantes tenham de fazer uso frequente da mentira e do engano no interesse de seus governados; e dizíamos, se bem me lembro, que o emprego de tais coisas a título de remédios poderia ser útil.

Medidas a tomar para melhorar a raça e controlar a população

— Com muita razão o dizíamos — volveu ele.

— Pois bem, parece que no tocante ao matrimônio e à procriação isso não será apenas razoável, mas de grande importância.

— Como assim?

— Do que ficou estabelecido se depreende a necessidade de coabitarem os melhores com as melhores tantas vezes quantas sejam possíveis, e os piores com as piores da forma contrária; e, se quisermos que o rebanho se mantenha em condições ótimas, haverá mister de criar a prole dos primeiros, porém não a dos segundos. Ora, tudo isso deve ocorrer sem que ninguém o saiba, exceto os governantes, se desejarmos ao mesmo tempo afastar toda possibilidade de rebelião entre o rebanho dos guardiães.

— Muito bem — disse ele.

— Não seria aconselhável instituir festas em que se procedesse à união dos noivos e das noivas, oferecendo sacrifícios e entoando hinos apropriados à ocasião, que os nossos poetas seriam encarregados de compor? Quanto ao número dos casamentos, deixá-lo-emos ao arbítrio dos governantes, cuja finalidade precípua é manter o nível da população. Há muitas coisas a levar em conta, como as guerras, as epidemias e outros fatores similares, a fim de impedir tanto quanto possível que a cidade se torne demasiado grande ou excessivamente pequena.

— Por certo — disse.

— Teremos de inventar algum engenhoso sistema de sorteio para que os indivíduos de menos valor, ao se verem malcontemplados, não possam acusar os governantes, mas apenas a sua má sorte.

— De fato.

— E acho que os jovens mais valentes e mais bem-dotados, além das outras honras e recompensas que lhes tributarmos, devem ter mais liberdade de coabitar com as mulheres; o que, por outro lado, será um excelente pretexto para que desse tipo de homens nasça a maior quantidade possível de filhos.

O que se deve fazer com as crianças

— Certo — disse ele.

— E destarte, encarregando-se das crianças que forem nascendo os organismos instituídos para esse fim, os quais podem ser compostos de homens, de mulheres ou de pessoas de ambos os sexos, pois também os cargos públicos serão acessíveis tanto às mulheres como aos homens...

— Sim.

— Essas autoridades, digo, tomarão os filhos dos melhores e os levarão para o infantário, num bairro especial da cidade, onde os deixarão a cuidado das amas de leite; quanto aos filhos dos seres inferiores — e da mesma forma se dentre os primeiros nascer algum aleijado —, os esconderão, como convém, num lugar secreto e oculto.

— Sim — disse Gláucon —, se quisermos que a raça dos guardiães se conserve pura.

— E serão eles quem tratará de criá-las; levarão aos infantários as mães que tiverem os peitos cheios de leite, mas tomando todo o cuidado para que nenhuma reconheça o seu filho, e requisitarão outras amas se for necessário. Tomarão medidas para que o período de amamentação não se prolongue demasiadamente e, quanto às vigílias noturnas e outras fadigas, serão incumbência das amas e aias.

— Que folgada maternidade concedes às mulheres dos guardiães! — exclamou ele.

— Assim é preciso — respondi. — Mas continuemos a examinar aquilo a que nos propusemos. Dizíamos que os filhos deviam nascer de pais na flor da idade, não é mesmo?
— Certo.

A mulher deve ter filhos dos vinte aos quarenta anos; o homem deve procriá-los dos 25 aos 55

— E que é a flor da idade? Não podemos defini-la como um período de cerca de vinte anos na vida de uma mulher e de trinta na de um homem?
— Que anos serão esses? — perguntou.
— Uma mulher — respondi — pode começar a dar filhos à cidade com vinte anos e continuar até os quarenta; quanto ao homem, após desafogar um pouco os seus ímpetos juvenis passará a procriar para a cidade até os 55 anos.
— Com efeito — disse ele —, essa é, nas mulheres e nos homens, a época de maior vigor tanto físico como intelectual.
— E se alguém acima ou abaixo das idades prescritas se imiscuir nas festas nupciais, consideraremos tal ato como ímpio e iníquo, e seu filho, se algum advier daí, não terá sido concebido sob os auspícios e as preces oferecidas nessas ocasiões pelos sacerdotes, pelas sacerdotisas e pelo povo inteiro para que a nova geração seja melhor e mais útil que os seus bons e úteis genitores. Será, antes, o fruto clandestino de uma monstruosa incontinência.
— Tens razão.
— E a mesma lei — continuei — se aplicará a quem quer que, dentro da idade prescrita, se unir a uma mulher casadoura sem a sanção dos governantes; pois declararemos bastardo, ilegítimo e sacrílego o filho que ele der à cidade.
— Muito justo — disse Gláucon.
— Pois bem; quando as fêmeas e os varões houverem passado a idade de procriar, devemos permitir, creio eu, que coabitem livremente com quem lhes aprouver, exceto um homem com sua filha ou mãe, ou com as filhas de suas filhas ou as ascendentes de sua mãe, ou então

uma mulher com seu filho ou pai, os descendentes do primeiro e os ascendentes do segundo; e não sem primeiro advertir-lhes que tomem todo o cuidado para que não veja a luz nenhum só dos fetos que acaso vierem a ser concebidos; e, se não o puderem impedir, que disponham dele na certeza de que o fruto de tal enlace não receberá criação.

— Isto também é razoável — disse ele. — Mas como se conhecerão uns aos outros os pais, filhos e demais parentes de que falas?

— Não se conhecerão em absoluto — respondi —, mas cada um chamará filhos a todos os varões e filhas a todas as fêmeas que houverem nascido no décimo mês, ou melhor, no sétimo, a partir do dia de seu casamento; e estes lhe chamarão pai. E, do mesmo modo, chamará netos aos descendentes dessas pessoas, os quais por sua vez lhe chamarão avô ou avó; e os nascidos na época em que seus pais e mães engendravam se chamarão mutuamente irmãos e irmãs. Esses, como dizia há pouco, serão proibidos de casar-se entre si; mas, quanto aos irmãos e irmãs, a lei permitirá que coabitem se assim o decidir o sorteio e o ordenar também a pitonisa.

— Perfeitamente — disse ele.

— Aí tens, Gláucon, como será a comunhão de mulheres e famílias entre os guardiães de tua cidade. Desejas agora ver demonstrado pela argumentação que esse sistema é coerente com o resto de nossos princípios e também que não pode haver outro melhor, não é mesmo?

O maior bem da cidade é a unidade; o maior mal, a discórdia

— Sim, por certo.

— Muito bem; e se procurássemos uma base comum de acordo, perguntando a nós mesmos qual deve ser o principal objetivo do legislador ao ditar suas leis com vistas na organização da cidade... qual é o maior bem e qual é o maior mal... e averiguando depois se o que acabamos de descrever traz o cunho de um ou do outro?

— Nada melhor — respondeu ele.

— Pode haver maior mal que a discórdia e a desagregação, que faz com que a cidade seja muitas em vez de uma só? E pode haver maior bem do que o laço de unidade?

— Não pode.

— Ora, o que une não é comunidade de alegrias e pesares, quando o maior número possível de cidadãos se rejubile ou se aflija diante dos mesmos acontecimentos felizes ou infaustos?

— Evidentemente — respondeu.

— E o que desune não é a diversidade dos sentimentos privados, quando as mesmas coisas sucedidas à cidade ou aos seus habitantes fazem com que uns não caibam em si de contentes ao passo que outros mergulham em profunda tristeza?

— Sem dúvida.

— Tais diferenças costumam surgir de um desacordo sobre o uso dos termos "meu" e "não meu", "seu" e "não seu", não é verdade?

— Perfeitamente certo.

— E a cidade mais bem-organizada não será aquela em que o maior número possível de pessoas aplique às mesmas coisas e com o mesmo sentido os termos "meu" e "não meu"?

— Como não?

— E também a que mais se pareça a um só indivíduo? Quando, por exemplo, um de nós fere o dedo, toda a comunidade corporal, atraída para a alma como para um centro e formando um só reino debaixo da sua suserania, sofre simultaneamente e em sua totalidade ao sofrer uma de suas partes; e por isso dizemos que o homem sente dor no dedo. E a mesma expressão se emprega quando qualquer outra parte do corpo tem uma sensação de dor ao sofrer ou de prazer ao acabar-se o seu sofrimento.

— Muito verdadeiro — respondeu ele — e concordo contigo em que a cidade mais bem regida é a que mais se aproxima dessa comunidade de sentimentos que descreves.

— Então, quando a um dos cidadãos suceder qualquer coisa boa ou má, a cidade inteira fará causa comum com ele e compartilhará sua alegria ou seu pesar?

— Sim, é o que acontecerá numa cidade bem regida.

— Já é hora — tornei eu — de voltarmos à nossa cidade para ver se as conclusões da discussão se aplicam a ela mais que a nenhuma, ou se há alguma outra a que se apliquem melhor.

— Muito bem.

— Dize-me: existem também governantes e povo nas demais cidades como nesta?

— Existem.

— E todos eles chamam concidadãos uns aos outros?

— Naturalmente.

— Mas há algum outro nome que o povo das demais cidades dê aos seus governantes?

— Em geral chamam-lhes senhores, e nas regidas democraticamente se lhes dá esse mesmo nome, o de governantes.

— E o povo de nossa cidade, que outro nome dá aos seus governantes além de chamar-lhes concidadãos?

— Salvadores e protetores — respondeu ele.

— E como chamam eles aos homens do povo?

— Pagadores de salário e sustentadores.

— E como lhes chamam em outras cidades?

— Servos.

— E uns governantes aos outros?

— Colegas de governo — respondeu.

— E em nossa cidade?

— Companheiros de guarda.

— Conheces algum exemplo de governante de outra cidade que falasse de tal de seus colegas como de um amigo e de tal outro como de um estranho?

— Sim, muitos.

— E ao amigo consideram e mencionam como alguém que é seu e ao estranho como alguém que não é?

— Sim.

— E os teus guardiães? Haverá entre eles quem possa considerar e mencionar algum de seus companheiros de guarda como um estranho?

— Nunca — respondeu ele. — Porque, seja quem for aquele com quem se encontre, terá de considerá-lo como seu irmão ou irmã, como seu pai ou sua mãe, como seu filho ou sua filha, ou então como um descendente ou ascendente destes.

A cidade, uma só família

— Dizes muito bem. Mas permite que se faça esta outra pergunta: serão eles uma família apenas no nome ou devem demonstrar em tudo o sentimento de família, cumprindo, por exemplo, em relação aos pais, tudo quanto ordena a lei acerca do respeito, dos cuidados e da obediência que lhes são devidos, de forma que o violador desses deveres seja tido como pessoa ímpia e iníqua que nenhum benefício pode esperar da parte dos deuses e dos homens? Serão esses ou outros os preceitos que todos os cidadãos devem repetir constantemente aos ouvidos das crianças no que se refere àqueles que lhes forem apresentados como pais ou outros parentes?

— Esses, e não outros — respondeu. — Seria, com efeito, ridículo que se limitassem a pronunciar de boca os nomes de parentesco sem terem nenhum sentimento de família.

— Será, pois, esta a cidade em que mais amiúde se ouça a linguagem da harmonia e da concórdia. Ante a ventura ou a desdita de cada um, como dizia há pouco, a expressão universal será "minhas coisas vão bem" ou "minhas coisas vão mal".

— Muito verdadeiro.

— E a esse modo de pensar e de falar não dissemos que se seguia a comunhão de prazeres e sofrimentos?

— Com razão o dissemos.

— E não terão nossos cidadãos, mais que os de qualquer outra parte, um interesse comum a que cada qual chamará "o meu"? E desse interesse comum não resultará a maior comunhão possível de alegrias e tristezas?

— Sim, muito mais que nas outras cidades.

— E não será causa disso, além da organização restante, a comunhão de mulheres e filhos entre os guardiães?

— Essa será a causa principal — disse ele.

— E tal comunhão de sentimentos foi o que reconhecemos ser o maior de todos os bens ao comparar a cidade bem constituída com um corpo que participa todo inteiro do prazer ou da dor de um de seus membros.
— Foi o que reconhecemos, e com razão.
— Assim, pois, a comunhão de mulheres e filhos entre os auxiliares se nos revela como fonte do maior bem na cidade.
— Inegavelmente — disse.
— E isto concorda com o outro princípio que estabelecemos: que os guardiães não deviam ter casa, nem terra, nem qualquer outra propriedade privada, que seu soldo seria o sustento recebido dos demais cidadãos em troca de sua vigilância e que fariam os seus gastos em comum; pois nosso propósito era fazer com que mantivessem o caráter genuíno de guardiães.
— É razoável — observou.

Como os guardiães não têm interesses privados, não haverá entre eles demandas nem processos

— Como ia dizendo, pois, tanto a comunhão de propriedades como a de famílias contribuem para fazer deles verdadeiros guardiães; não desmembrarão a cidade com pendências em torno do "meu" e do "teu", arrebanhando cada qual o que houver adquirido sem cooperação de ninguém para sua casa particular, onde tem esposa e filhos próprios e prazeres e dores todos seus; muito ao contrário, pensando todos do mesmo modo sobre os assuntos domésticos, buscarão os mesmos fins e compartilharão, tanto quanto possível, os mesmos prazeres e dores.
— Certamente — disse ele.
— E, como não possuem nada de próprio senão os seus corpos, desaparecerão entre eles os processos e demandas e não terão nenhuma dessas pendências fomentadas pela posse de riquezas, pelos filhos e demais parentes?
— Hão de estar livres delas, por força.
— Nem é provável que ocorram processos por violências ou ultrajes; porque, uma vez que lhes impomos a obrigação de guardar seus

corpos, temos de considerar bom e justo que os da mesma idade se defendam uns dos outros.

— Muito justo.

— E há outra vantagem ainda nesta regra: se alguém se encolerizar com outra pessoa, depois de satisfeita sua cólera não terá de promover maiores dissensões.

— Por certo.

— Ao mais velho se dará por encargo comandar e castigar os mais jovens.

— É claro.

— E, como é natural, o mais jovem, a menos que isso lhe seja ordenado pelos governantes, não tentará bater no mais velho nem fazer-lhe qualquer outra violência, e tampouco creio que o ultrajará de modo algum, pois há dois guardiães suficientes para detê-lo: o respeito e o temor; o respeito que o impedirá de tocar nele, como se fosse seu pai, e o temor de que os demais acudam em seu auxílio, uns como filhos, outros como irmãos e outros ainda como pais.

— É verdade — disse ele.

— Destarte, as leis farão com que esses homens guardem entre si uma paz perfeita?

— Uma grande paz, na verdade.

— E, como os guardiães nunca terão contendas recíprocas, não haverá perigo de que o resto da cidade se rebele contra eles ou se divida contra si mesmo.

— Sim, nenhum perigo.

— E, por não terem cabimento aqui, deixo de mencionar outros males menores de que se verão livres, como, por exemplo, a adulação dos ricos pelos pobres, os apuros e dificuldades que costumam causar a educação dos filhos e a necessidade de conseguir dinheiro para o sustento da família, quer pedindo emprestado, quer negando a dívida, quer obtendo recursos de todas as maneiras possíveis para confiá-los às mãos de mulheres e servos, enfim, meu amigo, essa multidão de males assaz evidentes e lamentáveis, que convém passar por alto.

— Sim, até um cego os percebe — disse ele.

— De tudo isso se verão livres e levarão uma vida mais venturosa que a dos próprios vencedores de Olímpia.[8]

— Como assim?

— Porque aqueles têm um quinhão de felicidade menor que os nossos auxiliares; a vitória destes é mais bela e o sustento que lhes dá o povo, mais completo. Essa vitória é a salvação da cidade inteira e a coroa com que são cingidos eles e seus filhos constitui a plenitude de tudo quanto a vida necessita; recebem em vida galardões da própria pátria e ao morrer se lhes dá sepultura condigna.

— Tudo isso é muito bonito — confessou Gláucon.

Resposta à acusação de Adimanto, de que tornávamos infelizes os guardiães para seu próprio bem

— Lembras-te — perguntei — que em nossa discussão anterior não sei quem objetou que não fazíamos felizes os guardiães, visto que, sendo-lhes possível possuir todos os bens dos cidadãos, não tinham nada? E que então respondemos que examinaríamos o assunto quando se apresentasse a ocasião, mas que de momento nos contentávamos em fazer deles verdadeiros guardiães e que organizávamos a cidade tendo em mira a máxima felicidade, não de uma classe particular, mas do conjunto?

— Sim, lembro-me — respondeu.

— E que dizes agora, quando a vida desses auxiliares se nos mostra muito mais bela e melhor que a dos vencedores olímpicos? Será possível estabelecer comparação entre ela e a dos sapateiros e outros artesãos, ou bem com a dos lavradores?

— Não me parece.

— Ao mesmo tempo, devo repetir aqui o que já disse alhures: que se algum de nossos guardiães tentasse alcançar sua felicidade de tal maneira que deixasse de ser guardião e não lhe bastasse essa vida moderada e segura que, em nossa opinião, é de todas a melhor... mas, metendo-se-lhe na cabeça um conceito insensato e pueril da felicidade, quisesse valer-se do seu poder para se apoderar de tudo quanto há na cidade... esse homem aprenderia à sua própria custa o quanto foi sábio Hesíodo ao dizer que "a metade é, de certo modo, maior que o todo".

— Se me viesse pedir conselho, lhe diria que permanecesse naquela primeira maneira de viver.

— Concordas, pois, com o regime de vida em comum que, segundo dizíamos, as mulheres devem seguir juntamente com os homens no que se relaciona com a educação dos

O regime de vida em comum

filhos e a vigilância dos outros cidadãos, e admites que devem participar do serviço de guarda, quer estejam na cidade, quer em campanha, e caçar com eles, como fazem os cães; que hão de observar completa comunhão em todas as coisas, até onde isso seja possível, e assim fazendo, agirão acertadamente, sem violar a relação natural entre os sexos?

— Concordo contigo — respondeu.

— Falta, pois, examinar se essa comunhão é possível entre os homens como entre os outros animais, e até que ponto é possível?

— Tiraste-me a pergunta da boca — disse ele.

— Quanto ao modo por que hão de fazer a guerra, creio que não há dificuldade — comecei.

— Como?

— Hão de combater em comum e levar igualmente à guerra todos os filhos crescidos que tenham, para que estes, como os demais artesãos, vejam o trabalho que terão de fazer quando chegarem à madureza; além de olhar, hão de servir e ajudar em todas as coisas da guerra, obedecendo a seus pais e suas mães. Nunca reparaste como os filhos dos oleiros assistem durante largo tempo ao serviço dos pais, antes de tocar no torno?

— Por certo.

— E hão de ser esses oleiros mais cuidadosos que os guardiães na educação dos filhos, ao dar-lhes a oportunidade de observar e praticar os misteres de sua arte?

— Seria absurdo — disse ele.

— Acresce que os pais combaterão melhor em presença de sua prole, pois entre todos os animais isso serve de incentivo à coragem.

— É verdade, Sócrates. No entanto, que perigo se eles tombarem, como tantas vezes acontece na guerra! Os filhos morrerão juntamente com os pais e a cidade nunca poderá refazer-se de tal golpe!

— Tens razão — repliquei —, mas julgas, em primeiro lugar, que não se deve correr risco algum?

— Longe de mim dizer tal coisa!

— Pois bem: se hão de arriscar-se, não será nas ocasiões em que o bom êxito lhes traga grandes proveitos?

— Sim, claro.

— E te parece que é pequena vantagem e desproporcionada ao perigo o fato de assistirem os futuros soldados à guerra em seus anos de formação?

— Pelo contrário, acho isso muito importante.

— Este, pois, deve ser o primeiro passo: fazer com que os filhos sejam espectadores da guerra; mas, por outro lado, é preciso salvaguardá-los contra o perigo, e assim tudo marchará bem, não é verdade?

— Sim.

— Ora, é de supor que os pais não sejam ignorantes dos riscos da guerra, mas capazes de prever, tanto quanto isso é humanamente possível, quais campanhas serão perigosas e quais não?

— Isso podemos presumir.

— Portanto, levarão os filhos a estas últimas e os afastarão das primeiras.

— Muito bem.

— E colocarão à sua frente veteranos experimentados, que serão seus chefes e mestres?

— Muito acertado.

— Haverá, todavia, quem diga que nem sempre é possível prever os riscos da guerra, pois é grande neles a parte do acaso?

— Exato.

— Por isso, meu amigo, é preciso dar asas às crianças desde sua primeira infância, para que possam escapar voando em caso de necessidade.

— Que queres dizer com isso? — perguntou.
— Que aprenderão a montar desde pequenos, e a cavalo assistirão à guerra. Esses cavalos não serão fogosos e guerreiros, mas os mais dóceis e rápidos que se possam encontrar. Assim estarão em excelentes condições para observar o trabalho que lhes incumbirá mais tarde e, se houver perigo, se porão a salvo seguindo seus chefes mais velhos.
— Creio que tens razão — disse ele.

O tratamento que será dispensado aos covardes e aos heróis

— E que diremos quanto à guerra em si mesma? Como crês que devem conduzir-se os soldados entre si e com os seus inimigos? Será que concordas com a minha opinião?
— Dize-me primeiro qual é ela.
— Aquele que abandonar as fileiras, atirar fora o escudo ou fizer qualquer coisa semelhante não deverá ser rebaixado, por sua covardia, à classe de artesão ou lavrador?
— Sem nenhuma dúvida.
— E o que cair prisioneiro com vida em poder dos inimigos lhes será deixado como galardão e presa legítima, para que façam com ele como entenderem?
— Perfeitamente.
— E àquele que se assinale pelo seu valor, que se lhe fará? Em primeiro lugar, será glorificado na própria campanha pelos seus jovens camaradas de guerra, cada um dos quais lhe porá sucessivamente a coroa na cabeça. Que dizes a isto?
— De pleno acordo.
— E que mais? Que lhe seja oferecida a destra da amizade?
— Também.
— Mas esta outra coisa que vou propor agora — continuei — desconfio que não a aprovarás.
— Qual é ela?
— Que beije a cada um de seus companheiros e, por seu turno, seja beijado por eles.

— Mais que nenhuma outra — disse ele — esta proposta tem a minha aprovação. E quero acrescentar ainda o seguinte preceito: que, enquanto se estiver em campanha ninguém a quem ele queira beijar possa recusá-lo; assim, se por acaso estiver enamorado de alguém, seja homem ou mulher, maior será o seu ardor em conquistar o prêmio da bravura.

— Ótimo — respondi —, e, como já dissemos, o valente terá mais esposas do que os outros e será escolhido com mais frequência para as bodas, a fim de que tenha a mais numerosa descendência.

— Assim dissemos, com efeito.

— E, segundo Homero, há ainda outra maneira de honrar esses jovens valorosos; pois conta ele como Ajax, que se havia distinguido na guerra, "foi galardoado com um enorme lombo", o que me parece ser uma homenagem muito apropriada a um herói na flor da idade, pois não só é uma honra, como coisa talhada a preceito para melhorar-lhe a robustez.

— Perfeitamente — disse Gláucon.

— Seguiremos, pois, a Homero neste ponto — continuei — e tanto nos sacrifícios como em todas as ocasiões semelhantes honraremos os bravos, na medida em que se mostrarem tais, com hinos e essas outras distinções que acabamos de mencionar, e ademais a

com lugares de preferência, com carnes e taças transbordantes,

fim de honrar e robustecer ao mesmo tempo as pessoas de valor, sejam homens ou mulheres.

— Muito bem! — aplaudiu ele.

— E quanto ao homem que perecer gloriosamente em combate, não o proclamaremos, em primeiro lugar, como um representante da raça de ouro?

— Acima de tudo.

— Acaso não temos a autoridade de Hesíodo, ao dizer que quando morrem os dessa linhagem

Se tornam gênios benéficos na Terra, santos espíritos
Que afastam o mal e protegem os homens facundos?

— Sim, e convimos com ele.

— Perguntaremos, pois, à divindade como se hão de sepultar esses homens demônicos e divinos, e que homenagens convém que lhes sejam tributadas; e, como a divindade ordenar, assim o faremos?

— Nem poderia ser de outro modo.

— E nos tempos que se seguirem havemos de venerar e reverenciar as suas sepulturas como túmulos de heróis; e não só a eles, como a todos quantos em vida se tiverem distinguido pelo seu valor preeminente, quer morram de velhice, quer de outra forma?

— É justo — disse ele.

A conduta para com os inimigos

— E que mais? Com respeito aos inimigos, como se comportarão os nossos soldados?

— Em quê?

— Em primeiro lugar no tocante a fazer escravos. Parece-te justo que cidades gregas escravizem gregos ou permitam que outras cidades os escravizem, estando em suas mãos impedi-lo? Não deveriam antes respeitá-los, visto o perigo de cair um dia a raça inteira sob o jugo dos bárbaros?

Nenhum heleno deve ser escravizado

— É infinitamente preferível respeitá-los.

— Portanto, nenhum grego tomará a outro grego como escravo, e essa mesma regra aconselhará aos demais helenos que observem?

— Perfeitamente — disse ele —, dessa forma estarão unidos contra os bárbaros e deixarão uns aos outros em paz.

Proibição de despojar os que caírem em batalha

— Agora, no que tange aos mortos: devem os vencedores despojá-los de outra coisa que não sejam as armas? Não serve isso de pretexto aos covardes para evitarem o combate, como se a rondar os cadáveres estivessem cumprindo um dever, e não têm perecido muitos exércitos por culpa desse amor à pilhagem?

— Indiscutivelmente.

— E não há uma certa vileza e sordidez em despojar um cadáver, bem como um sinal de espírito apoucado e mulheril em considerar como inimigo um corpo inanimado, quando já desapareceu dele a inimizade e só ficou o instrumento com que lutava? Não te parece que nisso agem os cães que se enfurecem contra as pedras que se lhes atiram, sem tocar no agressor?

— Muito semelhantes aos cães, com efeito.

— Devemos, pois, abster-nos de despojar os mortos e de impedir que sejam enterrados?

— Por certo que devemos.

— Nem tampouco ofereceremos armas nos templos dos deuses, e muito menos armas de gregos, se é que prezamos o sentimento de benevolência para com o resto da Grécia; antes tememeros que levar para ali esses despojos tirados aos nossos parentes seja contaminar o templo, a não ser que o próprio deus o ordene?

— Exato — disse ele.

— E quanto à devastação da terra helênica e ao incêndio de suas casas, qual deve ser a norma?

— Ouvirei com gosto tua opinião a respeito — respondeu.

— A mim me parece que ambas devem ser proibidas; eu tomaria a colheita do ano e nada mais. Queres que te diga por quê?

— Dize, por favor.

— Como sabes, há uma diferença entre as palavras "discórdia" e "guerra", e creio que também designam coisas diferentes; uma se aplica ao que é interno e doméstico, e a outra ao que

A guerra entre helenos é apenas uma espécie de discórdia que não pode durar muito

é alheio e estrangeiro. A inimizade no terreno doméstico se chama discórdia, e só à outra se dá o nome de guerra.

— A distinção é muito apropriada — observou ele.

— E não poderei acrescentar, com igual propriedade, que toda a raça helênica está unida por laços de sangue e parentesco, sendo, por outro lado, alheia e estranha ao mundo bárbaro?

— Dizes muito bem.

— Portanto, quando helenos tiverem de lutar com bárbaros e bárbaros com helenos, diremos que são inimigos naturais uns dos outros e chamaremos guerra a essa inimizade; mas, quando helenos lutarem entre si, diremos que a Grécia está doente e dividida, pois todos continuam sendo amigos por natureza, e a essa inimizade daremos o nome de discórdia.

— De acordo.

— Considera, agora — disse eu —, quando ocorre isso que chamamos discórdia e a cidade se divide e uns assolam os campos e queimam as casas dos outros, quão daninha se mostra essa luta e quão pouco amor têm ambos os bandos à sua cidade... pois do contrário não se abalançariam assim a dilacerar sua própria mãe e nutriz! Bastaria que os vencedores privassem os vencidos de suas colheitas, pensando em que haveriam de reconciliar-se e que a luta não duraria eternamente.

— Sim — volveu ele —, esse modo de pensar é muito mais civilizado do que o outro.

— E que mais? A cidade que estás fundando não será uma cidade grega?

— Tem de ser por força — respondeu.

— Não serão bons e civilizados os seus cidadãos?

— Por certo.

— E amantes da Grécia, considerando-a como terra sua e participando dos mesmos ritos religiosos que os outros gregos?

— Não menos certo.

— E não considerarão como simples discórdia qualquer diferença que entre eles surja, uma disputa entre amigos, a que não cabe o nome de guerra?

— Assim a devem considerar, com efeito.

— E não disputarão como quem pretende um dia reconciliar-se?

— Seguramente.

— Hão de trazê-los, pois, benevolamente à razão, sem escravizá-los nem matá-los; serão seus corretores, e não inimigos?

— Isso mesmo.

— E, como são gregos, não devastarão a Grécia, não incendiarão casas, nem admitirão sequer que todos os habitantes de uma cidade, homens, mulheres e crianças, sejam seus inimigos, pois sabem que a culpa da discórdia cabe sempre a um pequeno número. Por todos esses motivos se recusarão a assolar-lhes as terras e arrasar-lhes as moradas; sua inimizade durará apenas até que os culpados venham a sofrer o castigo dos males que causaram a muitos inocentes.

— Reconheço — disse ele — que assim deveriam portar-se os nossos cidadãos com seus adversários helênicos; e com os bárbaros como agora tratam os gregos uns aos outros.

— Imporemos, pois, aos guardiães, esta regra: não devastar a terra dos helenos nem queimar suas casas?

— De acordo — respondeu —, e a teremos na conta de muito acertada, como as anteriores. Mas me parece, Sócrates, que se te deixamos seguir por este caminho esquecerás completamente a outra questão que puseste de lado no começo para tratar destas: é possível tal ordem de coisas, e até que ponto o é? Porque estou pronto a admitir que o plano proposto por ti, se realizável, traria toda sorte de vantagens à cidade. Vou enumerar os que omitiste: teus cidadãos lutariam melhor que ninguém contra os inimigos, pois que, reconhecendo-se e chamando-se mutuamente irmãos, pais e filhos, de modo algum abandonariam uns aos outros; e, se as mulheres também combatessem, quer na primeira linha, quer na retaguarda, fosse para inspirar terror ao inimigo ou como auxiliares em caso de necessidade, tenho certeza de que seriam completamente invencíveis. Percebo igualmente muitas vantagens em tempo de paz, as quais passamos por alto. Mas, como admito todas essas vantagens e outras mil se chegasse a existir tal regime, não precisamos continuar a falar delas. Portanto, voltemos agora nossa atenção para o problema da possibilidade e dos meios de pôr tudo isso em prática, e deixemos o resto.

— Se me demoro um instante — disse eu —, logo investes contra mim, sem nenhuma indulgência para com as minhas divagações. Ainda mal escapei à primeira e à segunda ondas, e pareces não dar-te conta de que estás lançando sobre mim a terceira, maior e mais difícil de vencer que as outras. Quando tiveres visto e ouvido, reconhecerás que um certo temor e hesitação eram naturais em se tratando de problema tão desconcertante como o que terei de definir e resolver agora.

— Quanto mais escusas apresentes — tornou ele —, mais te acossaremos para que expliques como pode chegar a existir o regime em apreço. Fala, pois, e não percas tempo.

— Começarei por lembrar-te que chegamos a esta questão investigando o que era a justiça e a injustiça.

— É verdade — respondeu —, mas a que vem isto?

Considerações preliminares de Sócrates ao abordar o problema da praticabilidade do regime: (1) o ideal é apenas um modelo e nunca poderá realizar-se de modo perfeito

— Ia apenas perguntar se, tendo descoberto em que consistem, exigiremos que o homem justo não se diferencie em nada da justiça absoluta ou nos contentaremos com uma aproximação, dando-o por quite se participar dela em grau superior aos demais?

— A aproximação será suficiente — respondeu.

— Portanto — continuei —, foi apenas como modelo que investigamos o que seria em si a justiça e o caráter do homem perfeitamente justo, se chegassem a existir, e do mesmo modo a injustiça e o homem totalmente injusto; tudo isso a fim de que, tendo-os diante dos olhos, pudéssemos aquilatar nossa felicidade ou desdita de acordo com o padrão que nos oferecessem e nossa maior ou menor semelhança com ele... nunca, porém, com o propósito de mostrar que era possível a existência de tais homens.

— Sim, isso é verdade — observou.

— Achas, por acaso, que um pintor tem menos mérito porque, após delinear com arte consumada o ideal de um homem perfeitamente belo, não pode demonstrar que exista semelhante homem?

— Não, por Zeus!

— E não pintávamos, em nossa conversação, o modelo de uma cidade perfeita?

— Sem dúvida.

(2) Isso, porém, em nada lhe deprime o valor

— Parece-te, então, que nossa teoria perde alguma coisa pelo fato de não podermos demonstrar que é possível estabelecer uma cidade como a que descrevemos?

— Não, por certo.

— Esta é a verdade — disse eu. — E se, para satisfazer o teu pedido, vou empreender a demonstração de como e em que condições é possível tal cidade, deves pôr-te de acordo comigo nos mesmos pontos.

— Que pontos?

— Crês que seja possível levar alguma coisa à prática tal como se enuncia ou, pelo contrário, é natural que a realização se aproxime da verdade menos que a palavra, embora muitos não pensem assim? Que dizes tu, pela tua parte?

— Estou de acordo — respondeu.

— Então não me forces a provar que a cidade real coincidirá sob todos os aspectos com a ideal; mas, se chegarmos a descobrir o modo de constituir uma cidade que se aproxime o máximo possível daquela que temos em mente, confessa que o que pretendíamos é realizável. Eu, pelo menos, me darei por satisfeito. E tu?

— Pois eu também.

— Trataremos agora de mostrar o que há de errado atualmente nas cidades e impede que estas sejam bem regidas, e qual a menor mudança a introduzir para que elas entrem no regime descrito; que essa mudança seja de

> (3) Embora o ideal não seja realizável, uma ou duas modificações poderiam revolucionar a cidade

preferência uma só, quando muito duas; em todo caso, que sejam tão poucas e tão leves quanto possível.

— De pleno acordo — disse ele.

— Creio — prossegui — que poderíamos reformar inteiramente a cidade mediante uma só mudança, a qual não é pequena nem fácil, mas contudo é possível.

— Qual é ela? — perguntou.

Sócrates vai ao encontro da onda

— Vou agora ao encontro daquilo que comparávamos à onda mais gigantesca. Não calarei, contudo, ainda que o vagalhão rebente e me afogue no ridículo e no desprezo. Presta atenção ao que vou dizer.

— Fala.

— A menos — disse eu — que os filósofos reinem nas cidades ou que os reis e príncipes deste mundo pratiquem verdadeiramente e adequadamente a filosofia, que filosofia e poder político venham a ser uma coisa só e que sejam afastadas pela força as naturezas mais comuns que exercem qualquer deles com exclusão do outro, não haverá, amigo Gláucon, trégua para os males da cidade, nem tampouco, creio eu, para os do gênero humano. Só assim esta cidade que descrevemos terá uma possibilidade de existência e verá a luz do dia. Eis aí, meu caro Gláucon, o que há algum tempo venho querendo dizer, mas me retinha o medo de que parecesse por demais extravagante; pois é difícil convencer-se de que nenhuma cidade senão a nossa pode alcançar a felicidade pública e privada.

— Oh, Sócrates! — exclamou ele. — Que palavras acabas de proferir! Não te dás conta de que vais atrair sobre ti uma multidão de homens, nada desprezíveis por certo, a desembaraçar-se dos mantos para apanharem a primeira arma que encontrem à mão, dispostos a fazer sabe lá o quê! E se não os rechaças com teus argumentos e te escapas, vais pagar caro, olé!

— E não és tu, porventura, o culpado de tudo isso?

— E gabo-me de sê-lo — respondeu. — No entanto, farei o possível para livrar-te desta conjuntura como melhor puder, isto é, cooperando com a minha boa vontade, encorajando-te, e quiçá também poderei responder melhor que um outro às tuas perguntas; nisto se resumem os meus préstimos. Considera, pois, o aliado que tens e trata de convencer os incrédulos de que estás com a razão.

— Não posso deixar de tentá-lo — disse eu —, já que me ofereces tão valiosa assistência. Para que possamos escapar a essa gente de que falas, me parece necessário explicar-lhes quem

Que é um filósofo?

são esses filósofos a que nos referimos quando tivemos a audácia de sustentar que devem governar a cidade. Uma vez que fiquem bem conhecidos, teremos meios de nos defender mostrando que há indivíduos talhados para cultivar a filosofia e dirigir a cidade, e outros que a natureza não destinou para chefes, e sim para seguidores.

— Já é tempo de explicá-lo — disse Gláucon.

— Segue-me, então. Vamos ver se te posso dar uma explicação satisfatória.

— Vamos — disse ele.

— Será preciso recordar-te o que antes dissemos dos amantes: que só é digno desse nome aquele que ama não apenas uma parte do objeto amado, mas a sua totalidade?

— Terás de recordar-me, ao que parece; pois não estou percebendo nada.

— Um outro que não tu, Gláucon, poderia responder assim; a um homem entendido em amores, contudo, não fica bem esquecer que todos os rapazes na flor da mocidade tocam o coração do enamorado, afigurando-se-lhe dignos de sua solicitude e de suas carícias. Ou não é assim que encarais os vossos amiguinhos? A um, porque tem o nariz arrebitado, dais-lhe o nome de gracioso; se é adunco, chamais-lhe nariz real; se nem uma coisa nem outra, tem a beleza da regularidade. O rosto moreno é varonil, os louros são filhos dos deuses; e que é essa tão decantada "cor de mel" senão uma invenção do enamorado complacente, que sabe relevar a palidez de seu amado quando ela aparece numa face juvenil? Numa palavra, lançais mão de todos os pretextos e dizeis toda sorte de coisas contanto que não vos escape nenhum desses jovens em flor.

— Se é no interesse da argumentação que me tomas como autoridade em assuntos de amor, conformo-me.

— E que me dizes dos afeiçoados ao vinho? Não fazem eles o mesmo, aproveitando qualquer pretexto para tomar toda classe de vinhos?

— É verdade.

— E o mesmo podemos dizer dos ambiciosos. Se não podem comandar um exército, contentam-se com o terço de um corpo de infantaria; e se não logram ser honrados por pessoas verdadeiramente grandes e importantes, bastam-lhe as pequenas e comuns, contanto que sejam honradas.

— Assim é, realmente.

— Pois agora torno a perguntar-te: quando dizemos que alguém deseja alguma coisa, entendemos que a deseja em sua totalidade ou apenas em parte?

— Na totalidade — respondeu.

— E não podemos dizer do filósofo que ama a sabedoria não apenas em parte, mas toda inteira?

— Por certo.

— E daquele que tem aversão ao estudo, especialmente se é jovem e não possui ainda o critério do que é bom e do que não o é, não diremos que seja amante do estudo nem filósofo, como do enfastiado

não diremos que tenha fome nem que deseje alimentos ou seja bom comedor, mas sim que é inapetente.
— Muito acertado — disse ele.
— E ao que tem gosto por toda sorte de conhecimentos, deseja sempre aprender e nunca se enfastia, a esse chamaremos com justiça filósofo. Não é assim?

O verdadeiro conhecimento não consiste nas sensações

E Gláucon respondeu:
— Se é a curiosidade que faz o filósofo, verás que filósofos não faltam por aí, e entre eles encontrarás as criaturas mais estranhas. Todos os aficionados de espetáculos se deleitam em aprender e devem, portanto, ser incluídos. Também há os amadores de música, uma gente singularmente deslocada entre os filósofos; esses, por sua vontade, nunca viriam assistir a discussões como as nossas, mas, como se tivessem alugado as suas orelhas, correm de um lado para outro a fim de ouvir todos os coros das festas dionisíacas, sem perder nenhum, seja na cidade ou no campo. Acaso devemos chamar filósofos aos que têm tais gostos e outros do mesmo jaez, bem como aos aprendizes das artes mais mesquinhas?
— Certamente que não — disse eu —, mas apenas semelhantes aos filósofos.
— Quais são, então, os verdadeiros?
— Os que gostam de contemplar a verdade — respondi.
— Muito bem; mas como entendes isto?
— Se se tratasse de um outro talvez tivesse dificuldade em explicá-lo, mas creio que tu convirás comigo neste ponto.
— Qual é ele?
— Que, como o belo é o contrário do feio, temos aí duas coisas distintas.
— Por certo.
— E, uma vez que são duas, cada um é uma coisa?
— Logicamente.

— E o mesmo se poderia dizer do justo e do injusto, do bom e do mau e de todas as ideias: tomadas em si mesmas, cada uma delas é uma coisa distinta, mas, por sua mistura com as ações, com os corpos e entre elas próprias, vemos a cada uma sob uma multidão de aparências.

— Perfeitamente.

— E esta é a distinção que faço entre os amadores de espetáculos e das artes e os homens de ação, de um lado, e, de outro, aqueles de quem falo, os únicos que merecem o nome de filósofos.

O verdadeiro conhecimento é a capacidade de distinguir entre a unidade e a pluralidade, entre a ideia e os objetos que dela participam

— Que queres dizer com isto?

— Que os amigos de audições e espetáculos gostam das belas vozes, cores e formas e de todas as coisas elaboradas com esses elementos, mas que sua mente é incapaz de perceber e apreciar a natureza do belo em si mesmo.

— É verdade.

— Raros são os que têm a capacidade de contemplar o belo em si.

— Por certo.

— E aquele que possui o sentimento das coisas belas, porém não o da própria beleza, e tampouco é capaz de seguir quem procure guiá--lo ao conhecimento desta que te parece? Vive ele desperto ou em sonhos? Reflete bem: que outra coisa é sonhar, seja dormindo, seja com os olhos abertos, senão identificar coisas diversas, tomando a cópia pelo objeto real?

— Eu, pelo menos — respondeu —, diria que estava sonhando quem o fizesse.

— Mas considera o caso do outro, que reconhece a existência do belo em si e sabe distinguir a ideia dos objetos que dela participam, sem tomar os objetos pela ideia nem esta por aqueles. Achas que esse vive acordado ou em sonhos?

— Bem acordado — respondeu.

— E não será acertado dizer que o pensamento deste é saber de quem verdadeiramente conhece, enquanto o do outro é parecer de quem opina?
— Sem dúvida.
— Mas suponhamos que este último se agaste conosco e conteste a verdade do que afirmamos: teremos meio de exortá-lo e convencê-lo com bons modos, sem lhe revelar a lastimável desordem que reina em seu espírito?
— Sim, devemos achar um meio de convencê-lo — disse Gláucon.
— Vejamos, pois, o que havemos de lhe dizer. Não começaremos por asseverar que não invejamos qualquer conhecimento que ele possa possuir, mas, pelo contrário, vemos com prazer alguém que sabe alguma coisa? Mas desejaríamos fazer-lhe uma pergunta: "Aquele que conhece conhece alguma coisa ou não conhece nada?" Responde tu por ele.
— Responderei que conhece alguma coisa.
— Algo que existe ou que não existe?
— Algo que existe. Como se pode conhecer o que não existe?

Há um termo médio entre ser e o não ser; a opinião é o correspondente termo médio entre o conhecimento e a ignorância

— E estamos seguros, após considerar o assunto sob muitos pontos de vista, de que o ser absoluto é absolutamente cognoscível e o que não existe de maneira alguma, absolutamente incognoscível?
— Perfeitamente seguros.
— Muito bem. Mas, se há alguma coisa de natureza tal que exista e não exista, não ocuparia ela um lugar intermediário entre o ser puro e a absoluta negação do ser?
— Sim, entre um e outro.
— Assim, pois, se ao que existe corresponde o conhecimento, e a ignorância, necessariamente, ao que não existe, para esse intermediário entre o existir e o não existir não devemos procurar algo

correspondente, que seja também intermediário entre o conhecimento e a ignorância, contanto, é claro, que tal coisa ocorra?
— Sem dúvida.
— Admitimos a existência da opinião?
— Como não?
— E coincide ela com o saber, ou trata-se de uma faculdade diferente?
— De uma faculdade diferente.
— Com uma coisa, pois, se relaciona a opinião, e com outra o saber, de acordo com essa diferença de faculdades?
— Assim é.
— E o saber se relaciona com o ser, e a ele conhece? Mas, antes de prosseguir, me parece necessário estabelecer uma distinção.
— Que distinção?
— Começarei por colocar as faculdades numa classe especial. São elas poderes que existem em nós e em todas as outras coisas, e pelos quais fazemos o que fazemos. A vista e ao ouvido, por exemplo, eu chamaria faculdades, se bem entendes o que quero designar com este nome específico.
— Sim, entendo.
— Então deixa-me dizer-te como as encaro. Não posso vê-las, e portanto as diferenças de forma, cor e outras semelhantes que me permitem distinguir certas coisas entre si não se verificam nelas. Ao falar de uma faculdade considero apenas o seu âmbito e o seu resultado; e àquilo que tem o mesmo âmbito e o mesmo resultado chamo a mesma faculdade, mas ao que tem outro âmbito e outro resultado qualifico de diferente. E tu, não farias o mesmo?
— Exatamente assim — respondeu.
— Voltemos agora atrás, meu nobre amigo. Dirás que o saber é uma faculdade, ou em que classe o incluis?
— Indubitavelmente o saber é uma faculdade, e a mais poderosa de todas elas.
— E a opinião é também uma faculdade?

— Certamente; pois a opinião não é senão aquilo graças ao qual podemos opinar.

A diferença entre opinião e saber: uma erra, o outro é infalível

— Entretanto, há pouco reconhecias que saber e opinião não eram a mesma coisa.
— E como pode alguém que esteja em seu perfeito juízo confundir o que erra com o que não erra?
— Dizes muito bem — respondi. — Isto prova que percebemos uma diferença entre os dois.
— Sim.
— Cada uma dessas duas coisas relaciona-se, portanto, com algo diferente, pois têm diferente potência?
— Certo.
— E o saber relaciona-se com o que existe, para conhecer a natureza do ser?
— Sim.
— E a opinião, dizemos nós, é a faculdade de opinar?
— Sim.
— E sabemos o que opinamos? Em outras palavras, é o âmbito da opinião o mesmo que o do saber?
— Nunca — respondeu. — Isto já se acha refutado de antemão, pois que, se a diferença de faculdade implica uma diferença de âmbito e, como dizíamos, o saber e a opinião são faculdades distintas, conclui-se que o âmbito do cognoscível e o do opinável não podem coincidir.
— Portanto, se o cognoscível é o ser, o opinável não será o ser, mas outra coisa?
— Sim, outra.

A opinião também difere da ignorância, que não tem nenhum objeto

— Dar-se-á, então, o caso de que se opine sobre o que não existe? Ou melhor, como é possível haver opinião sobre o não existente?

Pondera bem isto: o que opina não tem opinião sobre alguma coisa? Ou é possível opinar sem ter opinião sobre nada?
— Impossível.
— Portanto, o que opina opina sobre alguma coisa?
— Sim.
— E o que não existe não é "alguma coisa", senão que com mais propriedade podemos chamar-lhe "nada"?
— É verdade.
— Ora bem: o que não existe tem como correlativo necessário a ignorância, e o que existe, o conhecimento?
— Exatamente — disse ele.
— Portanto, não se opina sobre o existente nem sobre o não existente?
— Não, decerto.

A opinião não se encontra fora ou além do conhecimento e da ignorância, mas entre as duas

— Segue-se daí que a opinião não é ignorância, nem tampouco conhecimento?
— Assim parece.
— Porventura estará ela à margem dessas duas coisas, superando o conhecimento em perspicácia ou a ignorância em obscuridade?
— Nem uma coisa nem outra.
— Talvez aches — disse eu — que a opinião é algo mais obscuro que o conhecimento, porém mais luminoso que a ignorância?
— E em grande medida — respondeu.
— Logo, está situada entre ambos?
— Sim.
— Será, pois, um termo médio entre um e a outra?
— Sem dúvida alguma.
— Mas não dizíamos antes que, se aparecesse alguma coisa tal que ao mesmo tempo existisse e não existisse, essa coisa devia estar na metade do caminho entre o ser puro e o absoluto não ser, e que a respeito dela não

haveria saber nem ignorância, mas algo que, por sua vez, deveria achar-se no intervalo entre ambos?
— É verdade.
— E o que se acha entre essas duas coisas não é o que chamamos opinião?
— Sim, é.
— Resta-nos, pois, investigar qual seja esse objeto que participa igualmente da natureza do ser e do não ser, e que não se pode designar apropriadamente como um nem como o outro. A esse termo desconhecido, quando o descobrirmos, chamaremos com toda a razão o opinável e o referiremos à faculdade que lhe corresponde... os extremos às faculdades dos extremos e o intermediário à faculdade do intermediário. Não é assim?
— Perfeitamente.

O caráter absoluto do uno e a relatividade do múltiplo

— Assentado tudo isto, tornarei a chamar, para que me responda, aquele cavalheiro em cuja opinião não existe o belo em si nem ideia alguma da beleza que se mantenha sempre idêntica a si mesma, mas tão somente uma multidão de coisas belas; aquele amador de espetáculos que não admite que ninguém lhe venha dizer que o belo é um, que o justo é um, ou que qualquer coisa seja uma. "Nosso distinto amigo", lhe diremos, "não há nesse grande número de coisas belas nada que se mostre feio? Nem no das justas nada de injusto? Nem no das puras nada de impuro?".
— Não — respondeu ele —, o belo sob algum ponto de vista se mostrará feio; e o mesmo sucede com as outras coisas que mencionaste.
— E as mesmas coisas que são dobros não podem ser também metades, quero dizer, dobro de uma coisa e metade de outra?
— Como não!
— E às coisas grandes e pequenas, leves e pesadas, caberão melhor as designações que lhes damos do que as contrárias?
— Não — disse ele —, cada uma delas participa sempre de ambas as qualidades.

— E cada uma dessas coisas será mais propriamente aquilo que se diz que é ou o que se diz que não é?

— Isto se parece — disse ele — com aqueles trocadilhos que se costuma fazer nos banquetes, ou com a charada infantil sobre o eunuco que atirou no morcego, em que se tem de adivinhar com que atira e sobre que atira;[9] porque estas coisas são também equívocas e não é possível fixar no conceito se cada uma delas é ou deixa de ser, nem se são ambas as coisas ou é nenhuma.

— Que farás, então, com elas? — perguntei. — Terás melhor lugar onde colocá-las do que entre o ser e o não ser? Porque é evidente que não se mostram mais obscuras do que o não ser para terem menos existência do que este, nem mais luminosas do que o ser para existirem mais do que ele.

— Isto é bem verdade.

— Acabamos de descobrir, segundo parece, que as múltiplas ideias da multidão a respeito do belo e das demais coisas revoluteiam na região intermediária entre o não ser e o ser puro.

— Descobrimo-lo, com efeito.

— Pois é; e antes tínhamos convindo em que, se encontrássemos qualquer coisa dessa espécie, deveríamos qualificá-la de opinável, porém não de cognoscível; e isso é o que, vagueando na zona intermediária, é captado pela faculdade intermediária.

A opinião é o conhecimento, não do absoluto, mas do múltiplo

— Assim conviemos.

— Portanto, dos que percebem muitas coisas belas, mas não veem o belo em si, nem podem seguir um guia que a este procure conduzi-los; que veem muitas coisas justas, porém não o justo em si, e tudo mais pela mesma forma, desses diremos que opinam sobre tudo, mas que não conhecem nada daquilo sobre que opinam.

— Assim tem de ser — concordou ele.

— E que diremos dos que contemplam cada coisa em si, sempre idêntica a si mesma? Não é verdade que esses conhecem e não opinam?

— É forçoso também que assim seja.

— Uns abraçam e amam os objetos de conhecimento e os outros, os de opinião? Estes últimos são os mesmos, como certamente te lembrarás, que se compraziam nas belas vozes e se recreavam com as formosas cores, mas que não toleravam a existência do belo em si.

— Sim, bem me lembro.

— Não cairemos, pois, em erro chamando-lhes amantes da opinião mais que filósofos ou amantes do saber. Crês que se zangarão muito conosco se falarmos assim?

— Não, por certo, se seguirem o meu conselho — respondeu —, pois não é razoável encolerizar-se por causa da verdade.

— Mas aqueles que amam a verdade em cada coisa devem ser chamados filósofos ou amantes do saber, e não da opinião?

— Seguramente.

Livro VI

— E assim, Gláucon — disse eu —, após uma longa argumentação divisamos finalmente o verdadeiro filósofo e o falso.
— Não creio — respondeu ele — que fosse possível encurtar o caminho.
— De fato, não parece. Seja como for, creio que poderíamos apreciar melhor a ambos se a discussão se limitasse a este assunto e não houvesse tantas outras questões à nossa espera, as quais não podem deixar de ser consideradas por quem deseja saber em que difere a vida justa da injusta.
— E a qual delas devemos atender agora? — perguntou.
— A qual há de ser, senão à que se segue na ordem? Visto que são filósofos os que podem alcançar o imutável e o eterno, e não o são os que andam a errar na região do múltiplo e do variável, qual dessas classes te parece que deve governar a cidade?
— Como poderemos responder com acerto a esta pergunta?
— Aqueles que mais capazes se mostrarem de guardar as leis e instituições de nossa cidade... esses serão os nossos guardiães.
— Muito bem.
— Tampouco — disse eu — é possível hesitar diante desta pergunta: o homem que deve guardar alguma coisa, convém que seja cego ou que tenha boa vista?
— Não há hesitação possível, com efeito.
— E não são simplesmente cegas as pessoas que carecem do conhecimento de todo ser e não têm em sua alma nenhum modelo claro nem podem, como os pintores, colocando diante dos olhos a imagem da verdade absoluta e voltando constantemente a ela a fim de examiná-la com a maior atenção, trasladar essa visão perfeita para o mundo das coisas múltiplas e introduzir ali, quando necessário, as normas do belo, do justo e do bom para guardá-las e preservá-las com o maior zelo?

— Na verdade — disse ele — não diferem muito dos cegos.

— E poremos a esses como guardiães dos que têm o conhecimento de cada ser, sem lhes ficar a dever nem em experiência nem em virtude alguma?

— Seria absurdo — respondeu — rejeitar os que se avantajam na maior de todas as qualidades; a esses cabe o primeiro lugar, a não ser que se mostrem inferiores sob algum ponto de vista.

— Tratemos, pois, de determinar até que ponto são capazes de unir a esta as outras excelências.

— Perfeitamente.

O filósofo é amante da verdade e de todo ser verdadeiro

— Em primeiro lugar, como dissemos no início desta discussão, é preciso conhecer-lhes a índole. Quando nos pusermos de acordo a esse respeito, reconheceremos, creio eu, que tal combinação de qualidades é possível e àqueles que as reúnem em si, e não a outros, devemos escolher como guardiães da cidade.

— Como?

— Suponhamos que as naturezas filosóficas sempre se apaixonem por aquela espécie de conhecimentos que lhes pode mostrar algo da essência eterna e não sujeita aos desvios da geração e da corrupção.

— De acordo.

— E convenhamos também — disse eu — em que não renunciam a nenhuma parte dela, seja grande ou pequena, valiosa ou insignificante, como já dissemos do enamorado e do ambicioso.

— Convenhamos.

— E, se hão de ser tais como os descrevemos, não é necessário que possuam outra qualidade?

— Qual?

— A veracidade: de caso pensado, jamais acolherão a mentira em suas mentes, pois a odeiam tanto quanto amam a verdade.

— É muito provável.

— Não só é provável, meu amigo, mas de toda necessidade; pois quem é por natureza enamorado não pode deixar de amar tudo que é próprio e conatural ao objeto amado.
— Exato — disse ele.
— E haverá coisa mais conatural à ciência do que a verdade?
— Como pode haver?
— Será, então, possível que tenham a mesma natureza o filósofo e o que ama a falsidade?
— De modo algum.
— É necessário, portanto, que o verdadeiro amante do saber aspire desde a sua juventude à verdade sobre todas as coisas.
— Por certo.
— Por outro lado, sabemos por experiência que quanto mais fortemente somos arrastados pelos desejos num sentido, mais fracos se mostram eles nos outros; é como uma corrente que fosse toda ela desviada para um canal.
— Como não?

Absorvido pelos prazeres da alma, o filósofo desdenha os do corpo

— Aquele cujos desejos o conduzem para o saber sob todas as suas formas se entregará inteiramente aos prazeres da alma e porá de lado os do corpo, se for filósofo verdadeiro e não fingido.
— Sem nenhuma dúvida.
— Tal homem será temperante e nada avaro de riquezas, pois não têm lugar em sua alma os motivos que levam os outros a desejar a posse daquelas, com seu cortejo de dispêndios.
— Dizes bem.
— Devemos examinar também outro critério pelo qual se aquilata a índole filosófica.
— Qual?
— Que não te passe despercebida nela nenhuma vileza, porquanto a mesquinhez de pensamento é o que há de mais incompatível com

a alma que tende constantemente para a totalidade e a universalidade do divino e do humano.

— Muito verdadeiro — disse ele.

Do alto de suas contemplações, não dá grande valor à vida humana

— Como pode, então, dar grande valor à vida humana aquele cuja elevação espiritual é capaz de contemplar todo tempo e toda essência?

— Não é possível.

— E poderá um homem assim considerar a morte como coisa temível?

— Em absoluto.

— Portanto, a natureza covarde e mesquinha não tem parte na verdadeira filosofia?

— Não creio.

— E que mais? O homem harmoniosamente constituído, que não é avaro nem mesquinho, vaidoso nem covarde, poderá jamais mostrar-se duro ou injusto em suas relações com os outros?

— Impossível.

Outras qualidades que distinguem o filósofo

— Assim, não te será difícil observar se um homem é justo e tratável ou insociável e agreste; esses são os sinais que distinguem desde a juventude a natureza filosófica da que não o é.

— Por certo.

— Mas há outra coisa que tampouco passarás por alto, segundo creio.

— Qual é ela?

— Se aprende com facilidade ou não: pois pode-se esperar que alguém ame aquilo que lhe pesa fazer e em que se adianta pouco e a duras penas?

— Não pode ser.

— E, por outro lado, se tem má memória e não retém nada do que aprende, não será como um vaso sem fundo?

— Como não?

— E, trabalhando em vão, não te parece que acabaria por odiar a si mesmo e aos seus infrutíferos esforços?

— Sem dúvida.

— Portanto, a alma esquecidiça não pode ser incluída entre as naturezas genuinamente filosóficas; é imprescindível que o filósofo tenha boa memória.

— Perfeitamente.

— E quanto à alma inarmônica e disforme, a outra coisa não pode conduzir senão ao descomedimento.

— Pois claro.

— E qual dos dois te parece ser conatural com a verdade, o descomedimento ou a moderação?

— A moderação.

— Procuremos, pois, uma mente que, além das outras qualidades, seja comedida e amável, e que tenda espontaneamente para a contemplação do ser em cada coisa.

— De acordo.

— E que mais? Acaso estas qualidades que estivemos enumerando não se implicam umas às outras, e não são todas necessárias à alma que há de alcançar um pleno e perfeito conhecimento do ser?

— Absolutamente necessárias — respondeu.

— Vês, então, algo que censurar num gênero de estudo que ninguém seria capaz de cultivar se não tivesse o dom da memória e se não fosse pronto no aprender, de espírito elevado, amável e amigo íntimo da verdade, da justiça, da coragem e da temperança?

— Nem o próprio Momo[10] — disse — acharia o que censurar num tal estudo.

— E quando esses homens chegassem à madurez pela idade e pela educação, não seriam eles os únicos a quem confiarias a direção da cidade?

Aqui se interpôs Adimanto, dizendo:

— Contra isso tudo que afirmas, ó Sócrates, ninguém pode levantar uma objeção; mas, quando falas desse modo, passa-se uma coisa curiosa com os que te ouvem: parece-lhes que a cada pergunta são desviados um pouco mais do caminho pela força da argumentação, devido à sua inexperiência em perguntar e responder; essas nonadas vão se acumulando, e no final da discussão o desvio assume proporções enormes, a tal ponto que suas ideias anteriores ficam viradas de pernas para o ar. E, assim como no jogo do gamão os que não têm prática terminam sendo bloqueados pelos mais hábeis e não sabem para onde se mover, também eles acabam por se verem cercados e não encontram mais o que objetar neste jogo que não é de pedras, mas de palavras, se bem que a verdade nada saia ganhando com isso. Esta minha observação é sugerida pelo caso presente: qualquer de nós dirá que, embora não possa enfrentar os teus sucessivos argumentos, nem

A objeção de Adimanto: a opinião comum considera os filósofos como seres estranhos, ou perversos, ou inúteis

por isso deixa de saber que na realidade os adeptos da filosofia, quando se consagram a ela não apenas na juventude, como parte de sua educação, mas continuam a praticá-la em seus anos de madurez, são pela maior parte uns seres estranhos, para não dizer perversos, e que os melhores dentre eles se tornam inúteis para o serviço das cidades ao passar pelo estudo que tanto exaltas.

— E pensas que os que afirmam tal coisa não dizem a verdade? — retruquei.

— Não sei — respondeu —, mas ouviria com prazer a tua opinião a esse respeito.

— Ei-la aqui, pois: a mim me parece que dizem a verdade.

— Como podes dizer, então, que as cidades não se livrarão de seus males enquanto não forem governadas pelos filósofos, que acabamos de reconhecer como inúteis para elas?

— Fazes uma pergunta — disse eu — a que terei de responder por meio de uma parábola.

— Sim, Sócrates; e não estás acostumado, imagino, a falar por parábolas!

— Percebo que te divertes à grande por me ver às voltas com uma questão tão árdua; mas ouve a parábola, e te divertirás ainda mais com a pobreza de minha imaginação. É tão ruim o trato que os homens mais judiciosos recebem de suas cidades que nenhuma outra criatura sofre coisa semelhante; por isso, a fim de fazer-lhes a defesa necessito recorrer à ficção, compondo uma figura com muitos elementos diversos, como os pintores ao pintar os fabulosos cervos-bodes e outros seres da mesma espécie. Imagina, pois, que num navio ou numa frota

A parábola do navio

existe um capitão mais corpulento e robusto que os seus comandados, mas um tanto surdo e curto de vista, e também não muito forte no que tange aos conhecimentos náuticos. Os marinheiros estão em disputa sobre o governo do navio, convencido cada qual de que tem direito a assumir o leme, sem jamais ter aprendido a arte de timoneiro nem poder indicar quem foi seu mestre ou a ocasião em que estudou; muito ao contrário, asseveram que isso não é matéria de estudo e, o que mais é, estão dispostos a fazer em pedaços quem quer que os contradiga. Esses sujeitos rodeiam o comandante, instando com ele e empenhando-se por todos os meios para que lhes entregue o timão; e sucede que, não logrando persuadi-lo e vendo que outros lhes são preferidos, dão morte a estes e os lançam pela borda, embotam os sentidos do honrado capitão com mandrágora, vinho ou qualquer outra coisa e se põem a mandar no navio, apoderando-se de tudo que nele existe. E assim, bebendo e banqueteando-se, prosseguem a viagem da maneira que seria de esperar num caso desses. Àquele que toma o seu partido e os ajuda a apoderar-se do comando pela persuasão ou pela força chamam-no homem do mar, bom piloto e entendido em náutica, ao mesmo tempo que tacham de inútil ao que não procede assim; e tampouco entendem que o bom piloto deve preocupar-se com o ano, a estação, o céu, os astros, os ventos e tudo mais que se relaciona com a arte se pretende realmente qualificar-se para a direção de um navio — e, estando verdadeiramente qualificado, ele é que tem de dirigi-lo, queiram os outros ou não. Nunca encararam a sério, como parte de sua profissão, essa possibilidade de unir na mesma pessoa a autoridade com a arte de marear. Ao suceder tais coisas num navio, não crês que o verdadeiro piloto será chamado um visionário, um charlatão e um inútil pelos marinheiros assim amotinados?

— Ah! sem dúvida — disse Adimanto.

— E por certo não precisas ouvir a interpretação da alegoria, que descreve o verdadeiro filósofo em sua relação com a cidade; pois já a entendeste muito bem.

— Sim, claro.

— E se apresentasses agora esta parábola àquele cavalheiro que se admirava de ver que os filósofos não recebiam nenhuma honra em suas cidades? Explica-lha e trata de convencê-lo de que seria muito mais extraordinário se a recebessem.

— Assim falei.

Os filósofos são inúteis porque a humanidade não quer servir-se deles

— Dize-lhe que tem toda a razão ao considerar inúteis para o resto da humanidade os melhores cultores da filosofia; mas não te esqueças de acrescentar que a culpa dessa inutilidade cabe aos que não querem servir-se deles, e não a eles próprios. Os pilotos não devem suplicar aos marinheiros que se deixem comandar por eles, pois essa não é a ordem natural das coisas; nem tampouco devem "os sábios pedir à porta dos ricos"... o engenhoso autor deste conceito não fez mais do que mentir... mas a verdade é que quando um homem está doente, seja rico, seja pobre, à porta do médico tem de ir bater, e quem necessita ser governado à de quem possa governá-lo; nem o governante que para alguma coisa sirva pedirá aos governados que se deixem governar. Não errarás, por outro lado, se comparares os que atualmente governam com os marinheiros de que falávamos há pouco, e aos que estes chamavam inúteis e papalvos, com os verdadeiros pilotos.

— Exatamente — disse ele.

— Portanto, e em tais condições, não é provável que o melhor gênero de vida seja tido em muita estima pelos que vivem da maneira contrária; não que a maior e mais forte injúria seja feita à filosofia pelos seus adversários, mas sim pelos que dizem praticá-la. A esses se refere o acusador de que falavas ao afirmar que a maior parte dos que a cultivam são uns perversos e os melhores dentre eles, uns inúteis, opinião que eu compartilho. Não é verdade?

— Sim.

— E a razão de serem inúteis os bons já foi explicada?

— Foi.

A corrupção da filosofia deve-se a muitas causas

— Queres que passemos a explicar agora quão inevitável é a corrupção da maioria e procuremos mostrar, se pudermos, que tampouco disso é culpada a filosofia?

— Certamente.

— Continuemos, pois, a perguntar e a responder por turnos, mas primeiro voltemos à descrição das qualidades inatas que deve forçosamente possuir aquele que há de ser homem de bem. A verdade, se bem te recordas, era a principal e primeira dessas qualidades, que ele deveria perseguir sempre e em todas as coisas; do contrário, seria um embusteiro que nada teria que ver com a verdadeira filosofia.

— De fato, assim dissemos.

— E não discrepa grandemente essa qualidade da ideia que em geral se faz dele?

— Sem dúvida.

— Mas não temos o direito de alegar em sua defesa que o verdadeiro amante do conhecimento é impelido pela sua própria índole a buscar constantemente o ser, e não se detém na multiplicidade das coisas, que é mera aparência, mas vai sempre adiante, sem fraquejar nem renunciar ao seu amor, até que alcance a conhecer a verdadeira natureza de cada essência?

Recapitulação das qualidades do verdadeiro filósofo

— A descrição não poderia ser mais justa — disse ele. — E que mais? Será próprio desse homem o amar a mentira ou, bem pelo contrário, odiá-la?

— O odiá-la.

— E, quando a verdade é quem comanda, não se pode esperar que venha seguida de um bando de vícios.

— Como é possível?

— Mas sim de um caráter são e justo, a que fará companhia também à temperança?

— É verdade — respondeu.

— Não há motivo, tampouco, para que eu desenrole novamente a lista das virtudes do filósofo, pois sem dúvida te lembras ainda de que a coragem, a magnificência, a facilidade de aprender e a memória se contavam entre os seus dotes naturais. E, como objetaste que, embora ninguém pudesse contestar o que eu disse então, se puséssemos de lado os argumentos e fixássemos a atenção nos seres de quem se fala veríamos que alguns deles são inúteis e a maior parte, completamente perversos, fomos levados a inquirir sobre os fundamentos de tais acusações e investigar por que a maior parte deles são maus; e por essa razão tivemos de estudar e definir novamente o caráter do verdadeiro filósofo.

— Assim foi, de fato — disse.

— A seguir teremos de considerar as causas de corrupção da natureza filosófica, por que tantas delas se deterioram e tão poucas escapam a essa corrupção (falo agora daqueles que dizes não serem maus, mas sim inúteis). Passaremos depois aos imitadores da filosofia e

Motivos pelos quais as naturezas filosóficas se corrompem com tanta facilidade

veremos que espécie de homens são esses que, aspirando a uma profissão superior às suas capacidades e da qual são indignos, praticam toda sorte de excessos e atraem sobre a filosofia e os filósofos essa reprovação universal a que te referes.

— E quais são essas causas de corrupção? — perguntou.
— Verei se tas posso explicar. Ninguém negará que uma natureza que possua em perfeito grau todas as qualidades que exigimos do filósofo é algo muito excepcional e raras vezes visto entre os homens.
— Muito raro, com efeito.
— E quantas e quão poderosas são as causas que tendem a corromper esses poucos!
— Quais são elas, então?
— Em primeiro lugar, suas próprias virtudes: a coragem, a temperança e o resto, pois cada uma dessas qualidades tão dignas de louvor perverte a alma que a possui e a afasta da filosofia.
— É muito estranho o que dizes!
— Além disso, também a pervertem e desviam todos os bens ordinários da vida: a beleza, a riqueza, a força corporal, os parentescos, as relações no mundo da política. Já deves ter entendido a que me refiro.
— Entendo — concordou. — Mas gostaria que me desses mais detalhes.
— Trata de aprender a verdade em conjunto e de maneira correta; então perceberás com clareza e já não te parecerá estranho o que acabamos de dizer.
— E como o farei? — perguntou.
— Sabemos — disse eu — que os mais fortes dentre os germes ou seres vivos, quer vegetais, quer animais, quando não encontram o alimento, o clima ou o solo que convém ao seu vigor, são os que mais se ressentem dessa falta de condições adequadas; pois o mau, segundo creio, é maior inimigo do bom que do seu contrário.
— Como podia ser de outro modo?
— Há razão para supor que as naturezas mais perfeitas, quando em condições adversas, sofrem maior dano que as de baixa qualidade, pois o contraste é grande no caso daquelas.
— Assim é.
— Não diremos pois, Adimanto, que as almas melhor dotadas se tornam particularmente más quando recebem má educação? Porventura os grandes crimes e a maldade refinada brotam de alguma inferioridade e não da plenitude de uma natureza corrompida pela educação

que recebeu? As almas fracas nunca serão capazes de grandes ações, quer no bem, quer no mal.

— Parece-me que aí tens toda a razão.

— E o nosso filósofo enquadra-se nesta analogia: é como uma planta que, recebendo alimento adequado, deve necessariamente desenvolver-se e produzir todo gênero de virtudes; mas, quando é semeada e cria raízes em solo impróprio, converte-se na mais daninha de todas as ervas daninhas, a menos que a preserve algum poder divino. Acreditas realmente que, como diz o vulgo, a nossa juventude seja corrompida pelos sofistas ou que os mestres particulares dessa arte lhe causem algum dano digno de menção? Não serão os que dizem tais coisas os maiores de todos os sofistas? E não sabem eles perfeitamente como educar tanto jovens como velhos, tanto homens como mulheres, moldando-lhes a alma a seu contento?

— Quando é que o fazem? — perguntou.

— Quando se reúnem em grande número e se sentam todos juntos nas assembleias, nos tribunais, nos teatros, nos acampamentos e outros lugares públicos, e com grande vozerio ora censuram, ora louvam as coisas que se dizem ou fazem, exagerando sempre, aos berros e aplausos, de tal maneira que as pedras em redor e todo o ambiente retumbam, redobrando o estrépito das censuras e dos louvores. Ao ver-se um moço em tal situação, qual será o seu estado de ânimo? Haverá educação privada que o capacite a resistir à torrente avassaladora da opinião popular, ou se deixará arrastar por ela? Não terá sobre o bem e o mal as mesmas ideias que o público em geral e não se comportará como este, não será exatamente como esse é?

— Sim, Sócrates, a necessidade o forçará a isso.

— E no entanto há uma força ainda maior, que não mencionamos.

— Qual é ela?

— A coação material de que lançam mão esses novos sofistas e educadores quando não conseguem persuadir com palavras. Ou não sabes que costumam punir com privações de direitos, confiscações e condenações à morte a quem não lhes obedece?

— Muito bem o sei — respondeu ele.

— Pois bem: que outro sofista ou qualquer particular poderá fazer prevalecer sua opinião contra eles?

— Creio que ninguém.

— Não, com efeito — disse eu —, e só o tentar tal coisa já seria grande loucura. Porque não existe, nunca existiu e certamente não existirá jamais qualquer tipo diferente de caráter no que toca à virtude e que tenha sido formado por uma educação oposta à que se recebe da opinião pública. Falo tão somente da virtude humana, meu querido amigo; pois ao que é mais que humano, de acordo com o provérbio, cumpre deixá-lo de parte. Por certo não ignoras que, dentro da má organização política atual, se alguma coisa se salva e é tal como devia ser, só pode resultar de uma intervenção divina. Isso podemos afirmar sem medo de errar.

— Concordo inteiramente contigo — disse ele.

— Pois aqui tens outro ponto em que deverás assentir.

— Qual?

— Que todos esses indivíduos mercenários a quem a multidão chama sofistas e considera como seus adversários outra coisa não ensinam senão o que o vulgo expressa em suas reuniões; e é a isso que chamam ciência. Poderia compará-los a um homem que estudasse os

O povo comparado a uma grã-besta

instintos e humores de algum grande e possante animal confiado à sua guarda, sabendo por que lado deve aproximar-se dele e onde tocá-lo, em que ocasiões e por que motivos se torna mais perigoso ou mais manso, que significam as suas diversas vozes e quais são as que o apaziguam ou irritam quando proferidas por um outro; e, tendo aprendido tudo isso mercê de longos anos de experiência e trato com ele, considerasse tais coisas como uma ciência e formasse uma espécie de sistema que passaria a ensinar, ignorando em que consistem realmente as tendências e os apetites de que fala e chamando honroso a isto e desonroso àquilo, ou bom e mau, ou justo e injusto, tudo de acordo com os gostos e disposições da grã-besta. Bom, para ele, é o que agrada a esta, e mau o que lhe desagrada, sem poder dar outras explicações acerca de tais termos e chamando, ademais, justo e belo ao necessário, quando jamais compreendeu nem pode explicar a outrem as naturezas do necessário e do belo e a enorme diferença que os separa. Não te parece, por Zeus, que tal homem seria um singular educador?

— Seria, pois não!

Quem se associa ao povo terá de acomodar-se aos seus gostos e de produzir apenas o que lhe agrada

— E em que difere deste o que julga consistir a ciência no conhecimento dos gostos e disposições da turba heterogênea, quer na pintura ou na música, quer na política? Pois, quando alguém recorre ao vulgo e submete ao seu juízo um poema, uma obra de arte ou um serviço que tenha prestado à cidade, fazendo-se, assim, mais dependente dele do que seria necessário, a chamada necessidade de Diômedes[11] o obrigará a fazer o que o vulgo costuma louvar. E as razões com que procuram corroborar suas ideias a respeito do bom e do belo são perfeitamente ridículas. Ouviste jamais alguma delas que não o fosse?

— Não, nem espero ouvir um dia.

— Reconheces a verdade do que digo? Então te pedirei que consideres ainda mais esta questão: há algum meio de fazer admitir ao vulgo que existe o belo em si, mas não a multiplicidade de coisas belas, e cada coisa em si, porém não a multiplicidade de coisas particulares?

— Impossível — disse ele.

— Então — tornei — é impossível que o vulgo seja filósofo.

— Com efeito.

— Portanto, é forçoso que os filósofos sejam vituperados por ele.

— Sim, é forçoso.

— E também por esses indivíduos que convivem com a multidão e desejam agradar-lhe.

— Evidentemente.

— Que meio descobres, então, de fazer com que a natureza filosófica persevere até o fim no seu mister? Lembra-te do que dizíamos antes: não deixamos estabelecido que a facilidade para aprender, a memória, a coragem e a magnanimidade eram próprias dessa natureza?

— Sim.

— Pois bem: um ser assim não se distinguirá entre todos, já desde criança, sobretudo se os seus dotes físicos igualarem as suas qualidades mentais?
— Como não?

O jovem dotado de grandes qualidades físicas e mentais é facilmente desviado da filosofia

— E, quando ficar maior, imagino que seus parentes e concidadãos queiram servir-se dele para seus próprios fins?
— Sem dúvida.
— Caindo aos seus pés, o suplicarão e adularão, porque desejam ter desde já em suas mãos o poder que ele há de exercer um dia.
— Pelo menos, assim acontece comumente — disse ele.
— E que pensas que fará um homem como esse em tais circunstâncias, especialmente se pertencer a uma grande cidade, se for rico e de nobre linhagem, e ademais belo e de alta estatura? Não se encherá de ilimitadas ambições, crendo-se capaz de governar helenos e bárbaros, e, com tais ideias na mente, não se porá a voar nas alturas, cheio de presunção e insensata vanglória?
— Indubitavelmente.
— E, sendo esse o seu estado de espírito, se alguém for ter com ele e lhe disser tranquilamente a verdade, isto é: que o nosso jovem é um tolo e precisa criar juízo, e que isso não se pode fazer sem dedicar-se de corpo e alma à tarefa de consegui-lo, acreditas que em tais circunstâncias será fácil induzi-lo a escutar?
— Bem longe disso.
— E, ainda que, levado por sua boa índole e sensatez natural, atenda em parte a essas palavras e se deixe influir e cativar pela filosofia, que julgas que farão seus amigos ao verem que correm perigo de perder as vantagens decorrentes dessa amizade? Não se valerão de todos os recursos possíveis e toda sorte de persuasões para impedir que ele se deixe guiar pelo seu bem natural e reduzir seu mestre à impotência mediante intrigas privadas e processos públicos?
— Não há dúvida de que o farão — disse ele.

— Como é possível, então, que uma tal pessoa chegue a ser um filósofo?

— Impossível!

— Vês, portanto — disse eu —, que não nos faltava razão quando dissemos que as próprias qualidades que fazem os filósofos podem, uma vez submetido o jovem aos efeitos de uma má educação, desviá-lo da filosofia não menos que a riqueza e as demais coisas que passam por ser os bens desta vida.

— Com muita razão se disse isto.

— E é assim, meu admirável amigo, que são pervertidas e incapacitadas para o mais excelente dos misteres as melhores naturezas, que já de si são poucas, como dissemos. É dessa classe que saem os causadores dos maiores males, tanto para a cidade como para os indivíduos; e igualmente dos maiores bens, quando por acaso a corrente os leva nessa direção; mas um espírito mesquinho jamais fez qualquer coisa de grande, quer à cidade, quer a indivíduos.

— Dizes uma grande verdade — concordou ele.

— De modo que esses, os mais obrigados por sua afinidade, se afastam da filosofia e a deixam solitária e inupta; e, enquanto eles levam uma vida falsa e condenável, aquela é assaltada, como uma órfã desvalida, por indivíduos indignos que a desonram e atraem sobre ela censuras como as que mencionaste: que, entre os seus adeptos, uns não servem para nada e o maior número merece o mais severo dos castigos.

— É, sem dúvida alguma, o que diz o povo — observou Adimanto.

A atração que a filosofia exerce sobre o vulgo

— E com razão — respondi. — Não se pode esperar outra coisa quando se pensa nas pessoas de pouco mais ou menos que, vendo abandonada a praça e repleta de belas frases e aparências, se atiram a ela como prisioneiros, escapados do cárcere e buscando refúgio em algum santuário; e passam de seus ofícios à filosofia os que se revelam mais habilidosos em suas modestas ocupações. Pois, apesar da lamentável condição da filosofia, ainda conserva um prestígio superior ao de todas as outras artes, e para ela são atraídas muitas naturezas imperfeitas, que têm tão truncadas e embotadas as almas quão deformados os corpos pelos seus ofícios manuais. Não é inevitável que assim aconteça?

— Perfeitamente.

— E um homem desses não se parece com um caldeireiro calvo e atarracado que, tendo saído recentemente da prisão e herdado uma pequena fortuna, se lava, põe um manto novo e enfeita-se como um noivo para casar com a filha do patrão, porque esta ficou pobre e abandonada?

— A comparação é muito exata.

— E qual será o fruto de um tal casamento? Não será degenerado e vil?

— Não se pode duvidar disso.

— E quando pessoas indignas de educação se acercam da filosofia e a frequentam ilicitamente, que pensamentos e opiniões poderão engendrar? Não serão tais que mereçam o nome de sofismas, sedutores ao ouvido, mas sem ter nada de genuíno nem qualquer coisa que ver com a verdadeira sabedoria?

— É claro — disse ele.

Os verdadeiros filósofos, cujo número é extremamente reduzido, sentem-se incapazes de fazer frente à loucura da multidão e buscam refúgio no isolamento

— Não resta pois, ó Adimanto, senão um número reduzidíssimo de pessoas dignas de tratar com a filosofia; talvez algum caráter nobre e bem-educado, isolado pelo desterro, que lhe tenha permanecido fiel devido à ausência de influências corruptoras; ou uma alma grande, nascida numa comunidade mesquinha, que considere desprezível a política de sua cidade e dela se afaste; e também pode haver uns poucos seres bem-dotados que busquem a filosofia, movidos por um justificado desdém aos seus ofícios. A outros poderá deter, talvez, o freio de nosso amigo Teages; pois tudo, na sua vida, conspirava para desviá-lo da filosofia, mas a má saúde não permitiu que se dedicasse à política. E não vale a pena falar do meu caso pessoal, porque raríssimas vezes ou nenhuma se manifestou a alguém, antes de mim, este demônio monitor.

Os que pertencem a este pequeno grupo e provaram a doçura e a felicidade de um bem semelhante veem com suficiente clareza a loucura da multidão e sabem, por outro lado, que nenhum político é honesto, nem existe qualquer campeão da justiça a cujo lado possam lutar e ser salvos. E como alguém que tivesse caído entre animais ferozes e não quisesse participar de suas malfeitorias nem tampouco fosse capaz de resistir aos furores de todos eles; percebendo que se expõe a morrer antes de haver prestado qualquer serviço à cidade ou a seus amigos, com morte inútil para si mesmo e para os demais, resolve calar-se e tratar exclusivamente de seus assuntos. Podemos compará-lo também a um homem que, surpreendido por um temporal, se arrima a um muro para resguardar-se da chuva e da poeirada arrastada pelo vento; e, vendo reinar por toda parte a iniquidade, dá-se por muito feliz se puder ele passar livre de impiedade e injustiça sua vida aqui embaixo e sair dela tranquilo e alegre, cheio de belas esperanças.

— Pois — disse Adimanto — não será pequeno o trabalho que terá realizado antes de deixar este mundo.

— Um trabalho considerável, sim — tornei eu —, porém não o maior, a menos que encontre um sistema político adequado; porque em tal sistema ele poderia crescer muito mais e tornar-se o salvador tanto de si mesmo como da comunidade. Bem, já explicamos suficientemente as causas de ser tão atacada a filosofia e mostramos a injustiça das acusações que se lhe fazem; desejas ainda acrescentar alguma coisa?

— Acerca deste assunto nada mais tenho a dizer — respondeu —, mas desejo saber qual dos governos atuais consideras adequado à filosofia.

Nenhum regime político existente é adequado à filosofia

— Nenhum em absoluto; e é precisamente do que me queixo: nenhum deles é digno da natureza filosófica, e por isso se altera ela e se deforma. Como sói acontecer com uma semente exótica que, plantada em solo estranho, se deixa vencer por este e degenera, adaptando-se à variedade indígena, também o caráter filosófico, nas condições atuais, perde a sua força peculiar e se transforma em algo diferente. Mas, se encontrar um sistema político de excelência igual à sua, então é que demonstrará ser de natureza realmente divina, ao passo que em todas as demais coisas, quer naturezas de homens, quer instituições, nada há que não seja simplesmente humano. Sei agora qual será tua próxima pergunta: desejarás saber que sistema político é esse.

— Não acertaste — disse ele. — Não ia perguntar isso, mas se é o sistema que descrevemos e fundamos, ou algum outro.

— É o mesmo — respondi —, exceto numa coisa: se bem te lembras, dissemos ser necessário que houvesse sempre no Estado uma autoridade cujas ideias sobre o governo fossem as mesmas que te inspiraram quando estabeleceste as leis.

Mesmo na cidade ideal faz-se mister uma autoridade viva para manter as leis que presidiram à sua fundação

— Assim se disse, com efeito.

— Mas não ficou suficientemente claro — volvi eu —, vós me assustastes levantando objeções, o que fazia prever que a discussão seria longa e difícil; e o que ainda resta não é nada fácil de explicar.

— Que é que resta ainda?

— A questão de como se deve organizar o estudo da filosofia para que a cidade não venha a perecer. Porque todas as grandes empresas são perigosas e na verdade "o belo é difícil", como se costuma dizer.

— Não obstante — disse ele —, é preciso aclarar este ponto para que se complete a demonstração.

— Se algo me impedir de fazê-lo — respondi —, não será a falta de vontade, e sim de poder. Tu mesmo serás testemunha de meu zelo; observa, pois, com que veemência e temeridade direi agora que a cidade deve adotar com respeito a esse estudo uma conduta inteiramente oposta à que tem seguido até hoje.

— Como?

Atualmente, o estudo da filosofia é superficial

— Atualmente — disse eu — os que se dedicam a ela são mocinhos recém-saídos da meninice, que a abandonam para pôr casa e ocupar-se com seus negócios assim que se lhes depara a parte mais difícil da filosofia... isto é, a dialética. Mas isso já é suficiente para que sejam tidos na conta de filósofos consumados. A partir de então, julgam fazer grande coisa quando atendem a um convite para ouvir alguém que cultive o assunto, pois o consideram uma coisa inteiramente acessória em suas existências. E, ao chegarem à velhice, na maioria dos casos se apagam de maneira mais completa que o Sol de Heráclito,[12] pois não tornam a acender-se de novo.

— Que seria preciso fazer, então?

— Exatamente o contrário. Quando são meninos e mocinhos, devem receber uma educação apropriada à sua idade; durante esse período de crescimento têm de ocupar-se sobretudo com seus corpos, para que lhes sejam prestantes mais tarde no serviço da filosofia. À medida que a vida for avançando e o intelecto começar a amadurecer, intensificarão pouco a pouco a ginástica da alma; mas quando, por efeito da idade, lhes vierem a faltar as forças e se virem afastados da política e do serviço militar, será preciso deixar que pastem em liberdade, sem dedicar-se a nenhum trabalho sério; pois queremos que vivam felizes aqui e coroem sua existência com um destino semelhante no outro mundo.

— Na verdade, Sócrates, falas com grande veemência! — disse Adimanto. — Todavia, creio que a maior parte dos que te escutam, começando por Trasímaco, te contradirá com mais veemência ainda e não se convencerá de modo algum.

— Não procures indispor-me com Trasímaco, de quem há pouco me fiz amigo, sem que, aliás, tenhamos sido jamais inimigos. Pois não pouparei esforços enquanto não tiver convertido tanto ele como outros, ou pelo menos feito alguma coisa que lhes possa ser proveitosa no dia em que, tendo nascido para outra vida, tomem parte ali em discussões como esta.

— Falas de um tempo que não está muito próximo — observou ele.

— Dize, antes, de um tempo que nada é em comparação com a eternidade. Todavia, não me admira que o vulgo se recuse a acreditar; pois nunca viu realizado o que dissemos, nem jamais ouviu outra coisa que não fosse uma imitação convencional da filosofia, isto é: palavras ligadas entre si artificialmente e desprovidas da unidade que têm as nossas. Mas quanto a homens cujos atos e palavras estejam, dentro do possível, na mais perfeita consonância e correspondência com a virtude, e que governem numa cidade de índole semelhante... desses jamais viram nem poucos nem muitos. Ou pensas de outro modo?

— Em absoluto!

— Não, meu afortunado amigo; e raramente ou nunca ouvem discussões belas e nobres em que se busque denodadamente e por todos os meios a verdade, sem outro interesse que ela mesma, virando as costas às sutilezas da controvérsia, que outra coisa não visam senão causar efeito e promover discórdia nos tribunais e reuniões privadas.

— Discussões como essas lhes são desconhecidas, por certo.

— E foi justamente o que previmos, e esta a razão por que a verdade nos levou a afirmar, não sem um certo medo e hesitação, que jamais haverá cidade ou governo perfeitos, nem tampouco indivíduos que o sejam, até que, por alguma imposição do destino, essa pequena classe de filósofos que qualificamos de inúteis, porém não de corruptos, sejam forçados a ocupar-se com os assuntos da cidade e que esta tenha de submeter-se a eles; ou até que, por obra de alguma inspiração divina, um verdadeiro amor à filosofia se apodere dos atuais reis e governantes ou, se não deles, pelo menos de seus filhos. Que uma dessas duas alternativas ou ambas sejam irrealizáveis, não vejo motivo para afirmá-lo; se o fossem, poderíamos com justiça ser apontados ao ridículo como sonhadores e visionários. Não achas que tenho razão?

— Toda a razão.

Algures e em alguma ocasião pode ter havido ou haverá no futuro um filósofo que governe ou tenha governado uma cidade

— Mas, se nas incontáveis eras do passado, ou atualmente, nalguma terra estrangeira e distante a que não alcance a nossa vista, um filósofo provecto foi, é ou virá a ser compelido por uma necessidade superior a ocupar-se com a política, estaremos dispostos a sustentar que existiu, existe ou existirá um sistema de governo como o que descrevemos, sempre que a Musa da filosofia empunhar o cetro. Não há em tudo isso impossibilidade alguma; que é difícil, nós próprios o reconhecemos.

— Também eu sou da mesma opinião — disse ele.
— Queres dizer que essa não é a opinião do vulgo? — perguntei.
— Talvez não seja — respondeu.
— Ó meu querido amigo! — disse eu. — Não censures de tal modo a multidão; ela mudará de pensar se, em vez de procurar disputa, a aconselhares e tratares de desfazer seus preconceitos contra o amor à sabedoria, mostrando-lhe a que filósofos te referes e definindo, como há pouco, sua natureza e profissão. A humanidade verá então que o homem de que falas não é o que ela supunha e, encarando-o a essa nova luz, por certo mudará de opinião sobre ele e responderá de modo diferente. Que homem de natural manso e nada invejoso poderá mostrar-se violento para com aquele que não o é e invejar o que não conhece inveja? Permite que me antecipe às tuas objeções, dizendo que um caráter tão intratável pode encontrar-se em alguns poucos indivíduos, porém jamais numa multidão.

— Fica tranquilo: concordo inteiramente contigo.
— E não pensarás também, como eu, que a culpa dessa animosidade que o vulgo mostra para com a filosofia cabe àqueles intrusos que a invadem sem ser convidados, para insultar-se e inimizar-se mutuamente, e em seus discursos não tratam de outra coisa que não sejam questões pessoais, comportando-se assim da maneira menos própria de um filósofo?

— Como não? — disse ele.

O verdadeiro filósofo, tendo o olhar fixo em princípios imutáveis, moldará a cidade de acordo com a imagem divina

— Com efeito, Adimanto, aquele cujo espírito está ocupado com o verdadeiro ser não tem tempo para entreter-se com as ações dos homens nem para pôr-se, cheio de inveja e malquerença, a contender com eles. Como traz o olhar constantemente posto em coisas fixas e imutáveis, que não fazem dano nem o recebem umas das outras, mas obedecem em tudo a uma ordem racional, ele as imita e a esse modelo se conforma na medida do possível. Pode um homem deixar de imitar aquilo com que convive e que é objeto de sua admiração?

— Não pode, está claro.

— E assim, convivendo com o divino e ordenado, o filósofo se faz tão ordenado e divino quanto o pode comportar a natureza humana; ainda que, como qualquer outro, esteja exposto aos dardos da calúnia.

— Naturalmente.

— Pois bem: se alguma necessidade o leva a tentar moldar, não já a si mesmo, mas à natureza humana em geral, quer em cidades, quer em indivíduos, de acordo com o que vê lá em cima, acreditas que se possa revelar um artífice incompetente da justiça, da temperança e de toda classe de virtudes cívicas?

— De modo algum — disse ele.

— E se o povo se dá conta de que dizíamos a verdade com respeito a ele, crês que se irritará contra a filosofia e desconfiará de nós quando dizemos que nenhuma cidade pode ser feliz se suas linhas gerais não forem traçadas por um artista que copie o modelo divino?

— Não se irritarão se compreenderem — respondeu. — Mas que linhas gerais são essas de que falas?

Começará por uma tábua rasa, na qual inscreverá suas leis

— Começarão por pegar a cidade e os caracteres dos homens, como quem pega uma tabuinha de escrever, e tratarão de limpá-la, o que não é muito fácil. Mas, como quer que seja, nisto reside a diferença entre eles e os outros legisladores: não consentirão em tocar sequer na cidade ou em qualquer indivíduo, e muito menos em traçar suas leis, enquanto não a tiverem recebido limpa ou a tenham limpado eles próprios.

— E farão muito bem — disse Adimanto.

— Feito isso, passarão a esboçar o plano geral de governo, não é verdade?

— Perfeitamente.

— E, à medida que progredir o seu trabalho, imagino que volverão frequentemente os olhos para cima e para baixo: quero dizer que considerarão primeiro o modelo da justiça, da beleza e da temperança absolutas, e depois a cópia humana, misturando e combinando os vários elementos da vida na imagem de um homem; e isso farão de acordo com aquela outra imagem que, quando encontrada entre os mortais, Homero qualifica de divina e semelhante aos deuses.

— Muito bem — disse ele.

— E irão apagando e tornando a pintar cada detalhe, até que tenham conseguido tornar os caracteres humanos tão agradáveis aos deuses quanto é possível.

— Não haverá pintura mais bela do que essa — observou.

Os inimigos da filosofia se reconciliarão com ela

— E agora, não achas que conseguiremos persuadir aqueles que, segundo disseste, avançavam contra nós dispostos a tudo, demonstrando-lhes que esse pintor de governos outro não é senão o mesmo homem cujo elogio lhes fazíamos antes e por causa do qual se indignaram ao ver que queríamos entregar-lhe as cidades? Já se não terão acalmado um pouco com o que acabam de ouvir?

— Bastante — respondeu ele —, se é que têm bom senso.

— Pois que motivo terão ainda para objetar? Negarão que os filósofos sejam amantes do ser e da verdade?

— Seria absurdo negá-lo.

— Ou que a sua natureza, tal como a descrevemos, seja afim com tudo que há de mais excelente?

— Tampouco isso.

— E que mais? Dirão que uma natureza assim, colocada em circunstâncias favoráveis, não será boa e sábia como a que mais o é? Ou ainda preferirão aqueles que rejeitamos?

— Não, por certo.

— Porventura se irritarão ainda quando dissermos que não cessarão os males da cidade e dos cidadãos, nem se verá convertido em realidade o sistema que construímos em imaginação enquanto a classe dos filósofos não assumir as rédeas do governo?

— Talvez se irritem menos — disse ele.

— Em vez de "menos irritados", não será mais certo dizer perfeitamente convencidos e amansados, pois a vergonha, quando não outra coisa, os fará entrar na razão?

— De fato.

— Pois bem, suponhamos que a reconciliação esteja feita. Haverá alguém que negue o outro ponto, isto é, que alguns descendentes de reis ou governantes podem ser filósofos por natureza?

— Ninguém, por certo.

— E afirmará alguém que é absolutamente fatal que se pervertam os que reúnem tais condições? Que é difícil que se salvem, nós mesmos o admitimos. Mas que nunca, em tempo algum, poderá salvar-se um só dentre eles, haverá quem o sustente?

— Quem se atreveria a isso?

— Pois bem — disse eu —, bastaria que houvesse um só e que a este obedecesse a cidade, para que fosse capaz de realizar tudo quanto agora se põe em dúvida.

— Sim, um só seria bastante.

— E se houver um governante que estabeleça as leis e instituições que estivemos descrevendo, não será impossível que os cidadãos consintam em observá-las.

— De modo algum.

— E haverá algum milagre ou impossibilidade em que outros também aprovem o que nós outros aprovamos?

— Não creio — disse ele.

— Mas já demonstramos suficientemente, na parte anterior, que nosso plano era o melhor, contanto que fosse realizável?

— Demonstramos, sim.

— E agora vemos, segundo parece, que nossas leis serão as melhores se forem exequíveis e que, embora seja difícil pô-las em prática, não é de modo algum impossível.

— Muito bem.

— E assim, com grande trabalho, chegamos ao fim deste assunto; mas ainda falta discutir a maneira de obtermos pessoas que salvaguardem o Estado: os estudos e exercícios com que se formarão e as diferentes idades em que se aplicarão a cada um deles.

— É verdade — disse ele.

— Passei por alto as espinhosas questões da posse das mulheres, da procriação dos filhos e da designação dos governantes porque sabia que o sistema de governo perfeito, além de ser difícil de realizar, não era imune às críticas; mas de nada me serviu a habilidade com que afastei esses assuntos, pois tive de discuti-los assim mesmo. Quanto às mulheres e crianças, já me livrei delas, mas o problema dos governantes terá agora de ser investigado a partir do começo. Dizíamos, se te recordas, que era preciso que fossem amantes de sua cidade, tendo passado pelas provas do prazer e da dor, e que não houvesse trabalho, nem perigo, nem qualquer outra vicissitude capaz de fazer-lhes perder o seu patriotismo. O que fracassasse seria excluído, mas ao que saísse de todas essas provas tão puro como o ouro afinado ao crisol cumpria colocar no governo e conceder-lhe honras e recompensas tanto em vida como depois da morte. Tais foram, pouco mais ou menos, os termos evasivos e encobertos de que usou a argumentação, porque temia revolver o que agora temos diante de nós.

— Sim, lembro-me perfeitamente.

— Com efeito — disse eu —, não me atrevia a falar com tanta coragem como fiz há pouco; mas não receemos afirmá-lo agora: o guardião perfeito deve ser um filósofo.

— Pois fique afirmado.

— E não esperes que haja muito deles, pois os dotes que consideramos essenciais raramente se encontram unidos no mesmo indivíduo; em geral essa natureza aparece, por assim dizer, retalhada.

— Que queres dizer com isso? — perguntou.

— Já sabes que quem reúne facilidade para aprender, memória, sagacidade, vivacidade e outros dotes semelhantes não costuma possuir ao mesmo tempo a nobreza e a magnanimidade

O contraste entre a vivacidade e a firmeza de caráter

necessárias para que uma pessoa se resigne a viver uma vida ordenada, tranquila e segura; tais indivíduos se deixam arrastar em todas as direções pelos seus impulsos e não há neles nenhuma solidez.

— Isto é muito verdadeiro — disse Adimanto.

— Por outro lado, os caracteres firmes e constantes, em quem mais podemos confiar, e que se mantêm inabaláveis em meio aos perigos da guerra, não se mostram menos apáticos no que toca aos estudos; são pesados e lerdos para aprender, vivem como amodorrados e adormecem ou bocejam constantemente quando são forçados a empreender algum trabalho intelectual.

— Tens razão.

É necessário unir essas qualidades

— E no entanto dissemos que ambas as qualidades eram necessárias àqueles que haveriam de receber a mais completa educação e a quem seriam conferidos cargos públicos e magistraturas.

— Exato.

— E não será difícil encontrar uma tal combinação?

— Muito difícil, com efeito.

— Então o aspirante deve ser posto à prova não apenas por meio de todos os trabalhos, perigos e prazeres que antes mencionamos, mas há ainda outra espécie de teste que omitimos naquela ocasião: é preciso

O futuro guardião deve ser posto à prova em muitas espécies de conhecimentos

fazer com que se exercite em muitas disciplinas, para ver se é capaz de suportar a maior de todas elas, ou se fraquejará como os que fraquejam em outras coisas.

— Convém fazê-lo, sim — disse Adimanto. — Mas qual é essa maior de todas as disciplinas a que te referes?

— Deves lembrar-te que dividimos a alma em três partes e distinguimos as diversas naturezas de justiça, temperança, coragem e sabedoria.

— Se tivesse esquecido — respondeu ele —, não mereceria ouvir mais.

— E te recordas do que dissemos antes disso?

— Que foi mesmo?

A exposição abreviada da educação, que se fez anteriormente, é inadequada

— Dizíamos, se não me engano, que quem quisesse conhecer com a maior exatidão possível essas qualidades teria de fazer um grande rodeio, ao termo do qual as perceberia com toda a clareza; mas que podíamos adotar uma demonstração simplificada, em concordância com o resto da discussão. Como vós outros dissestes que vos contentaríeis com isso, a investigação prosseguiu, de uma maneira, a meu ver, bastante inexata. É a vós que cabe dizer se estais satisfeitos ou não.

— Sim, tanto para mim como para os outros encheste as medidas.

— Mas, meu caro amigo — disse eu —, em matéria tão importante uma medida que se afaste da verdade, por pouco que seja, não pode ser considerada como tal; pois o que é imperfeito não pode ser medida de coisa alguma, embora haja pessoas que com demasiada facilidade se dão por satisfeitas e julgam desnecessário prosseguir na investigação.

— De fato — respondeu ele —, muitos procedem assim por indolência.

— Pois aí está um erro em que menos que qualquer outro deverá cair o guardião da cidade e das leis.

— Naturalmente.

— De modo, meu caro, que o futuro guardião deve seguir o caminho mais longo e não se afanar menos em sua instrução que nos restantes exercícios. Do contrário nunca chegará a dominar o mais sublime dos conhecimentos, o qual, como dizíamos há pouco, é o que melhor lhe quadra.

— Como? — disse ele. — Há um conhecimento ainda mais alto que o da justiça e das outras virtudes?

— Há, sim — respondi. — E não só existe tal conhecimento, mas,

O guardião deve seguir o caminho mais longo do conhecimento superior, que conduz finalmente à ideia do bem

no tocante a essas mesmas virtudes, não basta traçar delas um simples esboço, como até agora. Não se deve renunciar a contemplar a obra em toda a sua perfeição. É absurdo, com efeito, que enquanto se envidam toda sorte de esforços para dar a coisas de pouca importância toda a clareza e precisão possíveis não se considerem dignas do mais alto grau de exatidão as mais altas verdades.

— Tens razão: mas pensas que te deixaremos prosseguir sem perguntar-te qual é e sobre que versa esse conhecimento que dizes ser o mais sublime de todos?

— De modo algum; pergunta, se quiseres. Mas tenho certeza de que já o ouviste muitas vezes, só que não te lembras agora; ou será que pretendes embaraçar-me com tuas objeções? Esta última hipótese me parece mais provável, pois não foram poucas as ocasiões em que me ouviste dizer que o mais sublime conhecimento é a ideia do bem, e unicamente por sua associação com ela a justiça e as outras virtudes se tornam úteis e benéficas. É impossível que ignores este assunto de que vou falar e a respeito do qual, como disse tantas vezes, são bastante escassos os nossos conhecimentos. E sem ele, sabes também que qualquer outra espécie de conhecimento ou de posse de nada nos vale. Ou acreditas que de algo sirva possuir todas as coisas, menos as boas? Ou tudo conhecer, permanecendo na ignorância do que seja o bom e o belo?

— Não creio tal coisa, por Zeus!

— Pois bem. Deves saber igualmente que para a maior parte das pessoas o bem é o prazer; e para os mais cultos, o conhecimento.

— Como não?

A questão da natureza do bem

— E também, meu excelente amigo, que estes últimos não sabem explicar de que espécie de conhecimento se trata e se veem obrigados, por fim de contas, a dizer que é o conhecimento do bem?

— O que, por sinal, é muito engraçado — disse ele.

— Sim, porque depois de nos lançarem em rosto a nossa ignorância do bem nos respondem na suposição de que o conheçamos; com efeito, dizem que ele é o conhecimento do bem, como se entendêssemos o que significa essa palavra.

— Tens toda a razão.

— E os que definem o bem como prazer caem numa esparrela semelhante, pois são obrigados a admitir que tanto existem prazeres maus como bons.

— Realmente.

— O que implica reconhecer que as mesmas coisas são boas e más, não é verdade?

— Sim, é.

— É evidente, pois, que a questão está crivada de dificuldades.

— Como não?

— Além disso, vemos que com respeito ao justo e ao belo muitos se contentam com a aparência, preferindo ser, fazer ou possuir o que parece tal, mas não o é; no que tange ao bom, pelo contrário, ninguém se satisfaz com a posse do que pareça sê-lo, mas todos buscam a realidade, desdenhando nesse caso a aparência.

— De fato, assim é — disse ele.

Todos buscam o bem, sem todavia conhecer-lhe a natureza

— Pois bem, essa coisa buscada por toda alma humana, que dela faz sempre o fim de suas ações, pressentindo a existência de um tal fim e contudo hesitando, porque desconhece a sua natureza e não tem aqui para guiar-se um critério tão seguro como no tocante às outras coisas, e por isso mesmo perde as vantagens que destas poderia obter... Será justamente de um princípio tão grande e tão valioso que os mais

excelentes cidadãos, aqueles a quem tudo é confiado, deverão permanecer na ignorância?
— De modo algum — disse ele.
— Estou certo — prossegui — de que aquele que ignora por que motivo são também boas as coisas belas e justas pouca valia terá como guardião dessas coisas; e palpita-me que ninguém as conhecerá suficientemente enquanto não o saiba.
— Tens um bom palpite — respondeu.
— E se o nosso guardião possuir tal conhecimento, não teremos uma comunidade perfeitamente organizada?
— É indubitável — disse ele. — Mas tu, Sócrates, que dizes? O bem é o conhecimento, o prazer, ou algo diferente desses dois?

O guardião deve possuir tal conhecimento

— Que homem este! — exclamei. — Bem que estava vendo que não te contentarias com as opiniões dos outros acerca do assunto.
— É verdade, Sócrates; mas acho que quem, como tu, dedicou tanto tempo ao estudo da filosofia, não deveria andar sempre a repetir as opiniões alheias em lugar de expor as suas.
— Mas te parece certo que alguém fale de coisas que ignora como se as soubesse?
— Não como se as soubesse — respondeu —, mas sim que consinta em expor, a título de opinião, o que ele pensa.
— E não sabes que todas as opiniões sem conhecimento são defeituosas, ou cegas na melhor das hipóteses? Não negarás, imagino, que aqueles que professam uma opinião reta, mas sem conhecimento, se assemelham em tudo a cegos que vão pelo bom caminho?
— São em tudo semelhantes, com efeito.
— Queres, então, ver coisas feias, cegas e tortas, quando poderias ouvir de outros lábios o que é claro e belo?
— Por Zeus! — acudiu Gláucon. — Não te detenhas, Sócrates, como se já houvesses chegado ao final. Se nos deres uma explicação do bem como as que deste da justiça, da temperança e das outras virtudes, ficaremos mais que satisfeitos.

— Também eu, companheiro, me daria por plenamente satisfeito. Mas receio fracassar e provocar o vosso riso com minhas inábeis tentativas. Não, meus afortunados amigos, não indaguemos agora o que possa ser o bem em si, pois seria preciso um esforço demasiado grande para alcançarmos neste momento a concepção que faço dele. Em troca, se isso vos agrada, estou disposto a falar-vos do filho do bem que mais se parece com ele; se não, deixemos o assunto.

O "filho" do bem

— Fala, pois, do filho — disse ele —, e nos ficarás devendo a descrição do pai.

— Quem me dera poder pagar a dívida e vós outros recebê-la inteira, em lugar de vos contentardes com os juros! Aceitai, no entanto, este filho do bem em si, este interesse produzido por ele; mas tomai cuidado para que não vos engane involuntariamente, pagando-vos com moeda falsa.

— Sim, tomaremos todo o cuidado possível; mas começa de uma vez.

— Sim — respondi —, mas primeiro devo pôr-me de acordo convosco e recordar-vos uma coisa que mencionei no curso desta discussão e a que já me havia referido muitas vezes antes.

— Que é?

— A velha história: que há muitas coisas boas e muitas coisas belas, e muitas também de cada uma das demais classes.

— É verdade, assim dissemos.

— E que existe, por outro lado, o belo em si e o bem em si; e do mesmo modo, a cada uma das outras coisas que definimos como múltiplas corresponde uma ideia só, cuja unidade supomos e a que chamamos essência dessa coisa.

— Assim é.

— E do múltiplo dizemos que é visto, mas não concebido, ao passo que as ideias são concebidas e não vistas?

— Exatamente.

— Pois bem: com que parte de nossa natureza percebemos as coisas visíveis?

— Com a vista — respondeu ele.
— E com o ouvido percebemos o que se ouve, e por meio dos demais sentidos tudo que é perceptível?
— Sem dúvida.
— Nunca notaste quão mais generoso foi o artífice dos sentidos para com a faculdade de ver e de ser visto do que para com as outras?
— Não, nunca.

A vista, o mais complexo de todos os sentidos; em que difere dos outros

— Reflete, então: existe alguma coisa de espécie diferente que seja necessária ao ouvido para ouvir ou à voz para ser ouvida, algum terceiro elemento sem o qual não possa haver audição?
— Nenhum — respondeu.
— Nenhum, com efeito — disse eu —, e creio que o mesmo sucede com todas ou quase todas as outras faculdades. Ou podes citar-me alguma que necessite de tal adição?
— Não, por certo.
— Exceto a faculdade de ver e de ser visto. Não percebeste que essa, sim, necessita?
— Como?
— Porque, ainda que haja vista nos olhos e o dono destes deseje ver, e ainda que a cor esteja presente nas coisas, se não se acrescentar um terceiro elemento especialmente adaptado a esse fim, nem a vista perceberá coisa alguma nem as cores serão visíveis.
— A que elemento te referes?
— Àquele que chamas luz — respondi.
— Tens razão.
— Nobre, pois, é o laço de união entre o sentido da vista e a faculdade de ser visto, e muito superior aos laços que unem os outros sentidos aos seus objetos; a não ser que a luz seja algo de desprezível?
— Não! Está muito longe de sê-lo!
— E qual dos deuses do céu apontarias como o senhor desse elemento? De quem é essa luz graças à qual podemos ver e podem ser vistos os objetos com toda a perfeição?

— Como senhor da luz aponto o mesmo deus que tu e o resto da humanidade; pois é evidente que te referes ao Sol.
— E não pode ser descrita da maneira que segue a relação da vista com essa divindade?
— De que maneira?
— Nem a vista nem o olho, em que reside essa faculdade, é o Sol?
— Não.
— E no entanto, de todos os órgãos dos sentidos o olho é o que mais se assemelha ao Sol?
— Muito mais.

O olho se assemelha ao Sol, mas não é o mesmo que este

— E o poder que possui não é uma espécie de emanação dispensada pelo Sol?
— Exatamente.
— Nesse caso o Sol não é a visão, mas o causante desta, sendo percebido por ela mesma?
— Assim é.
— Pois bem — continuei —, aí está o que eu designava como o filho do bem, gerado por este à sua semelhança para ser, no mundo visível, em relação à vista e às coisas que ela percebe, o que o bem é no mundo inteligível em relação à inteligência e ao que ela apreende.
— Como assim? Não podes ser um pouco mais explícito?
— Então não sabes que os olhos, quando os dirigimos sobre objetos cujas cores não se acham iluminadas pelos raios do Sol e sim envoltas nas sombras noturnas, veem com dificuldade e parecem quase cegos, como se neles não houvesse visão clara?
— Com efeito — disse ele.

Assim como os objetos visíveis só são vistos quando o Sol brilha sobre eles, a verdade só é apreendida quando iluminada pela ideia do bem

— Mas, quando os dirigimos para objetos sobre os quais brilha o Sol, veem com clareza e se torna evidente que esses mesmos olhos possuem a faculdade da visão.

— Por certo.

— E a alma é como o olho; quando fixa sua atenção sobre um objeto iluminado pela verdade e pelo ser, a alma percebe, compreende e demonstra possuir inteligência; mas quando se volta para a penumbra do transformar-se e do perecer, como não pode ver bem, não faz mais que conceber opiniões, ora esta, ora aquela, e parece não possuir inteligência alguma.

— Isso mesmo.

— Pois bem: a isso que comunica a verdade aos objetos de conhecimento e a faculdade de conhecer ao que conhece, desejaria que chamasses ideia do bem, a qual deves conceber não só como objeto de conhecimento, mas outrossim como causa de ciência e da verdade; e destarte,

A ideia do bem (o objetivo) é superior à ciência ou à verdade (o subjetivo)

por muito belos que sejam o conhecimento e a verdade, julgarás com acerto se considerares essa ideia como uma coisa distinta e mais bela ainda do que ambos. E, assim como no exemplo anterior se podia afirmar que a luz e a visão se assemelham ao Sol, mas não são o Sol, também nesta outra esfera é acertado considerar que o conhecimento e a verdade são semelhantes ao bem, mas não que sejam o próprio bem; este tem um lugar de honra ainda mais elevado.

— Que maravilha — disse ele — não deve ser essa que, sendo a fonte do conhecimento e da verdade, no entanto os ultrapassa em beleza! Em vista disso, não creio que pretendas identificar o bem com o prazer.

— Longe vá o agouro! — respondi. — Mas desejaria que considerasses a imagem de outro ponto de vista.

— Qual?

— Não dirias do Sol que ele não é apenas a fonte da visibilidade em todas as coisas visíveis, mas também da geração, do crescimento e da nutrição, embora ele mesmo não seja geração?

— Por certo.

Assim como o Sol é causa da geração, o bem é causa do ser e da essência

— Do mesmo modo podes afirmar que o bem não é apenas causa da inteligibilidade de todas as coisas inteligíveis, mas ainda de seu próprio ser e essência; e contudo o bem não é essência, mas está acima dela em dignidade e poder.

Aqui Gláucon exclamou com muita graça:

— Por Apolo! Que estupenda superioridade!

— A culpa é tua — respondi —, pois me forçaste a dizer o que pensava sobre isto.

— E não te detenhas de modo algum — tornou ele. — Pelo menos, ouçamos se há algo mais a dizer sobre a semelhança com o Sol.

— Sim — disse eu —, ainda falta muito.

— Pois então não omitas nada, por mais insignificante que seja.

— Farei o possível, mas me parece que terei de passar muita coisa em silêncio. Observa, pois, que existem dois poderes reinantes, um sobre o mundo inteligível e o outro sobre o mundo visível; e não acrescento "no céu" para que não imagines que me esteja entretendo com trocadilhos.[13] Tens agora bem nítida no espírito essa distinção entre o visível e o inteligível?

Os campos do visível e do inteligível representados por uma linha reta dividida em dois segmentos desiguais

— Toma, pois, uma reta que esteja dividida em dois segmentos desiguais e torna a dividir cada um dos segmentos, obedecendo à mesma proporção. Ficará assim classificado cada um deles com respeito à sua maior clareza ou obscuridade, e verás que a primeira subdivisão do campo do visível corresponde às imagens. Chamo imagens em primeiro lugar às sombras, e em segundo às figuras que se formam na água e em todos os corpos sólidos polidos e brilhantes. Entendes-me?

— Entendo, sim.

— Na segunda subdivisão coloca aquilo de que essas figuras são imagens: os animais que nos rodeiam e todas as coisas que crescem ou são fabricadas.

— Muito bem.

— Não admitirias que ambas as subdivisões deste segmento possuem diferentes graus de verdade e que a imagem está para o original assim como o objeto de opinião está para o objeto de conhecimento?

— Admito, pois não.

— Consideremos agora o modo pelo qual se divide o campo do inteligível.

— De que modo?

Paralelo entre as imagens e as hipóteses

— Assim: há duas subdivisões, na primeira das quais a alma usa como imagens aquelas coisas que antes eram imitadas,[14] partindo de hipóteses e encaminhando-se, assim, não para o princípio, mas para a conclusão; e na segunda, partindo também de uma hipótese, mas para chegar a um princípio não hipotético, leva a cabo sua investigação unicamente com a ajuda das ideias tomadas em si mesmas e sem recorrer às imagens, como no caso anterior.

— Não compreendo muito bem o que queres dizer — observou ele.

— Vou fazer, então, uma nova tentativa. Depois de certas considerações preliminares hás de compreender melhor. Não ignoras que os estudantes de geometria, de aritmética e outras ciências afins dão por supostos os números pares e ímpares, as figuras, as três espécies de ângulos e outras coisas desse gênero, diferentes para cada ciência; adotam-nas como hipóteses, procedendo como se as conhecessem, e não se julgam no dever de dar qualquer explicação, nem a si mesmos nem aos outros, a respeito do que consideram evidente para todos; e, partindo daí, prosseguem de maneira coerente, até levar a termo a investigação que se propunham.

— Sei muito bem disso.

— E não sabes também que se servem de figuras visíveis como objeto de seus raciocínios, mas sem pensar nelas mesmas e sim naquilo a que se parecem, discorrendo, por exemplo, acerca do quadrado em si e da sua diagonal, porém não das figuras que desenham, e da mesma forma nos demais casos; e assim as coisas que traçam ou modelam, e que têm suas próprias sombras e imagens refletidas na água, são por sua vez empregadas por eles como imagens no afã de chegar àquelas coisas em si, que só podem ser contempladas com o olho do pensamento?

— Tens razão — disse ele.

— E dessa classe de objetos dizia eu que era inteligível, se bem que em sua investigação a alma se veja obrigada a servir-se de hipóteses; e, como não pode se elevar acima destas, não se encaminha para o princípio, mas usa como imagens aqueles mesmos objetos que são imitados pelas sombras e reflexos da região inferior e que, em relação a estes, apresentam mais nitidez e, portanto, possuem maior valia.

— Compreendi — disse Gláucon —, falas ainda do que se faz em geometria e nas ciências afins.

A dialética serve-se das hipóteses para elevar-se acima destas

— Pois bem, aprende agora que coloco na segunda subdivisão do segmento inteligível aquilo que a razão alcança por si mesma, valendo-se do poder dialético e considerando as hipóteses não como princípios, mas como verdadeiras hipóteses, isto é, pedestais e trampolins que lhe permitem elevar-se ao não hipotético, ao princípio de tudo; e, apegando-se a este e ao que dele depende, passará de uma dedução a outra e descerá novamente às conclusões, sem recorrer ao auxílio de qualquer objeto sensível, mas partindo unicamente de ideias para passar a ideias e terminar em ideias.

— Agora consegui entender — disse ele —, embora não perfeitamente, pois me parece tremenda a empresa que descreves; em todo caso, percebo que tens em mira deixar assentado que a visão do ser e do inteligível proporcionada pela ciência dialética é mais clara do que a que nos oferecem as chamadas artes, as quais se baseiam apenas em hipóteses; pois, se bem que os que as estudam se vejam obrigados a contemplar os objetos por meio do pensamento e não dos sentidos, como partem de hipóteses e não se elevam até um princípio, te parece que não adquirem conhecimento desses objetos... os quais, no entanto, são inteligíveis quando estão em relação com um princípio. E creio também que à operação dos geômetras e estudiosos das ciências cognatas chamas pensamento e não conhecimento, pois o primeiro é algo que se acha entre a simples crença e o conhecimento.

— Compreendeste-me muito bem — disse eu. — E agora demos aos dois segmentos daquela linha reta, com suas quatro subdivisões, os nomes que lhes competem: a inteligência ao mais elevado; o pensamento ao segundo; ao terceiro chamemos crença e ao último, percepção de sombras. E ponhamo-los em ordem, considerando que cada um deles participa tanto mais da clareza quanto mais participem da verdade os objetos a que se aplica.

— Já entendi — respondeu. — Estou de acordo contigo e aceito a ordem que propões.

Livro VII

A alegoria da caverna

— E agora — disse eu — compara com a seguinte situação o estado de nossa alma com respeito à educação ou à falta desta. Imagina uma caverna subterrânea provida de uma vasta entrada aberta para a luz e que se estende ao largo de toda a caverna, e uns homens que lá dentro se acham desde meninos, amarrados pelas pernas e pelo pescoço de tal maneira que tenham de permanecer imóveis e olhar tão só para a frente, pois as ligaduras não lhes permitem voltar a cabeça; atrás deles e num plano superior, arde um fogo a certa distância, e entre o fogo e os encadeados há um caminho elevado, ao longo do qual faze de conta que tenha sido construído um pequeno muro semelhante a esses tabiques que os titeriteiros colocam entre si e o público para exibir por cima deles as suas maravilhas.

— Vejo daqui a cena — disse Gláucon.

— E não vês também homens a passar ao longo desse pequeno muro, carregando toda espécie de objetos, cuja altura ultrapassa a da parede, e estátuas e figuras de animais feitas de pedra, de madeira e outros materiais variados? Alguns desses carregadores conversam entre si, outros marcham em silêncio.

— Que estranha situação descreves, e que estranhos prisioneiros!

— Como nós — disse eu. — Em primeiro lugar, crês que os que estão assim tenham visto outra coisa de si mesmos ou de seus companheiros senão as sombras projetadas pelo fogo sobre a parede fronteira da caverna?

— Como seria possível, se durante toda a sua vida foram obrigados a manter imóveis as cabeças?

— E dos objetos transportados, não veriam igualmente apenas as sombras?

— Sim.

— E se pudessem falar uns com os outros, não julgariam estar se referindo ao que se passava diante deles?

— Forçosamente.

— Supões ainda que a prisão tivesse um eco vindo da parte da frente. Cada vez que falasse um dos passantes, não creriam eles que quem falava era a sombra que viam passar?

Os prisioneiros tomam as sombras pela realidade

— É indubitável.

— Para eles, pois — disse eu —, a verdade, literalmente, nada mais seria do que as sombras dos objetos fabricados.

— Também é forçoso.

— Torna a olhar agora e examina o que naturalmente sucederia se os prisioneiros fossem libertados de suas cadeias e curados da sua ignorância. A princípio, quando se desate um deles e se obrigue a levantar-se de repente, a virar o pescoço e a caminhar em direção à luz, sentirá dores intensas e, com a vista ofuscada, não será capaz de perceber aqueles objetos cujas sombras via anteriormente; e se alguém lhe dissesse que antes não via mais do que sombras inanes e é agora que, achando-se mais próximo da realidade e com os olhos voltados para objetos mais reais, goza de uma visão mais verdadeira, que supões que responderia? Imagina ainda que o seu instrutor lhe fosse mostrando os objetos à medida que passassem e obrigando-o a nomeá-los: não seria tomado de perplexidade, e as sombras que antes contemplava não lhe pareceriam mais verdadeiras do que os objetos que agora lhe mostram?

Quando libertados, continuarão a sustentar que as sombras que antes viam eram mais verdadeiras do que os objetos que lhes mostram agora

— Muito mais — disse ele.

— E se o obrigassem a fixar a vista na própria luz, não lhe doeriam os olhos e não se escaparia, voltando-se para os objetos que pode

contemplar, e considerando-os mais claros, na realidade, do que aqueles que lhe são mostrados?
— Assim é — respondeu.

Em presença do Sol, ficarão deslumbrados pelo excesso de luz

— E se o levassem dali à força, obrigando-o a galgar a áspera e escarpada subida, e não o largassem antes de tê-lo arrastado à presença do próprio Sol, não crês que sofreria e se irritaria, e uma vez chegado até a luz teria os olhos tão ofuscados por ela que não conseguiria enxergar uma só das coisas que agora chamamos realidades?

— Não conseguiria — disse ele —, pelo menos no primeiro momento.

— Precisaria acostumar-se, creio eu, para poder chegar a ver as coisas lá de cima. O que veria mais facilmente seriam, antes de tudo, as sombras; depois, as imagens de homens e outros objetos refletidos na água; e por fim os próprios objetos. Alçaria então os olhos para a Lua e as estrelas, e veria o céu noturno muito melhor do que o Sol ou a sua luz durante o dia.

— Como não?

— E por fim, creio eu, estaria em condições de ver o Sol, não suas imagens refletidas na água ou em qualquer outro lugar

Finalmente, verão o Sol e compreenderão sua natureza

que não seja o seu, mas o próprio Sol em seu próprio domínio e tal qual é em si mesmo.

— Necessariamente — disse ele.

— Mais tarde, passaria a tirar conclusões a respeito do Sol, compreendendo que ele produz as estações e os anos, governa o mundo das coisas visíveis e é, de certo modo, o autor de tudo aquilo que o nosso prisioneiro libertado e seus companheiros viam no interior da caverna.

— É evidente — concordou Gláucon — que veria primeiro o Sol e depois raciocinaria sobre ele.

— E quando se lembrasse de sua anterior habitação, da ciência

Sentirão piedade, então, de seus antigos companheiros que ficaram na caverna

da caverna e de seus antigos companheiros de cárcere, não crês que se consideraria feliz por haver mudado e sentiria piedade deles?

— Com efeito.

— E se entre os prisioneiros vigorasse o hábito de conferir honras, louvores e recompensas àqueles que, por distinguirem com maior penetração as sombras que passavam e observarem melhor quais delas costumavam passar antes, depois ou junto com outras, fossem mais capazes de prever os acontecimentos futuros, pensas que aquele sentiria saudades de tais honras e glórias e invejaria os que as possuíssem? Não diria ele, como Homero, que era preferível "lavrar a terra a serviço de um homem sem patrimônio" ou sofrer qualquer outro destino a viver semelhante vida?

— Sim, creio que preferiria qualquer outro destino a ter uma existência tão miserável.

Se voltassem à caverna, porém, veriam com muito mais dificuldade que os que ali ficaram

— Atenta agora no seguinte: se esse homem voltasse lá para baixo e fosse colocado no seu lugar de antes, não crês que seus olhos se encheriam de trevas como os de quem deixa subitamente a luz do Sol?

— Por certo que sim.

— E se tivesse de competir de novo com os que ali permaneceram encadeados, sentenciado a respeito das tais sombras, que, por não se lhe ter ainda acomodado a vista, enxergaria com dificuldade (e não seria curto o tempo necessário para acostumar-se), não te parece que esse homem faria um papel ridículo? Diriam os outros que ele voltara lá de cima sem olhos e que não valia a pena pensar sequer em semelhante escalada. E não matariam, se pudessem deitar-lhe a mão, a quem tentasse desatá-los e conduzi-los para a luz?

— Não há dúvida — disse ele.

— Pois bem — volvi —, esta imagem, amigo Gláucon, deve ser aplicada sem tirar nem pôr ao que antes dizíamos. A caverna-prisão é o mundo das coisas visíveis, a luz do fogo que ali existe é o Sol, e não me terás compreendido mal se interpretares a subida para o mundo lá de cima e a contemplação das coisas que ali se encontram

Aplicação da alegoria

com a ascensão da alma para a região inteligível; essa é a minha humilde opinião, que expresso porque assim mo pediste, e que só a divindade sabe se está certa ou errada. Seja como for, a mim me parece que no mundo inteligível a última coisa que se percebe é a ideia do bem, e isso com grande esforço; mas, uma vez percebida, forçoso é concluir que ela é a causa de todas as coisas retas e belas, geradora da luz e do senhor da luz no mundo visível e fonte imediata da verdade e do conhecimento no inteligível; e que há de tê-la por força diante dos olhos quem deseje proceder sabiamente em sua vida privada ou pública.

— Concordo — disse ele —, na medida em que alcanço a compreender-te.

— Além disso, não deves estranhar que aqueles que atingem essa visão beatífica não queiram se ocupar com as coisas deste mundo; pois suas almas tendem sempre a permanecer nas alturas, e é natural que assim aconteça se nossa alegoria continua a ser verdadeira.

— Sim, muito natural.

— E há alguma estranheza em que, ao passar um homem das contemplações divinas às misérias humanas, pareça desajeitado e sumamente ridículo porque, ainda a pestanejar e enxergando mal nas trevas que o rodeiam, se vê obrigado a discutir, nos tribunais ou em outro lugar qualquer, a respeito das imagens ou das sombras de imagens da justiça, enfrentando as concepções que dessas coisas fazem aqueles que jamais viram a justiça em si?

— Não há nada de estranho nisso — respondeu.

— E qualquer pessoa sensata se lembrará de que os ofuscamentos da vista são de duas espécies e provêm de duas causas: ou de vir da luz para as trevas ou de passar das trevas para a luz. E, após refletir que o mesmo acontece com a alma, não se sentirá muito inclinado ao riso quando vir alguma que, por estar ofuscada, não é capaz de distinguir os objetos; tratará antes de averiguar se essa alma vem de uma região mais luminosa e não pode ver na penumbra por falta de costume, ou se, ao passar de uma escuridão maior para a luz do dia, ficou deslumbrada pelo excesso desta. E considerará ditosa a primeira alma, que de tal maneira se conduz e vive, e se compadecerá da outra; ou pelo menos, se sentir desejos de rir dela, esse riso será mais razoável do que se zombasse da alma que desce da região da luz.

— Dizes muito bem.

— Mas, se isto é verdade, devem estar em erro certos educadores que dizem infundir ciência na alma que não a possui como quem dá vista a olhos cegos.

— Com efeito, assim dizem.

— Ora, o nosso argumento mostra que o poder e a capacidade de aprender já existem na alma; e que, assim como o olho é incapaz de voltar-se das trevas para a luz sem ser acompanhado do corpo inteiro, também a faculdade de conhecer só pode apartar-se do mundo das coisas contingentes por meio de um movimento da alma inteira, até que esteja em condições de enfrentar a contemplação do ser, inclusive da parte mais brilhante do ser, que é o que chamamos a ideia do bem. Não é assim?

— É, como não?

— Por conseguinte — disse eu —, pode haver uma arte de efetuar essa conversão da maneira mais rápida e eficaz possível; porém não de implantar a faculdade da visão, que já existe, mas não está voltada para onde deve e não encara a verdade.

— Assim parece.

A virtude do conhecimento possui um poder divino voltado para que tanto pode ser o mal como para o bem

— E destarte, enquanto as outras virtudes, chamadas virtudes da alma, parecem assemelhar-se às qualidades do corpo, pois mesmo quando não são inatas podem ser implantadas mais tarde pelo hábito e pelo exercício... a do conhecimento, mais que qualquer outra coisa, contém por certo um elemento divino que jamais perde o seu poder e que, conforme a direção para que se volte, pode revelar-se útil e vantajoso ou, pelo contrário, inútil e nocivo. Nunca notaste com quanta agudeza percebe a alma pequenina daqueles de quem se diz que são maus, porém inteligentes, e com que penetração discerne os meios apropriados aos seus fins? Esses homens nada têm de cegos, mas sua agudeza de vista está a serviço da maldade, de maneira que quanto maior for sua perspicácia mais serão os males que cometerão.

— Com efeito.

— Pois bem — disse eu —, se tais naturezas houvessem sido submetidas desde crianças a uma poda e extirpação dos prazeres sensuais como o comer e o beber, que, como excrescências plúmbeas, aderem a elas desde o nascimento e mantêm voltada para baixo a visão da alma... se, como digo, tivessem sido libertadas desses empecilhos e voltadas na direção oposta, a mesma faculdade lhes permitiria ver a verdade com a maior penetração, como veem agora aquilo em que têm fixado os olhos.

— É muito provável.

— Sim — volvi eu —, mas há ainda outra coisa muito provável, ou melhor, uma consequência necessária do que acabamos de dizer: que nem os ineducados e afastados da verdade serão jamais aptos para governar uma cidade, nem tampouco aqueles a quem se permita levar demasiado longe sua educação; os primeiros, porque não têm

Nem os ineducados nem os que levam sua educação demasiado longe serão bons servidores da cidade

na vida um objeto único pelo qual possam pautar todas as suas ações, tanto privadas como públicas; e os outros, porque, julgando-se transportados desde já às ilhas dos bem-aventurados, não se dispõem de forma alguma a agir.

— Muito verdadeiro isto.

— Portanto — continuei —, compete a nós, como fundadores, obrigar as melhores naturezas a que alcancem esse conhecimento que dissemos ser o mais elevado de todos; não devem renunciar à ascensão enquanto não houverem chegado até o bem, mas depois de o contemplarem suficientemente não lhes permitiremos fazer o que agora fazem.

— E que vem a ser isso? — perguntou ele.

— Ficarem lá, sem consentir em descer novamente para junto daqueles prisioneiros e participar de seus trabalhos e suas honras, por muito ou pouco que estes valham.

Os filósofos devem subir ao mundo superior, mas depois devem voltar ao inferior

— Mas isto não é uma injustiça? — objetou Gláucon. — Queres que lhes demos uma vida pior, quando poderiam viver melhor?

— Esqueceste novamente, meu amigo, que a intenção do legislador não é a de tornar uma determinada classe mais feliz do que as outras na cidade, mas esforçar-se para que a cidade inteira seja feliz; por isso introduz a harmonia entre os cidadãos por meio da persuasão ou da força, tornando-os benfeitores da comunidade e, portanto, benfeitores uns dos outros; e a própria comunidade os forma, não para que cada um viva como melhor lhe agradar, mas para usar deles na unificação do Estado.

— É verdade, tinha-me esquecido.

— Observa, Gláucon, que não haverá injustiça em obrigar os

Os deveres dos filósofos

nossos filósofos, com palavras razoáveis, a que cuidem dos demais e os protejam. Nós lhes diremos que é natural que em outras cidades os homens de sua classe não participem da política, porque se formam sozinhos e contra a vontade de seus respectivos governos; como são autodidatas, não é de esperar que se considerem devedores dos frutos de sua educação a quem quer que seja. Mas a vós outros pusemos nós no mundo para serdes chefes da colmeia, reis de vós mesmos e do resto da cidade, melhor e mais completamente educados que aqueles e mais capazes, portanto, de participar dos assuntos públicos e da filosofia.

Tereis, pois, de descer cada um por seu turno à vivenda subterrânea dos demais e acostumar-vos a enxergar no escuro. Uma vez acostumados, vereis infinitamente melhor que os habitantes da caverna e conhecereis cada imagem e o que representa, porque já tereis visto o belo, o justo e o bom em sua verdadeira essência. E assim nossa e vossa cidade viverá à luz do dia e não entre sonhos, como vive hoje a maior parte delas, onde os homens lutam uns com os outros por sombras sem substância ou disputam o poder como se este fosse um grande bem. Mas a verdade, creio eu, é que a cidade em que os governantes mais relutam em governar será forçosamente a que viva melhor e com menos dissensões; e aquela em que se mostram mais ávidos de mando, a pior.

— Sim, por certo.

— E crês que nos desobedecerão os pupilos quando ouvirem isto e que se negarão a compartir por turnos os trabalhos da comunidade, quando lhes permitimos passar a maior parte do tempo juntos no mundo do verdadeiro e do puro?

— Impossível — respondeu —, pois são homens justos a quem ordenaremos coisas justas. Mas não há dúvida que aceitarão a magistratura como quem se curva ante a necessidade, ao contrário do que fazem atualmente os chefes de Estado.

Conviria dar aos futuros governantes uma vida melhor que ao atual, para que não cobiçassem o mando

— Sim, meu amigo — disse eu —, aí é que está a questão. Se encontrares meio de proporcionar aos futuros governantes uma vida melhor que a do atual, é possível que chegues a ter uma cidade bem governada, pois esta será a única em que mandem os verdadeiros ricos, não em ouro e prata, mas em virtude e sabedoria, que é o que se necessita possuir em abundância para ser feliz. Ao passo que, se forem pobres e famintos de bens pessoais à administração dos negócios públicos, contando enriquecer ali, tudo ruirá por terra; porque lutarão entre si pelo mando, e essa guerra doméstica e intestina os perderá tanto a eles como o resto da cidade.

— Nada mais certo — disse Gláucon.

— E a única espécie de vida que encara com desdém os cargos políticos é a do verdadeiro filósofo. Ou acaso conheces alguma outra?
— Nenhuma, por Zeus!
— Ora, os que governam não devem ser amantes do poder, porque se o forem encontrarão amantes rivais e lutarão com eles.
— É inevitável.
— Quem são, pois, aqueles que obrigaremos a ser guardiães? Não serão os homens que, além de serem os mais entendidos nos assuntos do Estado e os mais capazes de administrá-lo, possuam outras honras e levem uma vida melhor que a do político?
— Esses, e ninguém mais — respondeu.
— Queres, pois, que examinemos agora de que modo se formarão tais pessoas e como se poderá trazê-las da escuridão para a luz, assim como se conta que alguns ascenderam do Hades para os deuses?
— Como não hei de querer?
— Mas não se trata aqui de jogar o caco,[15] e sim de fazer com que a alma se volte de um dia escuro como a noite para o dia verdadeiro, isto é, da ascensão para o ser, na qual afirmamos consistir a autêntica filosofia.
— Perfeitamente.
— Não convém investigar qual é a disciplina que possui tal poder?

A educação dos guardiães: que disciplina terá o poder de elevar a alma para o ser puro?

— Como não?
— Pois bem: qual poderá ser, Gláucon, o conhecimento capaz de atrair a alma daquilo que se transforma para o que existe? Mas ao fazer esta pergunta me ocorre uma coisa. Não afirmamos ser forçoso que esses homens fossem atletas de guerra em sua juventude?
— Afirmamos, sim.
— Portanto, esta nova espécie de conhecimento deve possuir uma qualidade adicional.
— Que qualidade?

— A de não ser inútil para os guerreiros.
— Sim, se isso for possível.
— Muito bem. Antes os ensinamos por meio da ginástica e da música.
— Assim foi.

A primeira educação constava de duas partes, a ginástica e a música

— Quanto à ginástica, diz respeito ao que nasce e morre, pois é ao crescimento e decadência do corpo que preside.
— É o que parece.
— Portanto, não é essa a disciplina que buscamos.
— Não é, não.
— Acaso será a música tal como a descrevemos a princípio?
— Mas a música, se bem te recordas — disse ele —, não era mais que o complemento natural da ginástica: educava os guardiães pela influência do hábito, tornando-os harmônicos por meio da harmonia e dando-lhes euritmia por meio do ritmo; não lhes dava, porém, conhecimento; e as narrações, quer fabulosas, quer verídicas, apresentavam alguns elementos afins de ritmo e harmonia. Mas não havia na música nenhum ensinamento que conduzisse a algo como o que agora investigas.
— Tu mo recordas com muita precisão — disse eu.
Com efeito, não havia nada de semelhante na música. Mas então, ó admirável Gláucon, qual poderá ser essa disciplina? Pois, como nos pareceu que as artes úteis eram todas grosseiras...
— Indubitavelmente. E contudo, se excluímos a música e a ginástica, e ainda mais as artes, que é que resta?
— Bem, se nenhuma dessas disciplinas especiais nos serve, poderemos tentar algo cuja aplicação não seja especial, e sim universal.
— Que será?
— Por exemplo, uma coisa que todas as artes, raciocínios e ciências usam em comum, e que é forçoso que todos aprendam em primeiro lugar.
— Quem vem a ser isso?

— Essa coisa tão vulgar que é conhecer o um, o dois e o três. Numa palavra, o número e o cálculo. Ou não é verdade que toda arte e conhecimento se veem obrigados a participar deles?

Para a segunda educação, resta a aritmética

— É bem verdade.
— Inclusive a ciência militar?
— Por certo.
— Então Palamedes, sempre que aparece nas tragédias, prova que Agamenon era de uma incompetência ridícula como general. Não observaste que afirma ter inventado o número, o que lhe permitiu contar as naves e distribuir pelos diversos postos o exército acampado diante de Troia? Daí se infere que antes dele não se havia contado coisa alguma e, portanto, que Agamenon não sabia literalmente dizer quantos pés tinha. Como poderia sabê-lo, se desconhecia os números? Mas, nesse caso, que espécie de general seria ele?

— Um esquisito general, não há dúvida, se isso fosse verdade.
— É possível negar que o conhecimento da aritmética seja indispensável a um homem de guerra?
— Mais que qualquer outro — respondeu Gláucon — para quem queira entender alguma coisa, por pouco que seja, de tática, ou melhor, para quem queira ser um homem.
— Gostaria de saber se tens a mesma ideia que eu sobre este estudo.
— Qual é a tua ideia?
— Que bem poderia ser um dos que procuramos, e que conduzem naturalmente à reflexão; mas ninguém se serve devidamente dele, pois sua verdadeira utilidade é atrair a alma para as essências.
— Como dizes? — perguntou.
— Tentarei mostrar-te o que a mim, pelo menos, me parece. Acompanha-me na busca, respondendo "sim" ou "não" enquanto trato de distinguir que ramos de conhecimento são aptos para conduzir aonde dissemos; assim poderemos verificar com mais evidência se a aritmética é, conforme suspeito, um deles.

— Mostra, então — disse Gláucon.

— Pois bem; mostrar-te-ei, se queres contemplá-los, que entre os objetos sensíveis há uns que não incitam à reflexão por serem já suficientemente julgados pelos sentidos; e outros que, pelo contrário, convidam insistentemente a inteligência a examiná-los, porque os sentidos não oferecem nada de aceitável.

— É evidente — disse ele — que te referes às coisas que vemos de longe e às pinturas com sombras.

— Não me entendeste bem — respondi.

— A que te referes, então?

— Os objetos que não convidam a inteligência são os que não passam de uma sensação para a sensação contrária; os que a convidam são aqueles que o fazem. No caso destes últimos, os sentidos, tanto faz que sejam impressionados de perto como de longe, não dão uma ideia vívida de que o objeto seja antes uma coisa que o seu oposto. Vou recorrer a um exemplo para tornar mais claro o que quero dizer. Aqui estão três dedos: o menor, o segundo e o médio.

— Muito bem.

— Nota que falo deles como de algo visto de perto. E agora vem o mais importante.

— Que é?

— Cada um deles se mostra igualmente como um dedo, não fazendo diferença que seja visto no meio ou na extremidade, branco ou preto, grosso ou fino. Um dedo é um dedo, e em casos como este a alma da maioria dos homens não se vê obrigada a perguntar à inteligência o que seja um dedo, pois a vista jamais lhe sugere que um dedo possa ser ao mesmo tempo o contrário de um dedo.

— É verdade.

Os sentidos confundem certas qualidades dos objetos, as quais precisam ser distinguidas pela inteligência

— De modo que é natural — disse eu — que uma coisa assim não convide nem desperte o entendimento.

— Sim, é natural.

— Mas isto será igualmente verdadeiro da grandeza ou pequenez dos dedos? Acaso a vista as pode perceber adequadamente e não faz diferença que um deles esteja no meio ou na extremidade? E sucederá o mesmo ao tato com relação à grossura e à finura, à duração e à moleza? E assim quanto aos outros sentidos: darão eles indícios suficientes dessas coisas? Ou bem é deste modo que funciona cada um deles: o mesmo sentido que é obrigado a encarregar-se do mole tem que dar conta também do duro, e destarte não pode deixar de indicar à alma que a mesma coisa é simultaneamente mole e dura?

— Deste último modo — respondeu ele.

— E não é forçoso que a alma pergunte a si mesma, cheia de perplexidade, que significa essa sensação de dureza, uma vez que da mesma coisa informa também que é mole? E, igualmente, qual é a significação do leve e do pesado, já que o leve é ao mesmo tempo pesado e o pesado, simultaneamente leve?

— Sim — disse ele —, esses indícios recebidos pela alma são muito estranhos e exigem explicação.

Invoca-se o auxílio dos números para desfazer a confusão

— É natural, pois, que em sua perplexidade a alma apele para o cálculo e a inteligência, tentando investigar com eles se são uma ou duas as coisas anunciadas em cada caso.

— Como não?

— Mas, se forem duas, cada uma delas não será uma e distinta da outra?

— Por certo.

— Ora, se cada uma delas é uma e ambas juntas são duas, a alma as conceberá como separadas, pois se não estivessem separadas não as conceberia como duas, e sim como uma.

— Muito bem.

— É certo que a vista percebia tanto o grande como o pequeno, mas de maneira confusa, sem distingui-los, não é?

— Sim.

— E, para aclarar essa confusão, a alma pensante se viu obrigada a inverter o processo, considerando o grande e o pequeno como separados, e não confundidos.
— Exato.
— Pois bem; não foi daí que veio o perguntar "Que é o grande?" e "Que é o pequeno?".
— Daí mesmo.
— E também foi assim que surgiu a distinção entre o visível e o inteligível.

A distinção entre o visível e o inteligível

— Exatamente.
— Pois era isso o que eu queria dizer quando afirmava, há pouco, que há coisas que provocam a inteligência e outras que não o fazem, e às que penetram nos sentidos em companhia de seus contrários definia como provocadoras, e às outras, como não provocadoras da inteligência.
— Agora compreendo — disse ele — e concordo contigo.
— E a qual dessas classes pertencem o número e a unidade?
— Não faço ideia.

A inteligência é provocada pela contradição do uno e do múltiplo

— Pois reflete um pouco e verás que a resposta está implícita no que precede. Se a unidade é percebida suficientemente em si mesma pela vista ou por qualquer dos outros sentidos, não se inclui entre as coisas que não atraem para a essência, como dizíamos do dedo; mas, se sempre há algo contrário que seja visto ao mesmo tempo que ela, de modo que não pareça ser antes a unidade que o seu oposto, então já será preciso alcançar uma decisão e a alma em dúvida recorrerá à inteligência para investigar o que seja a unidade em si, e portanto a apreensão da unidade será das que conduzem e fazem com que nos voltemos para a contemplação do ser.

— E é o que acontece notadamente no caso da unidade — tornou ele —, pois vemos a mesma coisa como uma e como infinita multidão.

— Sim, e se isso é verdadeiro da unidade, não deve ser menos verdadeiro dos demais números.

— Claro.

— E todo o cálculo e a aritmética têm por objeto o número.

— Com efeito.

— E destarte se revelam aptos para conduzir à verdade.

— Sim, extraordinariamente aptos.

— Então parecem ser dois os ensinamentos que buscamos. Com efeito, o conhecimento dessas coisas é indispensável ao guerreiro por causa da tática, e ao filósofo pela necessidade de elevar-se até a essência emergindo do mar da geração; por isso deve ser ele um calculador.

A aritmética tem ao mesmo tempo uma utilidade prática e um emprego filosófico

— Assim é.

— Ora, sucede que o nosso guardião não é menos filósofo do que guerreiro.

— De fato.

— Então, ó Gláucon, é esta uma espécie de conhecimento que conviria implantar por lei, tentando persuadir os que vão exercer as mais altas funções na cidade a que se acerquem da aritmética e a cultivem não como amadores, mas até que cheguem a contemplar a natureza dos números com a ajuda exclusiva da inteligência; não como fazem os comerciantes e revendões, com mira nas compras e vendas, mas pela sua utilidade na guerra e pela maior facilidade com que a própria alma se pode voltar da geração para a verdade e a essência.

— Dizes muito bem — respondeu ele.

— E eis aí como, ao falar da ciência dos números, observo quão sutil é ela e quão benéfica para nós sob muitos aspectos, em relação ao que procuramos; isso, sempre que a cultivemos com vistas no conhecimento, e não na mercancia.

— Por quê?

— Pelo que acabamos de dizer; porque eleva a alma a grandes alturas e a obriga a discorrer sobre os números em si, rebelando-se contra qualquer tentativa de introduzir objetos visíveis

A aritmética superior não se ocupa com objetos visíveis ou tangíveis, mas com números abstratos

ou tangíveis na discussão. Já sabes, creio eu, que os que entendem dessas coisas se riem daquele que, ao discutir, procura dividir a unidade em si, e não o admitem; pelo contrário, se tu a divides, eles a multiplicam, porque temem que a unidade venha a aparecer não como unidade, mas como reunião de várias partes.

— Dizes uma grande verdade.

— Supõe agora que alguém lhes dissesse: "Ó homens admiráveis! Que números são esses sobre que discorreis, e nos quais as unidades são tais como vós as supondes, isto é, todas elas absolutamente iguais entre si, invariáveis e indivisíveis?" Que pensas que responderiam?

— Responderiam, segundo creio, que falam de coisas que só se podem realizar no pensamento, sem que seja possível manuseá-las de qualquer outro modo.

— Vês, então, meu caro amigo, como esse conhecimento parece ser-nos realmente necessário, já que obriga a alma a usar da inteligência para alcançar a verdade em si?

— Sim, não há dúvida que o faz.

— E não notaste que os que têm um talento natural para o cálculo também mostram grande vivacidade para compreender todas ou quase todas as ciências, e que mesmo os espíritos tardos, quando foram educados e exercitados nessa disciplina, tiram dela, se não outro proveito, pelo menos o de fazerem-se todos mais atilados do que antes eram?

— Realmente, assim é.

— E creio, na verdade, que não te seria fácil encontrar muitas ciências que deem mais trabalho do que esta a quem as aprende e nelas se exercita.

— Não, com efeito.

— E, por todas essas razões, a aritmética é um ramo de conhecimento que não deve ser abandonado e em que cumpre educar os mais bem-dotados.

— De acordo — disse ele.

— Fica, pois, assentado que esta será nossa primeira matéria de educação. Mas há uma segunda que se segue a ela e que devemos considerar se acaso nos interessa.

— Qual é? Será a geometria?

— Exatamente.

As aplicações práticas da geometria pouca importância têm em face de sua significação para o filósofo

— Pois está claro — disse ele — que nos interessa aquela sua parte que se relaciona com as coisas da guerra. Porque, ao acampar, ao tomar posição, ao cerrar ou estender as fileiras de um exército e em qualquer outra manobra militar, quer em combate, quer em marcha, grande será a diferença entre a maneira de proceder do general que é geômetra e a do que não o é.

— Sim — respondi —, mas para tais coisas seria suficiente uma pequena parte da geometria e do cálculo. Ora, é justamente a sua porção maior e mais avançada que devemos examinar para ver se tende a facilitar a contemplação da ideia do bem. E dissemos que tendem para esse fim todas as coisas que obrigam a alma a voltar-se para aquele lugar onde reside a absoluta perfeição do ser, aquilo que ela deve contemplar a todo transe.

— Dizes bem — concordou ele.

— Portanto, se a geometria nos obriga a contemplar a essência, interessa-nos; se apenas a geração, não nos serve.

— Sim, isso é o que afirmamos.

— E no entanto, ninguém que tenha algum conhecimento de geometria, por menor que seja, negará que tal maneira de conceber essa ciência esteja em franca contradição com a linguagem habitual dos geômetras.

— Como assim?

— Porque só têm em mira a prática e falam sempre de maneira forçada e ridícula, empregando termos como "quadrar", "aplicar" e "adicionar". Confundem as necessidades da geometria com as da vida diária; no entanto, o verdadeiro objeto de toda essa ciência é, segundo creio, o conhecimento.

— Evidentemente — disse Gláucon.

— E não é preciso reconhecer também o seguinte?

— Quê?

— Que ela é cultivada com vistas no conhecimento do que sempre existe, e não do que nasce e perece.

— Não há nenhuma dificuldade em reconhecer isto, pois outro não é o objeto da geometria.

— Então, meu nobre amigo, ela atrairá a alma para a verdade e formará mentes filosóficas que dirijam para cima aquilo que agora dirigimos indevidamente para baixo.

— Sim, nada mais talhado para produzir esse efeito.

— Pois, então — tornei eu —, mais que em qualquer outra coisa deve-se insistir em que os habitantes de tua Calípolis[16] aprendam a geometria. Porque tampouco são de desprezar as suas vantagens subsidiárias.

— Quais?

— Não só as de natureza militar, que tu mesmo apontaste — respondi —, mas também que em todos os ramos de estudo, como demonstra a experiência, quem aprendeu geometria tem uma compreensão infinitamente mais viva.

— Sim, por Zeus, a diferença é infinita.

— Estabelecemos, pois, esta como a segunda disciplina para os jovens?

— Estabelecemos.

— E se em terceiro lugar puséssemos a astronomia? Que dizes a isto?

— Inclino-me fortemente em favor dela, pois a observação dos meses e das estações do ano é tão essencial ao estrategista como ao lavrador e ao piloto.

Como com as ciências anteriores, Gláucon faz o elogio da astronomia do ponto de vista prático, provocando as ironias de Sócrates

— Acho muita graça nesse teu respeito ao vulgo — disse eu —, pois pareces recear que te atribuam a intenção de ensinar coisas inúteis. Mas reconheço plenamente a dificuldade de aceitar que a alma de cada homem possui um órgão que esses ensinamentos purificam e reavivam quando está corrompido e cegado pelas demais ocupações e que, por ser o único capaz de contemplar a verdade, é mais precioso do que dez mil olhos. Ora, existem duas classes de pessoas: primeira, os que concordarão contigo e receberão tuas palavras como uma revelação; segunda, os que jamais repararam em qualquer dessas coisas e pensarão, como é natural, que o que dizes não tem o menor valor, pois esses estudos não lhes parecem trazer benefício algum. Resolve, pois, desde já, com qual dessas classes pretendes argumentar; dirás provavelmente que com nenhuma delas, mas que preferes discutir em teu próprio proveito, sem no entanto negar a ninguém os benefícios que daí lhe possam advir.

— Isso é o que prefiro — respondeu ele. — Falar, perguntar e responder sobretudo para proveito meu.

Modificação da ordem

— Então dá um passo atrás, pois nos equivocamos na ordem das ciências.

— Qual foi o engano? — perguntou.

— Depois das superfícies tomamos o sólido já em movimento, sem antes tê-lo considerado em si mesmo. Mas o correto é tomar, imediatamente depois da segunda dimensão, a terceira, que se ocupa com os cubos e tudo que possui profundidade.

— De fato — disse ele. — Mas esta, Sócrates, é uma questão que não me parece estar ainda resolvida.

O lamentável estado da geometria dos corpos sólidos

— E isso por duas razões: primeiro, porque nenhuma cidade estima devidamente esses estudos; daí o pouco entusiasmo com que são feitos, além de serem difíceis já de *per si*; e segundo, porque os investigadores necessitam de um diretor, sem o qual não serão capazes de descobrir coisa alguma. Mas não é fácil encontrar esse diretor, e mesmo supondo que ele exista, nas condições atuais os que estão dotados para investigar tais coisas não lhe obedeceriam, tamanha é a sua presunção. O caso, entretanto, mudaria de aspecto se a cidade inteira honrasse esses estudos e ajudasse o diretor em sua tarefa; então acorreriam os discípulos e, submetidas a uma pesquisa enérgica e perseverante, as questões seriam elucidadas quanto à sua natureza, pois mesmo agora, quando são menosprezadas pelo vulgo e mutiladas pelos que a investigam sem perceber onde jaz a sua verdadeira utilidade... apesar de todos esses obstáculos, medram, graças ao seu encanto natural, e não seria de admirar que se fizesse luz em torno delas.

— Sim — disse ele —, possuem um extraordinário encanto. Mas não compreendi bem a mudança de ordem. Em primeiro lugar puseste, se bem me lembro, o estudo das superfícies, ou seja, da geometria.

— Sim.

— E a seguir colocaste a astronomia, mas depois deste um passo atrás?

— É que o afã de expor tudo com demasiada rapidez atrasou a marcha da discussão. Pois a seguir vem o estudo do desenvolvimento em profundidade, mas, como não tem dado origem senão a investigações ridículas, passei-o por alto e, depois da geometria, falei da astronomia, isto é, do movimento em profundidade.

— Dizes bem.

— Então demos por assente que a cidade contará com a disciplina que omitimos tão logo se disponha a encorajá-la, e passemos à astronomia, que será a quarta.

— Tens razão — disse ele. — E agora, Sócrates, como censuraste a maneira demasiado vulgar pela qual elogiei há pouco a astronomia,

Gláucon tenta elogiar a astronomia num espírito diferente, mas é reprovado por Sócrates

vou fazê-lo do teu ponto de vista. Com efeito, me parece evidente a todos que ela obriga a alma a olhar para cima e conduz das coisas deste mundo para o de lá.

— Pode ser que seja evidente a todos, mas para mim não — respondi —, pois eu não penso como tu.

— Então como pensas?

— Que, do modo como a tratam hoje os que querem nos elevar até a sua filosofia, o que fazem é obrigar a olhar muito para baixo.

— Como dizes?

— Parece-me que fazes uma ideia realmente sublime sobre a disciplina referente às coisas lá de cima. E suponho que se alguém virasse o rosto para o alto e se pusesse a estudar a decoração de um teto, dirias que esse homem estava contemplando com a inteligência e não com os olhos. Talvez sejas tu quem julga com acerto e eu seja um tolo; mas na minha opinião só há uma ciência capaz de fazer com que a alma olhe para cima, e é aquela que tem por objeto o existente e invisível; quando, porém, é uma das coisas sensíveis que alguém procura conhecer, afirmo que tanto faz que olhe para cima com a boca aberta como para baixo com ela fechada: jamais logrará conhecê-la, porque nenhuma dessas coisas é objeto de conhecimento, e sua alma não olhará para o alto e sim para baixo, ainda que tente aprendê-las boiando no mar ou deitado na terra em posição supina.

— Reconheço que tua censura foi bem merecida — disse ele. — Mas de que maneira, então, se deve aprender a astronomia para que o seu conhecimento seja útil em relação ao que dissemos?

A astronomia superior é uma ciência abstrata

— Da maneira seguinte — respondi —, não há dúvida de que esses desenhos geométricos com que está bordado o céu são a coisa mais bela e perfeita que existe no gênero, mas não devemos esquecer que, por terem sido formados com matéria visível, não admitem comparação com seus correlativos verdadeiros, isto é, os movimentos da rapidez e da lentidão absolutas em relação uma com a outra, de acordo com os verdadeiros números e todas as verdadeiras figuras, levando consigo o que nelas se acha contido. Esses movimentos são perceptíveis à razão e ao pensamento, porém não à vista. Ou pensas de outro modo?

— Eu, não!

— Pois bem: devemos servir-nos do céu constelado como de um exemplo que nos facilite a compreensão daquelas coisas; sua beleza assemelha-se à de uns desenhos que encontrássemos primorosamente traçados e trabalhados pela mão de Dédalo ou de algum outro artista famoso; qualquer geômetra reconheceria, ao ver tal obra, que não podia haver melhor quanto à execução, mas nunca lhe ocorreria a possibilidade de encontrar nela a verdade acerca do igual, do duplo ou de qualquer outra proporção.

— A ideia seria absurda, com efeito — disse Gláucon.

— E aquele que é realmente astrônomo não sentirá a mesma coisa quando contempla os movimentos dos astros? Considerará, com efeito, que o artífice do céu reuniu neste e não que nele há a maior beleza que é possível reunir em semelhantes obras. Mas, quanto à proporção da noite com respeito ao dia, dos dias com respeito ao mês, dos meses com respeito ao ano e dos demais astros relacionados entre si e com o Sol e a Lua, não crês que lhe parecerá estranho supor que essas coisas ocorram sempre do mesmo modo e que, embora tendo corpos e sendo visíveis, jamais sofram variação alguma? E não achará igualmente absurdo que se intente por todos os meios investigar a verdade sobre isso?

— Concordo plenamente contigo — disse ele —, embora nunca me tivesse ocorrido tal coisa.

— Então — continuei —, praticaremos a astronomia do mesmo modo que a geometria, valendo-nos de problemas e deixando o céu em paz, se é que pretendemos abordar o assunto da maneira correta e fazer com que o dom natural da inteligência nos seja realmente útil.

— A tarefa que impões — observou Gláucon — vai muito além da que atualmente realizam os astrônomos.

— Sim — respondi —, e há muitas outras coisas que devemos ampliar de forma semelhante, se é que temos algum préstimo como legisladores. Mas não te ocorre nenhum outro estudo que seja adequado?

— Assim de improviso, não.

— Pois a meu ver são muitas, e não apenas uma, as formas sob as quais se nos mostra o movimento. Um sábio talvez as possa enumerar todas, mas para o nosso entendimento há duas bastante óbvias.

— Quais são?

— Além daquela de que já falamos, a que lhe corresponde.

— Qual?

— Parece — disse eu — que, assim como os olhos foram constituídos para a astronomia, os ouvidos o foram

O que a astronomia é para os olhos, a ciência da harmonia é para os ouvidos

com a mira no movimento harmônico, e que essas duas ciências são irmãs entre si, conforme dizem os pitagóricos. Não estamos de acordo com eles, Gláucon?

— Estamos.

— Como, porém, se trata de um estudo muito trabalhoso, perguntaremos a eles o que opinam sobre essas coisas, e talvez sobre outras mais; sem deixarmos, todavia, de manter constantemente o nosso princípio.

— Que princípio?

— Há uma perfeição que todo conhecimento deve atingir, e à qual terão de chegar também os nossos pupilos, sem ficar no meio do caminho, como há pouco dizíamos que se faz em astronomia. Pois certamente não ignoras que na ciência da harmonia acontece a mesma coisa.

Esses estudos devem ser feitos tendo em mira a ideia do bem, e não à maneira dos empíricos ou mesmo dos pitagóricos

Com efeito, os mestres desse estudo se dedicam a comparar uns com os outros os acordes e sons escutados, dando-se assim, como os astrônomos, um trabalho inútil.

— Sim, pelos deuses — disse ele —, e também ridículo, pois falam de não sei que notas condensadas, e encostam o ouvido às cordas como quem procura escutar à parede do vizinho; e, enquanto uns dizem distinguir uma nota intermediária, tendo assim descoberto o menor intervalo que se deve tomar como unidade de medida, sustentam os outros que os dois sons se confundem num só, e tantos estes como aqueles colocam os ouvidos à frente da inteligência.

— Mas tu te referes — retruquei — a essa boa gente que dá trabalho às cordas e as tortura, retorcendo-as com as cravelhas; poderia desenvolver a imagem, mostrando como golpeiam as cordas com o plectro e as acusam, e elas, por sua vez, se negam e desafiam o seu verdugo; mas, como seria tedioso, direi apenas que não me referia a esses homens e sim aos pitagóricos, a quem manifestávamos há pouco a intenção de consultar a respeito da harmonia. Pois também eles laboram em erro, como os astrônomos; buscam números nos acordes percebidos pelo ouvido, mas não remontam aos problemas nem investigam as harmonias naturais dos números e por que motivo uns são concordes e outros não.

— É uma tarefa sobre-humana essa de que falas — comentou ele.

— Mas um estudo útil — respondi — para a investigação do belo e do bom, ainda que improfícuo para quem tenha em mira outros interesses.

— Naturalmente.

— E com respeito ao estudo de todas essas coisas que enumeramos — disse eu —, creio que, se chegarmos por meio dele a descobrir a comunidade e afinidade que existe entre umas

Todos esses estudos devem ser relacionados entre si

e outras e apreender o aspecto em que são mutuamente afins, nos levará a alcançar algum dos objetivos que buscamos e nosso trabalho não será inútil; mas sê-lo-á em caso contrário.

— Assim me palpita também — respondeu. — Mas que trabalho gigantesco, Sócrates!
— A que te referes, ao prelúdio ou a que outra coisa? Não sabes, acaso, que tudo isso não é senão o prelúdio da melodia que se deve aprender? Pois não creio que consideres os entendidos nesses assuntos como dialéticos.
— Não, por Zeus! Exceto um número reduzidíssimo daqueles que tenho encontrado.
— E imaginas que homens incapazes de apresentar ou exigir as razões de qualquer coisa possam adquirir o conhecimento que afirmamos ser necessário?
— Tampouco isto é de supor — disse ele.

A dialética procede unicamente com a ajuda da razão, sem intervenção dos sentidos

— E assim, ó Gláucon, chegamos finalmente à melodia que a dialética executa e a qual, embora sendo unicamente do intelecto, é imitada pela faculdade da vista ao procurar contemplar, como dizíamos, os animais e as estrelas reais, e por fim o próprio Sol. Com a dialética sucede o mesmo: quando tentamos dirigir-nos, com a ajuda da razão e sem a intervenção de nenhum sentido, para o que é cada coisa em si, e não desistimos até alcançar, com o auxílio exclusivo da inteligência: o que é o bem em si, então chegamos às próprias fronteiras do inteligível, assim como aquele chegou ao limite do visível.
— Exatamente — disse ele.
— E então? Não é esta viagem o que chamas dialética?
— Como não?

A alegoria da caverna havia prefigurado a aquisição gradual da dialética pelo cultivo das artes

— E o libertar-se das cadeias — prossegui — e o voltar-se das sombras para as imagens e o fogo, e o subir da caverna para a região ensolarada e não poder ainda contemplar ali nem os animais, nem as plantas, nem a luz solar, mas apenas os reflexos divinos divisados nas águas e as sombras de seres reais (e não as sombras de imagens projetadas pela luz do fogo, que, em comparação com o Sol, é apenas uma imagem): eis aí os efeitos que produz o estudo de todas essas ciências que enumeramos, o qual eleva a melhor parte da alma para a contemplação do melhor dos seres, assim como, anteriormente, elevava a parte mais perspicaz do corpo para a contemplação do que existe de mais luminoso na região material e visível.

— Concordo com o que dizes — volveu ele —, embora seja sumamente difícil admiti-lo; mas, por outra parte, não é menos difícil contestá-lo. Este, contudo, não é um tema que se possa tratar apenas de passagem, e será preciso voltar a ele muitas e muitas vezes; e assim, quer seja verdadeira, quer falsa a nossa conclusão, demos por assente tudo isso e passemos à melodia em si, estudando-a do mesmo modo que estudamos o prelúdio ou preâmbulo. Dize-nos, pois, qual é a natureza da dialética, como se divide e quais são os seus caminhos, pois parece que estes são os que nos conduzirão ao termo de nossa viagem e ao descanso final.

A natureza da dialética só pode ser revelada aos que tiveram estudado as ciências preliminares

— Mas já não serás capaz de me seguir, meu querido Gláucon — disse eu —, ainda que não me falte boa vontade para fazer com que contemples, não já uma simples imagem, mas a verdade em si, ou pelo menos o que eu entendo por tal. Não vale a pena discutir se é assim ou não, mas uma coisa se pode afirmar: é que terias visto algo semelhante à realidade. Não crês?

— Sem dúvida.

— Não é certo que a faculdade dialética é a única que pode mostrá-lo a quem seja conhecedor das ciências anteriores, e que não é possível chegar lá por qualquer outro meio?

— Também isto é justo que mantenhas — disse ele.

— E sem dúvida ninguém poderá afirmar que exista outro método de apreender de maneira sistemática, com respeito às coisas em si, o que é cada uma delas; pois as artes em geral se ocupam com os desejos ou as opiniões dos homens, ou são cultivadas com a mira na produção e construção, ou ainda na conservação do que se produz e constrói; e quanto às restantes, das quais dizíamos que apreendiam algo do que existe, refiro-me à geometria e às que se seguem, já vimos que não fazem mais do que sonhar com o que existe, mas que serão incapazes de contemplá-lo acordadas enquanto deixarem sem exame as hipóteses de que se servem, por não poder dar conta delas. Pois, quando um homem não conhece o seu primeiro princípio, e a conclusão e as fases intermediárias são também construídas com o que ele ignora, que possibilidade tem semelhante concatenação de converter-se jamais numa verdadeira ciência?

— Nenhuma — disse ele.

— Então o método dialético é o único que se encaminha diretamente ao primeiro princípio, desfazendo-se das hipóteses para poder pisar em terreno firme; e ao olho da alma, que está literalmente sumido num grosseiro lodaçal, atrai ele suavemente e eleva-o às alturas, empregando como auxiliares desse trabalho de atração as artes que enumeramos há pouco e que, embora por costume as tenhamos chamado muitas vezes de conhecimentos, não merecem esse nome e sim algum outro que implique uma clareza maior que a da opinião, porém menor que a do conhecimento; e foi o que, numa ocasião ou noutra, denominamos compreensão. Mas por que discutir em torno de nomes quando temos realidades de tal monta a considerar?

— Sim, por quê? — disse ele. — Serve-nos qualquer nome que expresse com clareza o que pensamos.

Voltam a ser consideradas as quatro subdivisões da mente

— Bastará, pois, que chamemos, como antes, à primeira parte conhecimento; à segunda, compreensão; à terceira, crença, e percepção de sombras à quarta. E a estas duas últimas, opinião; e às duas primeiras, inteligência. A opinião se refere à geração e a inteligência, à essência; e a inteligência está para a opinião, assim como a essência está para a geração, observando-se a mesma proporção entre o conhecimento e a crença, de um lado, e o pensamento e a percepção de sombras de outro. Quanto à correspondência daquilo a que estas coisas se referem com as subdivisões das esferas do opinável e do inteligível, deixemo-la de parte, ó Gláucon, para que não nos envolva numa discussão muitíssimo mais longa que a anterior.

— Concordo — volveu ele —, na medida em que posso compreender-te.

— E não concordas também em definir o dialético como aquele que adquire noção da essência de cada coisa? E do que não a possui, e portanto é incapaz de transmiti-la aos outros, não dirás que é tanto menor o seu conhecimento da coisa em questão quanto maior for essa incapacidade?

— Como negá-lo? — retrucou.

— Pois com a ideia do bem sucede o mesmo. Se alguém é incapaz de defini-la com o raciocínio, separando-a de todas as demais, nem de abrir passo, como numa batalha, através de todas as críticas, baseando-se na verdade absoluta e não em opiniões para refutá-las, nem de transpor todos esses obstáculos com a sua argumentação invicta... de quem é assim não dirias que não conhece o

Aquele que não conhece o bem em si passa a vida a sonhar

bem em si nem qualquer outra coisa boa, mas que, mesmo no caso de alcançar talvez alguma imagem do bem, a alcançará por meio da opinião e não do conhecimento; e que em sua passagem por esta vida não faz mais do que sonhar, mergulhado numa modorra de que não despertará neste mundo, pois antes passará ao Hades para dormir ali um sono absoluto?

— Sim, por Zeus! Certamente direi tudo isso.

— Então, se algum dia houvesses de educar na realidade esses teus filhos imaginários cuja instrução e educação planejas agora, não permitirias, suponho, que fossem governantes da cidade nem juízes das mais altas questões enquanto estivessem privados de razão, como cepos.

— Claro que não.

— Prescreverás para eles, portanto, uma educação tal que os capacite a perguntar e a responder com a máxima competência possível?

— Sim, tu e eu juntos o faremos.

— Concordas, pois, em que a dialética é como que o remate das ciências e deve ser colocada acima delas nenhuma outra disciplina pode ocupar posição mais elevada, e com ela chegamos ao limite do conhecimento?

— Concordo.

— Mas falta ainda designar a quem havemos de ensinar essas coisas e de que maneira.

— Pois claro — disse ele.

— Lembras-te de como escolhemos já uma vez os governantes?

— Como não?

— As mesmas naturezas continuarão a ser escolhidas, dando-se preferência aos mais firmes e corajosos, e, tanto quanto possível, aos mais belos; ademais de uma índole generosa e viril, devem possuir os dotes naturais adequados a essa educação.

— Como defines esses dotes?

— É necessário, meu afortunado amigo, que tenham vivacidade para os estudos e não lhes seja difícil aprender. Porque as almas fraquejam muito mais amiúde em face dos estudos árduos que dos rigores da ginástica: o trabalho é mais exclusivo delas, e não compartilhado com o corpo.

Os dotes naturais exigidos do dialético

— Por certo.

— Além disso, aqueles que procuramos devem ser homens de boa memória, infatigáveis e amantes de toda sorte de trabalhos; do contrário jamais serão capazes de suportar, além dos exercícios corporais, um semelhante estudo e aprendizagem.

— De fato, para isso se requer uma natureza verdadeiramente privilegiada.

— O erro que agora se comete — disse eu — é o de ser estudada a filosofia por indivíduos que não são dignos dela; daí, como dizíamos, o descrédito em que caiu, pois não deviam buscá-la os bastardos e sim os bem-nascidos.

— Como assim?

— Em primeiro lugar, os que a cultivam não devem ser coxos em seu amor ao trabalho, isto é, industriosos em algumas coisas e indolentes em outras. Isto sucede quando um homem ama a ginástica e a caça e gosta de realizar toda sorte de trabalhos corporais, mas é inimigo de aprender, escutar e investigar. E é coxo também aquele cujo amor ao trabalho se comporta de modo inteiramente oposto.

— Dizes uma grande verdade.

— Por falar em verdade: não será igualmente aleijada, com respeito a ela, a alma que odeia a mentira voluntária, não a suportando em si mesma e indignando-se sobremaneira quando outros mentem, ao mesmo tempo que tolera perfeitamente a involuntária, não se envergonhando de ser descoberta e rebolcando-se no lodo da ignorância como um suíno?

— Por certo.

— E também no que tange à temperança, à coragem, à magnanimidade e todas as demais virtudes, não devemos estar menos vigilantes para distinguir o bastardo do bem-nascido. Pois uma cidade ou um particular caem involuntariamente em erro quando não sabem discernir essas qualidades; a primeira escolhe um governante e o segundo um amigo que, por ser falho em algum aspecto da virtude, podemos qualificar de coxo ou bastardo.

— Efetivamente, assim é — disse ele.

— De modo que devemos ter muito cuidado com isso — continuei. — Porque, se forem homens bem-formados de corpo e alma os que submetemos a esse vasto sistema de educação e adestramento, a própria justiça nada nos poderá lançar em rosto e seremos os salvadores da constituição e da cidade; mas se nossos pupilos forem criaturas de outra estofa, sucederá exatamente o contrário e cobriremos a filosofia de um ridículo ainda maior.

— Seria verdadeiramente vergonhoso — disse ele.

— Como não? Mas me parece que também comigo está acontecendo agora algo de cômico.

— Que é?

— Esqueci que gracejávamos e falei com certa veemência. É que ao ver a filosofia tão imerecidamente espezinhada não pude conter minha indignação contra os culpados e pus demasiada seriedade no que disse.

— Não, por Zeus! — exclamou. — Não é essa a opinião de quem te escuta.

— Mas é a opinião de quem fala — repliquei. — No entanto, não esqueçamos isto: se bem que em nossa primeira eleição tenhamos escolhido velhos, não será possível fazê-lo agora. Não convém dar crédito a Sólon quando

Devem-se escolher os jovens para o estudo da dialética

diz que um homem é capaz de aprender muitas coisas enquanto envelhece, pois é mais fácil a um velho correr do que aprender; para os trabalhos grandes e múltiplos fazem-se mister homens jovens.

— Decerto.

— Por conseguinte, o cálculo, a geometria e toda a instrução preliminar que constitui o preparo para a dialética devem ser ministrados na infância; não, porém, com a ideia de impor pela força o nosso sistema de educação.

— Por quê?

— Porque um homem livre não deve ser escravizado na aquisição de qualquer espécie de conhecimento. Os exercícios corporais, quando compulsórios, não fazem dano algum ao corpo; mas o conhecimento que penetra na alma pela força não cria raízes nela.

— Certo.

— Não empregues, pois, a força, meu bom amigo, para instruir as crianças; que aprendam brincando, e assim poderás também conhecer melhor o pendor natural de cada uma.

— É uma ideia muito justa — observou ele.

— Lembras-te de que as crianças também deviam ser levadas à guerra montadas a cavalo e, se não houvesse perigo, era preciso aproximá-las bastante do campo de batalha para que tomassem o gosto ao sangue como os jovens cães de caça?

— Lembro-me, sim.

— A mesma prática — disse eu — pode ser adotada em todas essas coisas: trabalhos, lições, perigos, e os que nelas demonstrarem sempre maior agilidade passarão a formar um grupo seleto.

— Em que idade?

— Quando houver terminado esse período de ginástica obrigatória, dois ou três anos durante os quais não se podem dedicar a qualquer outra coisa; pois o cansaço e o sono são inimigos do estudo. E o verificar como se porta cada um nos exercícios ginásticos será uma das provas, e não a menos importante, a que submeteremos a nossa juventude.

Aos vinte anos de idade se começará a ensinar aos discípulos a correlação das ciências

— Como não?

— E, a partir de então, os que forem escolhidos entre a classe dos vinte anos receberão mais honras que os demais, e os conhecimentos que adquiriram separadamente durante a educação infantil serão reunidos num quadro geral das relações que existem entre as diversas disciplinas e entre uma delas e a natureza do ser.

— Sim — disse ele —, essa é a única espécie de conhecimento que cria realmente raízes na alma em que penetra.

— Além disso, ele constitui o melhor critério para aquilatar as naturezas dialéticas. Porque aquele que tem visão de conjunto é dialético; e o que não a tem, esse não o é.

— Também penso assim.

— São estes, pois, os pontos que deves considerar; e àqueles que, além de se avantajar aos outros nessas coisas, se mostrarem mais firmes e constantes na aprendizagem, na guerra e nas demais atividades, logo que tenham alcançado a idade de trinta anos tu os tornarás a separar dentre os já escolhidos para conceder-lhes honras ainda maiores e investigar, com a ajuda da dialética, quais deles são capazes de renunciar ao uso da vista e dos outros sentidos e, em companhia da verdade, atingir o ser absoluto. Mas aqui, meu amigo, é necessário ter muita cautela.

— Por quê?

— Não notas — perguntei — quão grande se faz o mal de que agora sofre a dialética?

— Que mal?

— Pois parece estar repleta de iniquidade.

— Com efeito — disse ele.

O crescente ceticismo da juventude explicado por meio de uma comparação

— Achas que o seu caso tem um caráter tão insólito e indesculpável, ou encontras uma justificativa para eles?

— Que justificativa?

— Imagina, à guisa de comparação, um filho putativo que se houvesse criado entre grandes riquezas, numa família numerosa e importante e rodeado de uma multidão de aduladores. Quando se faz homem, vem a saber que não é filho daqueles que diziam ser seus pais, mas não consegue descobrir quais são os verdadeiros. Podes adivinhar que atitude teria para com os seus aduladores e os supostos pais, primeiro no período em que ignorava a impostura e segundo depois de saber? Ou preferes que eu imagine por ti?

— Sim, prefiro.

— Eu diria, pois, que enquanto ignorar a verdade honrará mais ao pai, à mãe e aos outros parentes putativos que aos aduladores, se mostrará menos inclinado a deixar que sofram qualquer privação e a dizer ou fazer qualquer coisa que os magoe, e nos assuntos importantes obedecerá menos aos aduladores do que a eles.

— É natural — disse Gláucon.

— Mas, após descobrir a verdade, imagino que passará a ter menos respeito e consideração por aqueles e se tornará mais devotado aos aduladores, cuja influência sobre o nosso amigo crescerá muito de ponto; andará abertamente em sua companhia e pela conduta deles regrará sua vida posterior; e, a menos que seja pessoa de ótimo natural, não se preocupará em absoluto com o tal pai nem com os outros parentes supositícios.

— Sim, tudo isso é muito provável — respondeu ele. — Mas em que se aplica esta imagem aos estudantes de dialética?

— No seguinte: recebemos desde crianças, se não me engano, certos princípios sobre o justo e o honroso, dentro dos quais nos educamos, obedecendo-lhes e respeitando-os como se fossem nossos pais.

— É verdade.

— Mas, por outro lado, existem máximas contrárias e hábitos de prazer que lisonjeiam a alma e a atraem para si, sem todavia conseguir influenciar os que tenham algum senso de medida, pois estes continuam honrando e obedecendo aos princípios paternos de que falamos.

— Assim é.

Quando se põem a analisar os princípios básicos da moral, os homens cessam de respeitá-los

— Pois bem: se de um homem assim disposto se acerca o espírito de indagação a perguntar-lhe o que é o honroso, e, respondendo ele o que ouviu dizer ao legislador, o refuta o espírito de argumentação e, contradizendo-o de mil maneiras, o leva a pensar que aquele não é mais honroso do que desonroso e que o mesmo sucede com o justo, o bom e todas as demais coisas que tinha na maior estima, acreditas que esse homem continue a honrá-las e a obedecer-lhes como antes?

— Impossível.

— E quando tiver deixado de considerá-las como preciosas e familiares suas, sem no entanto haver descoberto ainda a verdade, é de esperar que se volte para alguma outra vida que não seja a mais consentânea com os seus apetites?

— Como poderia fazê-lo?

— Então se converterá, creio eu, de homem obediente às leis em transgressor delas.

— Forçosamente.

— Ora, é muito natural que assim suceda com os que se dedicam ao estudo da dialética, e também, como dizia há pouco, muito desculpável.

— Sim, e permite-me acrescentar que é sobretudo digno de compaixão.

— Pois bem, para que não venhas a compadecer-te dos teus concidadãos que acabam de atingir a idade de trinta anos, não é necessário usar da maior cautela ao iniciá-los na dialética?

— Com efeito.

— Há grande perigo em que tomem gosto à dialética enquanto forem ainda jovens. Deves ter reparado, sem dúvida, que quando os adolescentes saboreiam por primeira vez os argumentos, servem-se deles como de um jogo, empregando-os sempre para contradizer os outros, à imitação daqueles que os refutam. Como cachorrinhos, deleitam-se em mordiscar e dar tirões a tudo que lhes chega perto.

— Sim — disse ele —, não há nada que apreciem mais do que isso.

— E, depois de terem conquistado muitas vitórias e sofrido também muitas derrotas, caem rapidamente na incredulidade com respeito a tudo em que antes acreditavam e, em consequência, não só eles como a própria filosofia perdem o valimento aos olhos do resto do mundo.

— Muito exato.

— O adulto, pelo contrário, recusar-se-á a acompanhá-los em semelhante mania e preferirá imitar os que se propõem discutir para investigar a verdade a seguir o exemplo dos que fazem um jogo da contradição a fim de divertir-se; e assim, não apenas se portará com mais comedimento, mas converterá a profissão de desonrosa em respeitável.

— É certo — disse ele.

— E não tomamos as devidas precauções quando dissemos que os estudantes de dialética deviam ser pessoas de natureza firme e disciplinada, e não, como agora, o primeiro recém-chegado que dela se acerque sem possuir qualquer aptidão?
— Efetivamente.
— Suponhamos, pois, que o estudo da dialética tome o lugar da ginástica e seja cultivado de maneira assídua, diligente e com exclusão de qualquer outra coisa, durante um número de anos duplo do que se prescreveu para os exercícios corporais: achas que isso seria suficiente?
— Dizes quatro ou seis anos? — perguntou ele.

O estudo da dialética se prolongará dos trinta aos 35 anos

— Deixa lá — respondi —, ponhamos cinco. Depois disso terão eles de baixar novamente à caverna e serão obrigados a exercer os cargos atinentes à guerra e todos mais que sejam próprios de jovens, para que tampouco no que tange à experiência fiquem atrás dos outros. E também nesses cargos serão postos à prova, para ver se se manterão firmes ou fraquejarão em face das tentações que procuram arrastá-los em todos os sentidos.
— E quanto tempo durará essa fase de sua vida?

Dos 35 anos aos cinquenta os escolhidos serão postos à prova em diversos cargos públicos; depois disso se ocuparão principalmente com a filosofia, mas terão de exercer o governo cada um por seu turno

— Quinze anos; e quando chegarem a quinquagenários, os sobreviventes que se houverem distinguido em todos os atos de sua vida e em todos os ramos de conhecimento serão levados à consumação final, pois é preciso obrigá-los a alçar os olhos da alma e contemplar de frente o que proporciona luz a todos; e quando tiverem visto o bem em si, o adotarão como modelo durante o resto de sua existência, em que governarão, cada qual por seu turno, tanto à cidade e aos particulares como a si mesmos; pois, embora dediquem a maior parte de seu tempo à filosofia, terão de carregar aos ombros, quando chegue a sua vez, o peso dos assuntos públicos e governar um depois do outro para o bem da cidade, não como quem realizasse alguma tarefa honrosa, mas simplesmente por ineludível dever. E assim, após ter formado em cada geração outros homens semelhantes a eles, aos quais deixarão como seus sucessores na guardiania, partirão para as ilhas dos bem-aventurados, onde irão morar para sempre, e a cidade lhes consagrará monumentos e sacrifícios públicos, honrando-os como a semideuses, se nisso consentir a pitonisa, e senão como a seres abençoados e divinos.

— És um escultor, Sócrates! — exclamou ele. — Como são belas as estátuas que modelaste de nossos governantes!

— E de nossas governantes também, Gláucon. Não creias que tudo quanto eu disse se aplique apenas aos homens, e não às mulheres que se revelarem suficientemente dotadas.

— Nada mais justo, pois deixamos estabelecido que elas hão de compartilhar todas as coisas em igualdade de condições com os homens.

— E então? Reconheceis que não são vãs quimeras o que dissemos sobre a cidade e o seu governo, e sim coisas que, embora difíceis, são realizáveis, mas realizáveis unicamente da maneira que descrevemos, isto é, quando haja na cidade um ou vários governantes que, sendo verdadeiros filósofos, desprezem as honras deste mundo de hoje por considerá-las ignóbeis e de nenhum valor, e tenham, pelo contrário, na mais alta estima o reto e as honras que dele dimanam, prezando como a maior e mais necessária de todas as coisas o justo, cujos ministros são e cujos princípios serão exaltados por eles ao organizarem a cidade?

Medidas práticas para fundar sem demora a cidade

— Como o farão? — perguntou Gláucon.

— Enviando ao campo todos os habitantes da cidade que tenham mais de dez anos, encarregando-se de seus filhos e subtraindo-os aos costumes atuais, que são também os dos pais deles, para educá-los de acordo com os seus próprios costumes e leis, isto é, aqueles que nós lhes demos. Não é este o meio mais rápido e simples de estabelecer o sistema que expusemos, para que o Estado alcance no mais breve espaço de tempo a felicidade e possa conferir os maiores benefícios ao povo que se rege por tal constituição?

— Sim, essa é de todas a melhor maneira. Parece-me, Sócrates, que descreveste muito bem como essas coisas se realizarão, se é que alguma vez chegarão a realizar-se.

— Já não falamos que chegue — perguntei — da cidade perfeita e do homem que é a sua imagem? Pois não há dificuldade, creio eu, em determinar quais as qualidades que lhe devemos atribuir.

— Nenhuma dificuldade; e, com respeito à tua pergunta, me parece que não há mais que dizer.

Livro VIII

— E assim, Gláucon, chegamos à conclusão de que na cidade perfeita devem ser comuns as mulheres, os filhos, a educação inteira e todas as ocupações da paz e da guerra; e que serão reis os que se revelarem melhores tanto na filosofia como na arte militar.
— Em tudo isso conviemos — respondeu ele.
— Também reconhecemos esta outra coisa: que, uma vez designados os governantes, estes levarão os seus soldados para alojá-los em casas como as que descrevemos, e onde nada será propriedade exclusiva de ninguém, mas tudo será comum a todos. E quanto aos bens que possuirão além dessas vivendas, lembras-te do que ficou assentado?
— Sim, lembro-me de que nenhum deles devia ter como sua qualquer coisa das que constituem as posses ordinárias da humanidade, mas, como atletas guerreiros e guardiães, receberiam dos demais, a título de salário anual, apenas o seu sustento; em troca, estariam obrigados a cuidar tanto de si mesmos como da cidade.
— Certo — disse eu. — E agora que já terminamos com isto, procuremos o ponto em que nos havíamos desviado para que possamos retomar o caminho anterior.
— Não é difícil — tornou ele. — Naquela ocasião como agora, te expressavas como se já tivesses acabado a descrição da cidade, dizendo que consideravas como bons a cidade que havias descrito e o homem que a ela se assemelhava, se bem que, como vemos agora, tivesses coisas ainda mais belas a dizer tanto de uma como de outro. Afirmavas ainda que, se esta era boa, as outras tinham de ser por força deficientes. E, no tocante às demais formas de governo, que existiam, se bem me lembro, quatro espécies delas, e que valia a pena considerar os seus defeitos, bem como os defeitos dos indivíduos que lhes correspondiam. Depois de termos visto a todos eles e chegado a uma conclusão sobre qual é o melhor e qual o pior, investigaríamos se o

melhor não é o mais feliz e o pior, o mais desgraçado. E, quando ia perguntar-te quais eram esses quatro governos de que falavas, fomos interrompidos por Polemarco e Adimanto, tendo então início a digressão que te conduziu até aqui.

— Relembras tudo isso com muita exatidão — disse eu.

— Pois agora, como um lutador, deves colocar-te novamente na mesma posição, deixando que te faça a mesma pergunta e dando-me a resposta que antes pretendias dar.

— Fá-lo-ei se puder — volvi eu.

— Desejo principalmente saber quais são os quatro governos de que falavas.

As quatro constituições imperfeitas: a espartana ou cretense, a oligarquia, a democracia e a tirania

— Não é difícil responder à pergunta; os quatro governos de que falo são conhecidos pelos nomes seguintes: primeiro, o dos cretenses e lacedemônios, tão exaltado pelo vulgo; segundo, a chamada oligarquia, um regime menos popular que aquele e eivado de numerosos vícios; segue-se a este o seu contrário, a democracia; e por último vem a gloriosa tirania, que de todos os mais difere e é a quarta e última doença da cidade. Não conheço nenhuma outra forma de governo que possamos classificar como uma espécie claramente distinta destas quatro; e tu, conheces? Porque as dinastias, monarquias venais e outros regimes semelhantes não me parecem ser mais que formas intermediárias entre umas e outras, as quais tanto podem ser encontradas entre os bárbaros como entre os helenos.

— Sim, ouve-se falar em muitas e estranhas formas de governo que existem entre eles.

— E sabes que deve haver também tantas espécies de caracteres humanos quantas são as formas de governo? Porque

Os Estados assemelham-se aos homens porque são formados de homens

não podemos supor que os governos nasçam de algum carvalho ou alguma pedra,[17] e não das naturezas humanas que contêm e que, ao

se inclinarem, por assim dizer, numa direção, arrastam consigo tudo mais.
— Sim — disse ele —, as cidades são como os homens, pois nascem dos caracteres humanos.
— Então, se as constituições das cidades são cinco, também serão cinco as disposições das almas individuais.
— Como não?
— Já descrevemos o homem que corresponde à aristocracia, do qual dissemos com razão que é bom e justo.
— É verdade.
— Passemos agora em revista os caracteres inferiores, e em primeiro lugar ao que, de acordo com o sistema estabelecido na Lacônia, almeja vitórias e honras; depois passaremos ao oligárquico e ao democrático, e por último ao tirânico. Poremos lado a lado o mais justo e o mais injusto a fim de poder comparar a felicidade e o infortúnio relativos dos que levam uma vida de pura justiça ou de pura injustiça. Assim completaremos a investigação e ficaremos sabendo se devemos seguir a injustiça, como aconselha Trasímaco, ou preferir a justiça de acordo com as conclusões de nosso argumento.
— Perfeitamente; assim faremos.

O Estado e o indivíduo

— Concorda em que sigamos também aqui o plano anterior, que adotamos no interesse da clareza, considerando em primeiro lugar a cidade e passando depois ao indivíduo? Devemos começar pelo estudo do governo baseado na ambição, ao qual, como ignoro se algum outro nome se emprega para designá-lo, chamaremos timocracia ou timarquia. Depois de comparar com ele o caráter do homem que se lhe assemelha, passaremos à oligarquia e ao homem oligárquico; a seguir voltaremos nossa atenção para a democracia e o homem democrático, e após termos visitado e contemplado em último lugar a cidade tiranizada, onde se apresentará aos nossos olhos a alma tirânica, procuraremos chegar a uma conclusão satisfatória.

— Sim — disse Gláucon —, é muito racional esta maneira de examinar e de julgar a questão.

Como nasce a timocracia da aristocracia

— Eia, pois! Vejamos se podemos determinar como nasce a timocracia da aristocracia. Não é evidente que todas as transformações políticas se originam de dissensões no próprio seio daquela parte que exerce o governo e, por menor que seja essa parte, é impossível que se produza qualquer movimento enquanto ela permanecer unida?

— É a pura verdade.

— Pois como poderá dar-se um movimento em nossa cidade, ó Gláucon, e por onde começará o desacordo entre os auxiliares e os governantes, ou dos componentes de cada uma dessas classes entre si? Queres que, como Homero, roguemos às Musas que nos digam "como surgiu por primeira vez a discórdia" e imaginemo-las respondendo na linguagem grandiosa da tragédia, como se falassem a sério, quando o que fazem é divertir-se conosco como quem brinca com crianças?

— E de que modo falariam elas?

— Do modo que segue: é difícil que haja movimentos numa cidade assim constituída; como, porém, tudo que nasce está sujeito à corrupção, tampouco o vosso sistema perdurará eternamente, mas se dissolverá com o tempo. E eis aqui como ocorrerá isso: nas plantas que crescem na Terra, bem como em todos os seres vivos que se movem sobre ela, a fecundidade e a esterilidade da alma e do corpo ocorrem cada vez que as revoluções periódicas completam as circunferências dos ciclos de cada espécie,

A fertilidade e a esterilidade das gerações dependem de complicados ciclos que os governantes jamais conseguirão controlar; daí a inevitável degenerescência da raça

circunferências essas que são curtas para os seres de vida breve e compridas para os longevos. Pois bem, no que tange à vossa raça, aqueles a quem educastes para ser governantes não poderão, por mais sábios que sejam e por muito que se socorram do raciocínio e dos sentidos, acertar com os momentos de fecundidade e de esterilidade; deixarão escapar a ocasião propícia e porão filhos no mundo quando não deveriam fazê-lo. Com efeito, para tudo que é de origem divina existe um período contido num número perfeito; e para as criaturas humanas[18] outro número, que é o primeiro em que, tendo recebido três distâncias e quatro limites os incrementos dominantes e dominados do que iguala e desiguala e aumenta e diminui, esses incrementos fazem aparecer todas as coisas como harmônicas e comensuráveis entre si. A base epitrita daquele, unida à pêntada e três vezes acrescida, fornece duas harmonias: a primeira igual em todas as suas partes, sendo estas várias vezes maiores que cem; e a segunda, equilátera num sentido, mas oblonga, compreende cem números da diagonal racional da pêntada, diminuído cada um de uma unidade, ou da irracional, diminuídos de dois, e cem cubos da tríada. Aí tendes o número geométrico que impera, em sua totalidade, sobre os bons e os maus nascimentos; e quando, por ignorá-los, vossos guardiães unirem as noivas com os noivos em ocasião imprópria, os filhos destes não serão favorecidos nem pela natureza nem pela fortuna. E, ainda que os melhores dentre eles sejam designados pelos seus antecessores, tão logo cheguem ao poder se mostrarão indignos de ocupar os cargos de seus pais; começarão por desatender acima de tudo a nós, apesar de serem guardiães, e subestimarão em primeiro lugar a música e depois a ginástica, afastando assim de nós os vossos jovens. Na geração subsequente serão designadas pessoas que perderam a faculdade, peculiar aos guardiães, de aquilatar o metal de vossas diferentes raças, que, como disse Hesíodo, são a de ouro, a de prata, a de bronze e a de ferro. E, ao misturar-se a férrea com a argêntea e a brônzea com a áurea, se produzirá uma certa diversidade e desigualdade harmônica, coisa que sempre e em todas as partes é causa de inimizades e guerras. Eis aí, dizem as Musas, a raça de que tem nascido a discórdia onde quer que se apresente.

— E temos de reconhecer que elas respondem com acerto — observou Gláucon.

— Pois claro — repliquei —, uma vez que são Musas.

— E que dizem as Musas em seguida?

— Quando se produziu a discórdia, cada um dos dois bandos começou a puxar numa direção diferente; o férreo e brônzeo deu para

Com a discórdia surgiu a propriedade individual

adquirir dinheiro, terras, casas, ouro e prata; enquanto as duas outras raças, a áurea e a argêntea, que não eram pobres, mas ricas de alma por natureza, se inclinavam para a virtude e a antiga ordem de coisas. Houve choques e violências entre uns e outros, e por fim um convênio em que acordaram repartir suas terras e casas como propriedades individuais; e escravizaram, transformando-os em colonos e servos, os amigos a quem antes haviam mantido e protegido na qualidade de homens livres; quanto a eles próprios, seguiram ocupando-se com a guerra e com a vigilância sobre esses outros.

— Creio que acertaste com a origem da mudança — disse Gláucon.

— E essa forma de governo não será um meio-termo entre a aristocracia e a oligarquia? — perguntei.

— Com efeito.

— Assim se fará, pois, a mudança; mas, depois de realizada, como se governarão? Não é evidente que o novo Estado, sendo um termo médio entre a oligarquia e o Estado perfeito, seguirá em parte a uma e em parte ao outro, apresentando ao mesmo tempo certos caracteres próprios?

— Sem dúvida.

— E no respeito aos governantes, na abstenção de qualquer atividade agrícola, manual ou comercial por parte da classe defensora, nas refeições coletivas e na prática da ginástica e dos exercícios militares... a todos esses respeitos o novo regime imitará o anterior?

— Sim.

A timocracia conserva o caráter militar e rejeita o caráter filosófico do Estado perfeito

— E no receio de admitir filósofos às magistraturas, porque já não possuem pessoas dessa classe que sejam simples e convictas, mas apenas caracteres mesclados de elementos heterogêneos, e na preferência dada a outros seres mais impetuosos e mais simples, mais aptos para a guerra do que para a paz, e no grande apreço em que são tidos os ardis e estratagemas militares, e no manter-se constantemente em pé de guerra — não serão todos esses traços, e outros que a eles se assemelham, peculiares ao novo sistema?

— Sim.

— Serão, pois, cúpidos de riquezas os homens dessa condição, como os que vivem nas oligarquias; nutrirão em segredo uma feroz

A classe militar, avara e cúpida

idolatria pelo ouro e pela prata, que acumularão em arcas e tesouros privados onde possam conservá-los bem escondidos; e construirão para si vivendas muradas, verdadeiros ninhos em que criarão suas proles e esbanjarão muito dinheiro com suas mulheres e mais com quem lhes aprouver.

— Nada mais verdadeiro — disse ele.

— Serão também sovinas, por não terem meio de adquirir abertamente o dinheiro que tanto adoram, e amigos de gastar o alheio para satisfazer suas paixões; e desfrutarão seus prazeres furtivamente, escondendo-se da lei como crianças de seus pais, pois não foram educados pela persuasão e sim pela força, desdenhando a verdadeira Musa, que é companheira da razão e da filosofia, e honrando mais a ginástica do que a música.

— Não há dúvida de que é uma mistura de bem e de mal esse sistema de que falas.

O espírito de ambição predomina nesse sistema

— Uma mistura, sim. Mas um traço distintivo, e um só, predomina nele: a ambição e a ânsia de honras; e estas se devem à preponderância do elemento impetuoso.

— Sem dúvida nenhuma — disse ele.

— Tal é — prossegui — a origem e o caráter desse sistema político, que descrevemos apenas em linhas gerais; é desnecessário traçar um retrato mais completo e detalhado, pois este esboço basta para nos dar a conhecer o homem mais justo e o mais injusto; e seria uma tarefa sem fim a de examinar a fundo todos os sistemas e todos os caracteres, sem deixar um só.

— Tens razão.

— Qual será, pois, o homem correspondente a este sistema? Como se formará ele e que espécie de pessoa será?

— Creio — interpôs Adimanto — que pelo menos quanto à ambição se parecerá muito com o nosso Gláucon.

— Talvez seja assim — repliquei —, mas estou dizendo que a outros respeitos não se pode comparar com ele.

— Em quais?

Caráter do homem timocrático

— Deve ser mais arrogante e menos cultivado, embora não seja avesso às Musas; e amigo de escutar, porém não de falar. E será duro para com os escravos, ao contrário do homem melhor educado, cujo orgulho está acima disso; mas amável para com os homens livres, muito obediente à autoridade e apreciador de cargos e honras, não por ser eloquente ou possuir qualquer dote desse gênero, mas por ser soldado e ter a seu crédito muitas façanhas guerreiras; e afeiçoado, por fim, à ginástica e à caça.

— Sim, esse é o tipo de caráter que corresponde a tal sistema.

— Um homem assim desprezará as riquezas apenas enquanto for jovem, mas quanto mais velho se fizer tanto mais amor lhes terá, pois não é isento de uma certa dose de avareza nem muito íntegro no tocante à virtude, por haver perdido o seu melhor guardião.

— E quem é esse? — perguntou Adimanto.

— O raciocínio temperado pela música, que, quando fixa morada na alma de um homem, ali permanece durante toda a sua vida como único salvador da virtude.

— Dizes bem.

— Tal é — ajuntei — o jovem timocrático, semelhante à cidade a que demos o mesmo qualificativo.

— Exato.

— E sua origem é pouco mais ou menos a seguinte: às vezes, sendo filho ainda pequeno de um pai honesto que vive numa cidade malgovernada e foge de honras, cargos, processos e quejandas importunações, preferindo abrir mão de seu direito a incomodar-se...

— Sim, mas como se forma o filho?

— O caráter do filho começa a desenvolver-se quando ouve sua mãe queixar-se do fato de não ocupar o marido nenhuma posição no governo, o que a faz sentir-se rebaixada perante as outras mulheres.

O homem timocrático origina-se amiúde de uma reação contra o caráter do pai

Ademais, quando vê que ele não se ocupa muito com questões de dinheiro e, em vez de batalhar e vociferar nos tribunais e nas assembleias, aceita tranquilamente tudo que lhe sucede; e observa que ele só pensa em si mesmo e a trata com indiferença, sem todavia deixar de estimá--la, desgosta-se com tudo isso e diz ao filho que seu pai não é homem, que é excessivamente frouxo e tudo mais que as mulheres costumam repetir em tais situações.

— Sim — volveu Adimanto —, enchem-nos os ouvidos com essas coisas, e tais queixas são muito próprias delas.

— E não ignoras que também os velhos criados, que passam por ser amigos da família, dizem às escondidas, de quando em quando, coisas semelhantes aos filhos; e, se veem que o pai não persegue a quem lhe deva dinheiro ou lhe tenha causado qualquer outro prejuízo, instigam o filho a que se vingue deles quando ficar grande e seja mais homem que seu pai. E ao sair de casa ouve e vê coisas semelhantes; aqueles que só se ocupam com os seus assuntos na cidade são tidos na conta de simplórios e gozam de pouca consideração, enquanto são honrados e louvados os que se intrometem no que não lhes diz respeito. Resulta daí que o jovem, que de um lado ouve e vê tudo isso, mas de outro também escuta as palavras de seu pai, aprecia de perto o seu comportamento e o compara com o dos outros, é solicitado ao mesmo tempo por essas duas forças opostas: o pai estimula e desenvolve a parte raciocinadora de sua alma e os demais, a parte apaixonada e impetuosa;

e como não é um ser perverso por natureza, mas influenciado pelas más companhias, é afinal levado por essas solicitações contrárias a adotar um meio-termo, entregando o governo de si mesmo à parte intermediária, ambiciosa e impetuosa, e convertendo-se num homem altaneiro e ávido de honras.

— Parece-me que descreveste com perfeição a sua origem.

— Já temos, pois — disse eu —, a segunda forma de governo e o segundo tipo de caráter.

— Temos, sim.

— Cabe-nos considerar agora, como diz Ésquilo, "outro homem postado diante de outra cidade"; ou melhor, examinaremos primeiro a cidade, de acordo com o nosso plano.

— Por certo.

— O sistema que se segue é, segundo creio, a oligarquia.

— Mas a que espécie de governo chamas oligarquia? — perguntou ele.

— Ao que se baseia no censo — respondi — no qual mandam os ricos, sem que os pobres tenham acesso ao poder.

— Já entendi.

— Não é melhor começar mostrando como se dá a passagem da timocracia para a oligarquia?

— Sim.

— Pois bem, até um cego percebe isso com toda a clareza.

— Como?

A oligarquia surge da acumulação de riquezas pelos cidadãos e de seus gastos cada vez maiores

— Aquela arca cheia de riquezas que cada um possuía — disse eu —, aí tens a ruína do sistema timocrático; porque começam a inventar novas maneiras de gastar dinheiro, violando e desobedecendo às leis tanto eles como suas mulheres.

— Pois claro!

— E como cada qual vê seu vizinho enriquecer, procura emulá-lo, e assim a grande maioria dos cidadãos se tornam amantes do dinheiro.

— É natural.

— A partir de então tornam-se cada vez mais ricos, e quanto mais pensam em fazer fortuna menos se lembram da virtude; pois, se colocarmos a riqueza e a virtude nos pratos de uma balança,

À proporção que as riquezas aumentam, decresce a virtude

uma sempre sobe à medida que a outra baixa.
— É mesmo.
— E quando, numa cidade, são honrados a riqueza e os ricos, a virtude e os virtuosos se tornam alvo de desdém.
— Evidente.
— Ora, sempre se pratica o que é apreciado e se negligencia o que é desdenhado.
— Isso mesmo.
— De modo que, por fim, em vez de amar as honras e a glória, os homens se tornam amigos dos negócios e da riqueza; ao rico, louvam-no, admiram-no e o põem no governo; mas, quanto ao pobre, desprezam-no.
— Perfeitamente.

O censo eleitoral impera nas oligarquias

— Então estabelecem uma lei, verdadeiro marco da política oligárquica, em que é fixada uma soma de dinheiro tanto maior quanto mais forte for a oligarquia, e àqueles cuja fortuna não atinja esse censo é vedado o acesso aos cargos públicos. E levam a efeito essa mudança no sistema político por meio da força e com as armas, se já não tiverem conseguido o seu objetivo pela intimidação. Não é assim?
— Que dúvida!
— Aí está o modo pelo qual se instaura geralmente a oligarquia.
— Sim — disse ele. — Mas quais são as características desse sistema, e quais são os defeitos de que falávamos?
— Em primeiro lugar, a própria natureza de seu caráter distintivo. Reflete: se os pilotos fossem escolhidos do mesmo modo, de acordo com um censo, negando-se ao pobre a permissão de dirigir o navio, ainda que fosse melhor piloto...

— Pobre desse navio!
— E não sucede o mesmo com o governo de qualquer coisa?
— Creio que sim.
— Exceto com o da cidade? — perguntei. — Ou também incluis a cidade?
— Muito mais que qualquer outro, pois esse é o maior e o mais difícil de todos.
— Pois aí tens o primeiro defeito capital da oligarquia.
— É o que parece.
— E aqui está outro defeito não menos grave.
— Qual é?

A divisão das classes no Estado oligárquico

— A inevitável divisão; uma cidade assim não é uma só, mas duas cidades: a dos pobres e a dos ricos, que convivem no mesmo lugar e conspiram constantemente uma contra a outra.
— Não fica este atrás do outro, por Zeus! — exclamou.

Esse Estado não ousa ir à guerra

— Pois não é exatamente uma vantagem o serem talvez incapazes de fazer uma guerra por se verem reduzidos a armar a plebe e temê-la então mais do que aos inimigos, ou, se não quiserem recorrer a ela, a entrar em batalha como autênticos oligarcas, tão poucos na luta quantos são no governo. Acresce que seu apego ao dinheiro lhes tira toda disposição de contribuir com ele.
— Não, não é nenhuma vantagem.
— E, como já dissemos, numa tal cidade as mesmas pessoas se ocupam de muitas coisas diferentes... são agricultores, comerciantes e guerreiros, tudo ao mesmo tempo. Parece-te bem isso?
— De modo algum.
— Há ainda outro mal, talvez o maior de todos, e que este regime é o primeiro a sofrer.
— Qual é?

O pródigo arruinado, um flagelo da cidade

— O de que seja lícito a um homem vender tudo que possui e a outro adquirir seus bens, e o que vendeu possa continuar vivendo na cidade, da qual já não faz parte, pois não é comerciante, nem artesão, nem cavaleiro, nem hoplita, mas simplesmente um pobre mendigo.

— Sim, é um mal que surge por primeira vez neste sistema.

— É certo que não há aí nada que o impeça, pois as oligarquias apresentam ambos os extremos da grande riqueza e da completa indigência.

— Justo.

— Reflete agora no seguinte: quando esse homem era rico e dilapidava a sua fortuna, seria acaso mais útil ao Estado como cidadão? Ou talvez, embora aparentasse ser um membro da classe dirigente, não era nem governante nem servidor da cidade, mas apenas um perdulário?

— É como dizes — respondeu. — Parecia ser um governante, mas não passava de um perdulário.

— E não podemos dizer que, assim como em sua célula nasce o zangão, flagelo da colmeia, também em sua casa nasce este outro zangão, flagelo da cidade?

— Exatamente assim, ó Sócrates!

— E a divindade, Adimanto, fez nascer sem ferrão todos os zangões alados, ao passo que entre esses zangões pedestres há uns que não o têm, mas outros que são dotados de ferrões perigosíssimos; e dos privados de ferrão saem os que terminam por mendigar na velhice, e dos que o possuem, todos aqueles que chamamos malfeitores.

— É a pura verdade.

Onde há indigentes também existem ladrões e outros malfeitores

— É evidente, pois, que numa cidade onde vejas mendigos, hão de estar ocultos nas vizinhas outros ladrões, corta-bolsas, saqueadores de templos e criminosos de toda casta.

— É evidente.

— E então? Não vês mendigos nas cidades oligárquicas?

— Quase todos o são, exceto os governantes — respondeu ele.

— Não podemos afirmar, pois, que nelas também existem muitos malfeitores dotados de aguilhão, e a quem as autoridades tratam de conter pela força?

— Sim, podemos afirmá-lo.

— E não diremos que é por ignorância, má educação e má organização política que se encontra ali essa classe de gente?

— Diremos.

— Tais são, pois, a natureza e os males da oligarquia; e talvez contenha muitos outros vícios ainda.

— É muito possível.

— Podemos dar agora por terminada a descrição deste sistema que se chama oligarquia e cujos governantes são escolhidos pela sua riqueza. De imediato examinaremos o homem que a ela se assemelha: vejamos como nasce e como é depois de nascer.

— Muito bem.

— Não será exatamente assim que se converte em oligárquico o homem timocrático de que já falamos?

— Como?

A ruína do homem timocrático dá origem ao oligárquico

— Quando o filho nascido de um timocrata começa por imitar seu pai e por seguir-lhe as pegadas, mas de repente o vê chocar-se contra a cidade como contra um escolho e soçobrarem tanto ele como os seus bens... quando, por exemplo, depois de ter sido general ou ocupado algum outro cargo importante, é processado por obra de falsos delatores e executado, desterrado ou submetido à interdição, perdendo toda a sua fortuna.

— É natural — disse ele.

— E quando o filho tem presenciado e sofrido tudo isso, meu amigo, ao ver-se despojado de seu patrimônio se põe a tremer, imagino eu, e em seguida arroja do trono que ocupavam em sua alma aquela antiga ambição e impetuosidade; humilhado pela pobreza, põe todo o seu afã em ganhar dinheiro e, à força de trabalho e de pequenas e mesquinhas economias, consegue juntar uma fortuna. Pois bem: não crês que esse homem instalará no trono vacante o elemento cobiçoso e ávido de riquezas, de quem fará um grande monarca de sua alma, cingido de tiara, colar e cimitarra?

— Por certo.

— Quanto ao elemento raciocinador e ao impetuoso, creio que os fará sentar no chão, um de cada lado, aos pés do soberano; e os manterá escravizados, pois ao primeiro não deixará pensar nem examinar coisa alguma senão a maneira de converter pouco dinheiro em muito, e ao segundo não permitirá que admire e estime nada a não ser a riqueza e os ricos, nem tampouco que ponha o seu amor-próprio em outra coisa além da aquisição de bens e de tudo que conduza a esse fim.

— Não há nada — disse ele — que de maneira tão rápida e segura possa converter um jovem de ambicioso em avaro.

— E o avaro — perguntei — não é acaso o homem oligárquico?

— Pelo menos o indivíduo de que ele provém é semelhante ao sistema de que nasceu a oligarquia.

— Vamos examinar, então, se é igual a ela.

— Examinemos.

A semelhança entre o homem e o Estado oligárquicos

— Em primeiro lugar, não se parecem no grande valor que dão às riquezas?

— Como não?

— E também em ser poupado e laborioso, limitando-se a satisfazer seus desejos mais essenciais, não se permitindo nenhum outro dispêndio; aos demais apetites, ele os mantêm em sujeição por considerá-los improfícuos.

— Exatamente.

— Porque é um homem sórdido que em todas as coisas visa ao ganho, um amontoador de tesouros... um desses que desfrutam os aplausos do vulgo. Não será assim o homem semelhante a tal sistema?

— Acredito que o seja; em todo caso, as riquezas são tidas em alta estima tanto por ele como pela sua cidade.

— Isso porque, segundo creio, o tal homem nunca tratou de educar-se.

— Parece-me que não — disse Adimanto —, pois do contrário não teria escolhido um cego[19] como diretor de seu coro e objeto de sua maior estima.

— Ótimo! Agora considera isto. Não devemos admitir também que, como decorrência de sua incultura, existem nele apetites próprios de zangão, quer seja de mendigo, quer de

> O homem oligárquico mantém uma aparência de virtude, mas abandona-se às suas más tendências quando vê que o pode fazer sem perigo

malfeitor, os quais são reprimidos à força pelo seu hábito geral de vida?

— Sem dúvida.

— E sabes onde deves olhar para descobrir suas más tendências?

— Onde?

— Nas situações em que goza de grande liberdade para ser desonesto, como por exemplo na tutela de um órfão.

— Certo.

— E não se torna evidente que o que faz esse homem nos demais negócios, em que goza de boa reputação por sua aparência de honestidade, é conter, por uma espécie de virtude forçada, as más paixões que nele existem, às quais não convence de seu erro nem amansa com razões, mas apenas reprime pela força e porque receia perder os seus bens?

— Sem dúvida.

— Pois bem, meu amigo; não será, por Zeus, sempre que se trata de gastar o alheio que se deixarão entrever, na maioria deles, esses apetites próprios de zangão?

— Indubitavelmente, assim é.

— O homem estará, pois, em guerra consigo mesmo; não será um homem só, mas dois; em geral, porém, os melhores desejos prevalecerão sobre os piores.

— Com efeito.

— E é por tais motivos, creio eu, que um homem desse tipo apresentará uma aparência mais decorosa que muitos outros; mas terá voado para muito longe dele a genuína virtude de uma alma concertada e harmônica.

— Assim me parece.

— E será, por sua avareza, um fraco competidor sempre que na cidade se dispute alguma vitória ou qualquer outra distinção honrosa, pois se recusará a gastar dinheiro para conseguir glória nesse gênero de certames; receia despertar os seus apetites de esbanjamento invocando--lhes a ajuda e convidando-os para tomar parte no prélio; à boa moda oligárquica, luta com uma parte apenas de seus recursos, e o resultado é que as mais das vezes perde o prêmio, mas fica com o seu dinheiro.

— De fato, assim é.

— Haverá ainda alguma dúvida de que, no que toca à semelhança, esse avarento comerciante faça parelha com a cidade oligárquica?

— Nenhuma dúvida — respondeu.

— Segue-se agora a democracia: vejamos de que modo se origina e qual é o seu caráter depois de estabelecida; consideraremos

A democracia nasce da ruína financeira de homens de boa família e posição, que permanecem na cidade e formam uma perigosa classe, pronta para encabeçar uma revolução

então o modo de ser do homem democrático para poder julgá-lo.

— Sim, de acordo com o nosso método.

— Pois bem, não é da maneira seguinte que se produz a mudança da oligarquia para a democracia, devido ao desejo insaciável que tem cada qual de se fazer o mais rico possível, como se isso fosse o maior dos bens?

— De que maneira?

— Os governantes, sabendo que seu poder repousa na sua riqueza, não se dispõem a reprimir por lei as extravagâncias dos jovens pródigos, cuja ruína lhes traz proveito, pois emprestam-lhes dinheiro sob garantia e afinal lhes adquirem os bens, com o que se tornam ainda mais opulentos e poderosos.

— Nada mais certo.

— Mas não é evidente que o amor à riqueza e o espírito de temperança não podem coexistir com igual força entre os cidadãos da mesma comunidade, mas um deles será forçosamente descurado?

— É assaz evidente.

— Descuram-se, pois, nas oligarquias, toleram a licença, e destarte não raro obrigam homens de boa família a converter-se em mendigos.

— Sim, isso ocorre com frequência.

— Andam, pois, ociosos pela cidade esses homens providos de ferrão e bem-armados, dos quais uns devem dinheiro, outros perderam seus direitos e alguns sofrem de ambos os males, cheios de ódio pelos que adquiriram seus bens e por todos mais, conspiram contra uns e outros e anseiam por uma revolução.

— É verdade.

— Por outro lado, os negociantes andam com a cabeça baixa, fingindo que não os veem; cravam o ferrão de seu dinheiro em qualquer dos outros que apanhem desprevenido, recuperam muitas vezes multiplicado o capital que empregaram, como se este houvesse criado família no intervalo, e com tudo isso enchem a cidade de uma multidão de zangões e pedintes.

— Sim, é certo que são muito numerosos.

— Arde esse mal como uma fogueira; e não querem apagá-la

Os dois remédios propostos

nem por aquele meio, isto é, impedindo que cada um disponha do que é seu como lhe aprouver, nem por esta outra lei, que resolveria por certo a situação.

— Que lei?

— Uma que seria a melhor depois daquela e que obrigaria os cidadãos a zelar pela virtude. Se se prescrevesse que a maior parte dos contratos voluntários fossem feitos por conta e risco dos contratantes, não enriqueceriam alguns de maneira tão escandalosa nem abundariam na cidade os males que descrevíamos há pouco.

— Muito acertado — disse ele.

— É assim, pois, que na atual situação, e levados pelos motivos que apontamos, os governantes tratam os seus súditos. Quanto a eles próprios e aos seus, em especial os jovens da classe dirigente, acostumam-se a uma vida de luxo e de ociosidade tanto da alma como do corpo, tornando-se demasiado preguiçosos e moles para resistir ao prazer ou à dor.

— Como não?

— E os pais não se ocupam com outra coisa que não seja ganhar dinheiro, e são tão indiferentes à virtude quanto os pobres.

— De fato.

Os súditos descobrem a fraqueza de seus governantes

— Pois bem, reinando tal estado de coisas, quando governantes e governados se encontrem numa viagem por terra numa peregrinagem ou, ainda melhor, numa expedição em que naveguem e guerreiem juntos; quando lhes é dado observar o comportamento uns dos outros em face do perigo... pois quando há perigo os pobres não são de modo algum desprezados pelos ricos, e muitas vezes um pobre, seco e tostado pelo sol, forma na batalha ao lado de um rico criado à sombra e carregado de carnes supérfluas... acreditas acaso que, vendo-o ofegante e atrapalhado, não julgará o pobre que homens como aquele só são ricos porque os outros não têm coragem de despojá-los, e quando se encontrar com seus iguais em lugar privado, não se dirão uns aos outros como uma senha: "Temo-los nas mãos, pois não valem nada"?

— Por minha parte — disse ele — sei perfeitamente que é assim que falam.

— E, do mesmo modo como num corpo depauperado basta um pequeno impulso de fora para fazer surgir a enfermidade,

Uma pequena causa, interna ou externa, pode provocar a revolução que dá origem à democracia

e às vezes nasce o distúrbio em seu próprio seio, mesmo sem qualquer provocação externa, não sucede coisa igual à cidade que está em situação análoga, pois basta o menor pretexto para que ambos os partidos invoquem o auxílio de seus aliados oligárquicos ou democráticos de outras cidades, e temos aquela doente, a debater-se em luta consigo mesma... sucedendo, por vezes, que a revolta se produz mesmo sem intervenção de fora?

— Exatamente.

— Portanto, a democracia nasce quando, depois de vencerem os pobres os seus adversários, matam alguns deles, a outros desterram e aos restantes conferem um quinhão igual de liberdade e poder; e é esta a forma de governo em que os magistrados costumam ser eleitos por sorteio.

— Sim — disse ele —, é assim que se estabelece a democracia, quer a revolução se tenha efetuado pelas armas, quer o medo tenha forçado o partido contrário a retirar-se.

— Muito bem. Vejamos agora que espécie de sistema é a democracia e de que modo se administra; porque, tal como for o governo, tal será o homem.

— Evidentemente.

— Não serão acima de tudo homens livres, e não se encherá a cidade de liberdade e franqueza, e não terá cada um licença de fazer o que lhe apraz?

— Pelo menos é o que se diz — respondeu.

— E, reinando a licença, é evidente que cada qual poderá organizar como mais lhe agrade o seu gênero particular de vida.

— Sim, evidente.

A democracia permite que cada um proceda como bem entender, e por isso contém a maior variedade de caracteres e constituições

— Portanto, esse regime será, segundo creio, aquele em que existam as mais variadas classes de homens.

— Como não?

— É possível, pois, que seja também o mais belo dos sistemas, como um manto sarapintado em que se combinam todas as cores. E, com efeito, não duvido que muitos se extasiem diante dele como fazem as mulheres e crianças diante de uma variedade de cores, pois para elas não pode haver nada mais lindo.

— De fato.

— Sim, meu afortunado amigo, e não há cidade melhor para se procurarem nela sistemas políticos.

— Por quê?

— Porque, graças à licença que ali reina, possui um sortimento completo de construções; e quem deseja organizar uma cidade, como estivemos fazendo nós, deve dirigir-se a uma democracia como quem vai a um bazar de sistemas políticos, para ali escolher o que mais lhe convém e adotar o escolhido como modelo.

— Sim, talvez não sejam modelos o que lhe falte — disse ele.

A lei perde toda a força

— E o fato de não ser obrigatório governar nessa cidade, mesmo quando se tem capacidade para isso, nem tampouco obedecer, a menos que assim desejes, nem ir à guerra quando os outros o fazem, nem estar em paz se não queres paz, nem te absteres de governar e de julgar se a ideia te sorri, muito embora exista uma lei que te proíbe de fazê-lo... não é esse um gênero de vida sumamente agradável à primeira vista?

— Talvez o seja, à primeira vista.

— E não te parece encantadora a humanidade com que tratam em certos casos os condenados? Nunca viste, numa democracia, homens sobre os quais pesa uma sentença de morte ou de desterro, e que nem por isso deixam de ficar na cidade e de passear pelas ruas, exibindo-se como heróis no meio do povo, que finge não vê-los e não se dá por achado?

— Tenho visto muitos desses — respondeu.

A democracia espezinha todos os princípios estabelecidos por nós ao planejar a cidade perfeita

— Considera também o espírito indulgente da democracia e a displicência com que esquece aquele princípio tão importante que proclamamos ao fundar a cidade... o de que jamais poderá ser homem de bem, a menos que esteja dotado de uma natureza excepcional, quem não tenha começado desde criança a brincar com coisas belas, para mais tarde continuar aplicando-se a tudo que com elas se assemelha. Com que magnífica indiferença ela espezinha todos esses nossos ideais, sem se preocupar em absoluto com a formação dos que se dedicam à política e honrando qualquer um que se declare amigo do povo!

— Sim, vê-se que é muito generosa.

— São, pois, estes e outros similares os traços característicos da democracia: uma prazenteira forma de governo, cheia de variedade e desordem, e conferindo indistintamente uma espécie de igualdade tanto aos que são iguais como aos que não o são.

— Isso que dizes é bem conhecido — comentou ele.

— Consideremos agora que espécie de pessoa será o homem democrático na vida privada. Mas não devemos investigar primeiro a sua origem, como fizemos com o governo?

— Sim, primeiro a origem.

— Não será do seguinte modo? Ele é filho daquele avarento oligárquico e foi educado pelo pai dentro dos seus hábitos.

— Como não?

— E, como o pai, contém pela força aqueles seus apetites que trazem consigo dispêndio e não lucro, isto é, os chamados prazeres desnecessários.

— Evidentemente.

— Mas queres que, para não andar às cegas, comecemos por definir quais são os apetites necessários e quais os desnecessários?

— Quero, sim.

— Não são necessários aqueles de que não podemos prescindir e também outros cuja satisfação nos seja benéfica? Porque

Distinção entre os apetites necessários e os desnecessários

a essas duas classes de objetos não pode deixar de aspirar a nossa natureza. Não é assim?

— Com efeito.

— Não erramos, pois, em qualificá-los de necessários?

— De modo algum.

— E quanto aos apetites de que nos podemos livrar se nos esforçamos nesse sentido desde jovens, e que, ademais, não nos trazem nenhum bem, mas por vezes justamente o inverso, não teríamos razão em dizer que esses são desnecessários?

— Toda a razão, por certo.

— E se tomássemos um exemplo de cada espécie, para termos uma ideia geral deles?

— Ótimo.

— Não será necessário o desejo de comer, isto é, de comida simples e condimento, na medida em que são indispensáveis para a saúde e o vigor do corpo?

— Assim me parece.

— O desejo de alimento é necessário por dois motivos: porque nos faz bem e porque é essencial à vida.

— Sim.

— E o de condimentos, na medida em que traga algum proveito ao bem-estar corporal.

— Por certo.

— E o desejo que vá mais longe do que estes, desejo de manjares mais refinados e outros luxos, do qual a maioria dos homens pode libertar-se quando o reprime e educa desde a juventude, e que é nocivo ao corpo e prejudicial à alma no que toca à prudência e à temperança? Não o consideraríamos com razão como desnecessário?

— Com muita razão.
— Não podemos, pois, chamar dispendiosos estes desejos e profícuos os outros porque favorecem a produção?
— Que outras qualificações lhes caberiam melhor?
— E o mesmo diremos dos desejos amorosos e dos outros?
— O mesmo.
— E o zangão de quem falávamos não é o homem que se farta de prazeres dessa espécie e o escravo dos apetites desnecessários, enquanto o que se governa pelos necessários é o homem parcimonioso e oligárquico?
— Como não?
— Pois vejamos agora como nasce o homem democrático do oligárquico. Quer me parecer que na maioria dos casos o processo é o seguinte.
— Qual?

O jovem oligárquico é posto no mau caminho por seus companheiros dissolutos

— Quando em sua juventude, depois de criar-se da maneira que descrevemos, ineducado e cobiçoso, vem a provar o mel dos zangões e convive com naturezas ardentes e astuciosas, capazes de lhe proporcionar os mais variados prazeres e refinamentos... então, como bem podes imaginar, é que começa a converter-se em democrático o que nele existe de oligárquico.
— Inevitavelmente.

Cada parte de sua natureza tem aliados

— E, assim como a cidade se transformou pela vinda de um aliado externo em socorro de um dos partidos que nela se antagonizavam, aliado da mesma índole desse partido, não se transforma também o adolescente por obra de uma classe de desejos que vêm de fora auxiliar seus parentes e afins que naquela alma residem?

— Claro.

— E, se o elemento oligárquico que nele existe recebe por sua vez o socorro de algum outro aliado, seja por parte do pai, seja de outros familiares que o repreendem e pintam com negras cores o seu descaminho, então surgem nele duas facções inimigas e entra em guerra consigo mesmo.

— Como não?

— E há ocasiões em que o democrático cede ao oligárquico, e alguns de seus desejos sucumbem e outros são banidos, pois despertou na alma do jovem um certo pudor e a ordem foi restabelecida.

— Sim, isso acontece às vezes.

— Volvido algum tempo, porém, novos desejos surgem no lugar dos expulsos, desejos da mesma natureza que estes e que se multiplicam e se robustecem devido à inépcia da educação paterna.

— Pelo menos é o que se dá comumente.

— E acabam arrastando-o para as antigas companhias e, unindo-se aos desejos dos outros, geram numerosa descendência.

— É verdade.

— Finalmente, apoderam-se da fortaleza da alma juvenil ao perceber que está vazia de bons ensinamentos, bons hábitos e máximas verdadeiras, que são os melhores vigilantes e guardiães da razão na mente dos homens amados pelos deuses.

— Os melhores, sem a menor dúvida.

— E outras máximas e opiniões falsas e presunçosas se lançam ao assalto e ocupam o lugar daquelas.

— Indubitavelmente.

— E sucede então que o nosso jovem, tendo voltado para junto

A evolução do jovem oligárquico é descrita por meio de uma alegoria

daqueles lotófagos,[20] convive abertamente com eles e, se da parte de seus familiares vem um reforço ao elemento oligárquico que nele existe, aquelas máximas arrogantes cerram as portas do castelo real e nem deixam entrar a embaixada, nem acolhem ou escutam os admoestadores privados que, como pessoas de mais idade, lhes oferecem conselhos paternais. Saem vitoriosas da luta e desterram ignominiosamente o pudor, a que chamam simplicidade, escorraçam entre chacotas a temperança, qualificando-a de efeminação, e proscrevem a moderação e a medida nos gastos como rusticidade e sovinice, tudo isso com o auxílio de uma patuleia de apetites supérfluos.

— Por certo.

— E, depois de terem esvaziado e purgado a alma de seu prisioneiro, como a um iniciado em grandes mistérios, introduzem nela uma brilhante comitiva em que figuram, coroados, a insolência, a indisciplina, o esbanjamento e o impudor; e a todos celebram e enaltecem, dando-lhes nomes lisonjeiros, pois à insolência chamam boa educação; à indisciplina, liberdade; ao esbanjamento, magnificência; e ao impudor, coragem. Não é assim que o jovem se desvia de sua primitiva natureza, que se criou na escola da necessidade, para a licença completa dos prazeres desnecessários e improfícuos?

— Sim — respondeu ele —, o processo de transformação é bem claro.

Segue ele ora os seus desejos maus, ora os bons, segundo a disposição do momento, negando acolhida aos conselhos dos que tentam levá-lo a fazer distinção entre uns e outros

— A partir de então, vive ele gastando seu dinheiro, seu trabalho e seu tempo tanto nos prazeres necessários como nos desnecessários; se é afortunado e não se deixou arrastar muito longe pelo seu delírio, com o passar dos anos, já acalmado um pouco o torvelinho das paixões, torna a acolher uma parte das virtudes desterradas e não se entrega de todo aos invasores; introduz, assim, uma espécie de equilíbrio em seus prazeres, dando o governo de si mesmo ao primeiro que sai vitorioso, até saciar-se dele e entregar-se nas mãos de outro; a todos favorece por forma igual, sem desprezar nenhum.

— Exatamente.

— E não recebe nem deixa entrar em seu reduto qualquer máxima verdadeira e salutar; se alguém lhe diz que são diferentes os prazeres proporcionados pelos desejos justos e dignos e os que lhe oferecem os desejos perversos, e que se deve cultivar e estimar os primeiros, refreando e dominando os segundos, sacode a cabeça e responde que são todos iguais e que é preciso estimar igualmente a todos.

— Indubitavelmente — disse ele —, é assim que procede um homem nessas condições.

— E destarte passa sua vida dia por dia, condescendendo com o desejo do momento, ora embriagado e tocando flauta, ora bebendo água e emagrecendo; por vezes cultiva a ginástica, passando depois algum tempo na ociosidade, despreocupado de tudo, e mais tarde dá a impressão de se dedicar à filosofia. Amiúde se envolve na política e, saltando à frente dos cidadãos, diz e faz o que lhe vem à cabeça; e, se lhe ocorre a ideia de emular algum militar, envereda por essa direção; se a algum banqueiro, por essa outra. Não há ordem nem sujeição alguma em sua vida; e a essa existência sem norte chama livre, alegre e feliz, e nela persevera a despeito de tudo.

— Passaste em revista a vida do homem democrático sem esquecer nada — disse ele.

— E penso — continuei — que esse homem é multíplice e possuidor de muitas índoles distintas, que é belo e policrômico, tal como a cidade que descrevemos. E muitos homens e mulheres invejariam a sua vida, onde se podem encontrar os modelos de muitos regimes políticos e modos de ser.

— Precisamente.

— Podemos, então, colocá-lo, em face da democracia, como homem genuinamente democrático?

— Sim, podemos catalogá-lo como tal.

— Falta-nos tratar agora — disse eu — do mais belo regime político e do homem mais admirável: a tirania e o tirano.

A tirania e o tirano

— Sim, faltam ainda esses.

— Vejamos então, meu querido amigo, como surge a tirania; porque sua origem democrática é evidente.

— Sim, evidente.

Assim como o apetite insaciável de riquezas dá origem à democracia, o desejo insaciável de liberdade faz nascer a tirania

— E não nascerá a tirania da democracia do mesmo modo que esta nasceu da oligarquia?
— Como?
— O bem a que se propunha a oligarquia e o meio pelo qual se estabeleceu era a riqueza. Não é assim?
— Com efeito.
— Ora, foi a ânsia imoderada dessa riqueza e o abandono de tudo mais em favor dela que perdeu a oligarquia.
— É verdade.
— E não é igualmente o apetite insaciável daquilo que a democracia considera como bem próprio que acarreta a sua dissolução?
— Que bem?
— A liberdade — respondi. — Nas cidades democráticas se costuma dizer que ela é a mais bela coisa que existe e, portanto, só ali vale a pena viver para um homem livre por natureza.
— Sim, é o que se ouve com frequência.
— Mas aqui tens o que eu ia dizer agora: não será essa ânsia de liberdade e o descaso por tudo mais que acaba por alterar o regime político que estamos examinando e faz surgir a necessidade da tirania?
— Como? — perguntou ele.
— Quando o festim da cidade democrática e sedenta de liberdade é presidido por maus escanções e ela se embriaga mais do que convém com esse vinho forte, passa a castigar os seus governantes se não são totalmente frouxos e não lho proporcionam em abundância, chamando-os de malvados e oligárquicos.
— Com efeito, isso é muito comum.
— E aos que se submetem aos governantes, injuria como a escravos que oferecem o pescoço à canga e homens sem nenhum valor; o que lhe

A liberdade degenera em anarquia

convém são governantes que se assemelham aos governados e governados que pareçam governantes; esses são as meninas de seus olhos,

a quem honra e elogia tanto em privado como em público. Ora, é possível que numa cidade assim a liberdade tenha quaisquer limites?
— Impossível.
— Pouco a pouco, meu amigo, a anarquia se infiltra nos domicílios privados e termina contagiando os próprios animais.
— Que queres dizer com isso?
— Que o pai se acostuma a igualar-se com os filhos e a temê-los, e os filhos a igualar-se com os pais e não lhes ter respeito nem temor algum, pois essa é a sua ideia da liberdade; e o meteco se iguala com o cidadão, e o cidadão com o meteco, e o forasteiro da mesmíssima forma.
— Sim, isso acontece — disse ele.

A inversão de todas as relações sociais

— E não são esses os únicos males — prossegui. — Há outros menores: o mestre teme e adula os seus discípulos, e os discípulos desprezam mestres e preceptores. Jovens e velhos, todos se equiparam; os rapazes rivalizam com seus maiores em palavras e ações; e estes condescendem com eles, mostrando-se cheios de bom humor e jocosidade, para imitá-los, e não parecem casmurros e autoritários.
— Assim é, efetivamente.
— E tal excesso de liberdade chega ao cúmulo, meu amigo, quando os que foram comprados por dinheiro não são menos livres que seus compradores; não devemos esquecer tampouco a liberdade e igualdade dos dois sexos em relação um com o outro.
— Por que não dizer, segundo a expressão de Ésquilo, "o que nos vem agora à boca"? — perguntou.
— É o que estou fazendo, e devo acrescentar ainda: ninguém que não o tenha visto poderá acreditar quão mais livres são na cidade democrática os animais que se acham a serviço do homem, pois, como diz o refrão, as cadelas valem tanto quanto as suas donas e os cavalos e asnos andam às soltas, como importantes personagens, empurrando pelos caminhos a quem não lhes cede o passo; e por toda parte se vê a mesma pletora de liberdade.

Não se reconhece lei nem autoridade

— A quem o dizes! Mais de uma vez me ocorreu isso quando passeava pelo campo.

— E, em resultado de tudo que expusemos, vê como se tornam suscetíveis os cidadãos: irritam-se à menor imposição da autoridade e não a toleram. E terminam, como sabes, votando ao mais completo desprezo as leis, escritas ou não, para não terem nada nem ninguém acima de si.

— Muito bem o sei.

— Tal é, meu amigo — disse eu —, o belo e glorioso princípio de onde nasce a tirania.

— Glorioso, não há dúvida — respondeu ele. — Mas que é que vem depois?

— Que a mesma doença que se manifestou na oligarquia e acabou com ela torna-se aqui mais grave e poderosa, devido à licença reinante, e escraviza a democracia; pois a verdade é que todo excesso num sentido costuma produzir uma reação no sentido contrário, tanto nas estações como nas plantas e nos animais, porém acima de tudo nos regimes políticos.

— É natural.

— Parece, pois, que o excesso de liberdade só pode terminar num excesso de escravidão, tanto para o indivíduo como para a cidade.

— Assim parece, realmente.

— E assim, é natural que a tirania não possa surgir de outra forma de governo senão da democracia, isto é: da extrema liberdade nasce, segundo penso, a maior e mais rude servidão.

— É lógico.

— Mas me parece que não era isto o que perguntavas — disse eu —, e sim qual é essa doença que se manifesta na oligarquia e que é a mesma que escraviza a democracia.

— Exatamente — respondeu.

O mal comum à oligarquia e à democracia é a classe ociosa e esbanjadora

— Pois eu me referia à classe de homens ociosos e pródigos, dentre os quais os mais corajosos são os que guiam e os mais tímidos, os que seguem... os mesmos que comparávamos com zangões, uns providos de ferrão e outros sem ele.

— E com muita justiça — observou.

— Essas duas classes são o flagelo de qualquer cidade em que apareçam, desempenhando nela o mesmo papel que a bílis e a fleuma no corpo. E é necessário que o bom médico e legislador da cidade, da mesma forma que o apicultor competente, tomem desde cedo as suas precauções para impedir que nasçam, se possível, e senão para extirpá-las o quanto antes, juntamente com suas células.

— Sim, por Zeus! O mais cedo possível.

Ao todo, existem três classes numa democracia

— Pois bem; a fim de enxergarmos mais claro no assunto, imaginemos a cidade democrática dividida, como de fato está, em três classes. Para começar, a liberdade engendra uma linhagem de zangões não menos numerosa que na cidade oligárquica.

— É verdade.

— Porém muito mais corrosiva aqui do que lá.

— Como assim?

— Porque naquela são desqualificados e excluídos dos cargos públicos, o que os impede de tornar-se poderosos, ao passo que na democracia são eles que mandam, com poucas

(1) Os zangões ou perdulários, mais ativos aqui do que na oligarquia

exceções, e enquanto a parte mais ativa fala e age, os demais ficam zumbindo em redor das tribunas e não permitem que se diga uma

palavra em contrário; e, assim, nas democracias tudo é administrado por essa classe de homens, salvo um reduzido número de outros.
— Por certo.
— Mas há outro grupo que sempre se distingue da multidão.
— Qual é?
— Como todos buscam o ganho, os mais bem-regrados por índole não podem deixar de ser os mais ricos.

(2) A classe bem-regrada e rica, que serve de pasto aos zangões

— Naturalmente.
— E é desses, se não me engano, que os zangões tiram mais mel e com mais facilidade.
— Pois claro! — disse ele. — Como poderiam tirá-lo dos que têm pouco?
— Temos aí, pois, a classe abonada, que serve de pasto aos zangões.
— Assim é, mais ou menos — volveu Adimanto.
— A terceira é a do povo, formada pelos que trabalham com suas próprias mãos e vivem afastados da política, não tendo,

(3) A classe trabalhadora, que também recebe o seu quinhão

por isso, grandes posses. É esta a classe mais numerosa, e também, quando se reúne em assembleia, a mais poderosa na democracia.
— Sim, de fato — disse ele —, mas raramente mostra disposição para congregar-se, a menos que receba o seu quinhão de mel.
— E não recebe — perguntei —, na medida em que os detentores do poder consigam despojar os ricos de seus bens e distribuí-los entre o povo... depois de reservarem para si a parte do leão, está claro?
— Com efeito, nessa medida o povo recebe a sua quota.
— E os despojados se veem obrigados a defender-se perante ele, do melhor modo que podem?
— Como não?

— E, se bem que na realidade não tenham intenção de modificar coisa alguma, os outros os acusam de conspirar contra o povo e de serem amigos da oligarquia?
— Assim o fazem.

Os ricos são obrigados a defender-se contra o povo

— E assim, quando veem que o povo, não por sua vontade, mas enganado em sua ignorância por falsos delatores, procura causar-lhes dano, tornam-se realmente oligárquicos por força das circunstâncias e não porque o queiram; como se vê, foi aquele mesmo zangão que engendrou também esse mal com a sua ferroada.
— Exatamente.
— Começam então as denúncias, os processos e as lutas entre uns e outros.
— Com efeito.
— E o povo sempre tem algum campeão que coloca à sua frente e cujo engrandecimento favorece?

O povo tem um chefe que, depois de provar sangue, se converte em tirano

— Sim, é o que costuma acontecer.
— É dessa raiz e não de outra que brota o tirano, pois ele começa sempre como um protetor do povo.
— Evidente.
— De que modo principia então a transformar-se em tirano? Não é claro que ao fazer o que se atribui àquele homem na fábula sobre o templo de Zeus Liceu na Arcádia?
— Que fábula? — perguntou ele.
— Aquela, segundo a qual quem provasse uma entranha humana misturada com as de outras vítimas se converteria fatalmente em lobo. Nunca ouviste contar essa história?
— Ah! sim. Ouvi, como não!

— Pois o protetor do povo é como esse homem. Dispondo de uma multidão inteiramente dócil, não se abstém de derramar o sangue de seus compatriotas; em geral recorre a acusações injustas para arrastá-los aos tribunais e destruir-lhes as vidas, saboreando com a boca e a língua impuras o sangue fraterno; a uns mata e a outros exila, ao mesmo tempo que alude a abolições de dívidas e distribuições de terras. Qual poderá ser o destino de tal homem? Não tem ele por força de perecer às mãos de seus inimigos ou converter-se de homem em lobo, isto é, em tirano?

— Inevitavelmente.

— Não é esse — perguntei — o que se levanta em sedição contra os ricos?

— Esse mesmo.

— E quando, após ter sido desterrado, volta à pátria apesar de seus inimigos, não é como perfeito tirano que chega?

— Pois claro.

— E, se não conseguem expulsá-lo ou obter sua condenação à morte por meio de uma acusação pública, conspiram para matá-lo às escondidas.

— É o que costumam fazer.

— Vem, então, a famosa súplica dos tiranos, que é o recurso de todos os que chegaram a essa situação: pedem eles uma guarda pessoal ao povo, para que este não perca o seu protetor.

— Exatamente.

A guarda pessoal

— E o povo logo consente. Nenhum temor tem por si mesmo, apenas por ele.

— É bem verdade.

— E ao ver isso, meu caro amigo, o homem que possui riquezas e é acusado de inimigo do povo por ser rico resolve seguir o conselho que o oráculo deu a Creso:

Foge para as margens do pedregoso Hermon
E não resistas nem te envergonhes de ser covarde.

— Sim, porque se o fizesse não teria tempo de envergonhar-se duas vezes.
— E o que é apanhado não escapa à morte.
— Fatalmente.

O protetor no carro de honra da cidade

— E aquele protetor de que falamos, vemo-lo agora, não a jazer "enorme e num vasto espaço",[21] mas instalado no carro de honra da cidade, após haver abatido muitos outros; e assim se consuma a sua transformação de protetor em tirano.
— Como podia ser de outro modo?
— Queres que consideremos agora a felicidade do homem e da cidade em que se gera um ser dessa espécie?
— De acordo.
— Não é verdade — prossegui — que nos primeiros tempos ele anda cheio de sorrisos, saudando todos que encontra e negando que seja um tirano; que promete muitas coisas em público e em privado, perdoa dívidas, distribui terras entre o povo e os de sua comitiva, e se mostra benévolo e gentil para com todos?
— Pois claro!
— Mas, após ter-se livrado de seus inimigos estrangeiros pela conquista ou por meio de tratados, quando nada mais tem a recear da parte deles,

O tirano fomenta guerras e empobrece os seus súditos com a tributação excessiva

começa infalivelmente a provocar outras guerras, para que o povo não possa dispensar o seu condutor.
— É natural.

— E não visa também empobrecer seus súditos com impostos onerosos, a fim de que se vejam obrigados a atender às suas necessidades cotidianas e lhes sobre pouco tempo para conspirar contra ele?
— Evidentemente.
— E, se desconfia que alguns tenham ideias de libertar-se e de resistir à sua autoridade, terá um bom pretexto para liquidá-los colocando-os à mercê do inimigo. Não será necessário, por todas essas razões, que o tirano promova guerras constantemente?
— Necessário, com efeito.
— Mas, ao proceder assim, não se expõe a cair cada vez mais no desagrado do povo?
— Como não?
— Sucede, então, que alguns daqueles que contribuíram para colocá-lo no poder, e que também gozam de influência, se atrevem a dizer o que pensam, tanto uns aos outros como a ele próprio, e os mais corajosos lançam-lhe em rosto o que está acontecendo.

Elimina os seus mais bravos e valorosos seguidores

— Não se podia esperar outra coisa.
— E assim o tirano, para poder governar, se vê obrigado a eliminá-los, e segue por esse caminho até não deixar com vida uma só pessoa de valor, quer entre os seus amigos, quer entre os inimigos.
— Tem de ser assim.
— É preciso, pois, que esteja vigilante para descobrir quem é

A depuração da cidade

corajoso, altivo, inteligente ou rico. Homem ditoso! É inimigo de todos esses e, queira ou não queira, tem de buscar pretextos para se livrar deles, até que se complete a depuração da cidade.
— Bonita depuração! — observou Adimanto.

— Sim — respondi —, nada parecida com a que os médicos realizam no corpo; porque estes tiram o pior e deixam o melhor, e aquele faz justamente o contrário.

— E, segundo parece, é para ele uma necessidade imperiosa, a fim de poder governar.

— Invejável alternativa — disse eu — viver apenas com a multidão de homens ruins, que ainda por cima o odeiam, ou deixar de viver!

— Essa é a alternativa, com efeito.

— E, quanto mais odioso se tornar aos olhos dos cidadãos com esse procedimento, maior e mais dedicada será a guarda de homens armados de que tem mister.

— Como não?

— E quem serão esses homens leais? — perguntei. — Onde os encontrará?

— Acorrerão por si mesmos aos montões, se os paga bem — respondeu ele.

— Pelo cão! — exclamei. — Parece-me que aqui temos novos zangões, mas estrangeiros estes, e vindos de toda parte.

— E não te enganas.

— Mas não se servirá, porventura, dos da própria terra?

— Como?

— Tirando os servos aos cidadãos e dando-lhes a liberdade para incluí-los na sua guarda.

Dá morte aos seus amigos e vive com os servos destes após libertá-los

— Por certo — disse ele —, e serão esses os mais fiéis.

— Linda situação essa em que, segundo dizes, se vê o tirano: ter de utilizar-se de tais pessoas como amigos e leais servidores após haver dado morte aos outros!

— E, no entanto, é o que acontece.

— Sim — disse eu —, esses são os novos cidadãos criados por ele, seus companheiros e admiradores, enquanto os bons o odeiam e evitam.

— Naturalmente.

— Não é sem razão que dizem ser a tragédia cheia de sabedoria e Eurípides um grande trágico!

— Por quê?

— Porque é ele o autor deste dito profundamente sagaz: "os tiranos são sábios pelo trato com os sábios". E está claro que, no seu entender, os sábios com que o tal convive são esses que acabamos de mencionar.

— Sim — disse ele —, e também louva a tirania como algo que

Eurípides e os outros trágicos louvam a tirania, o que é uma excelente razão para expulsá-lo da cidade ideal

nos iguala aos deuses, acrescentando ainda muitos outros encômios; e não só ele como também os outros poetas.

— Ora muito bem; como os poetas trágicos são homens sábios, hão de perdoar-nos certamente, a nós e àqueles que seguem uma política semelhante à nossa, se lhes negarmos acolhida em nossa cidade por serem apologistas da tirania.

— Sim, penso que nos perdoarão, pelo menos os que forem bastante atilados.

— Mas continuarão, creio eu, a andar pelas outras cidades, atraindo multidões e alugando vozes belas, sonoras e persuasivas; e com isso arrastam os regimes políticos para a democracia ou a tirania.

— Muito certo.

— Além disso, recebem paga e honras, em primeiro lugar, como é natural, da parte dos tiranos, e em segundo da democracia; quanto mais ascendem, porém, as cidades na escala dos regimes políticos, mais vai minguando a reputação desses homens e parece incapaz de seguir adiante por falta de fôlego.

— Perfeitamente.

— Mas vejo que nos desviamos de nosso caminho — disse eu. — Voltemos atrás para indagar como sustentará o tirano aquele belo exército, numeroso, multicor e sempre cambiante.

O tirano se apossa dos tesouros dos templos e, vendo-os chegar ao fim, espolia o povo

— Está claro que, se houver tesouros sagrados na cidade, ele os confiscará e os gastará; e, na medida em que lhe bastarem esses bens confiscados, serão menores os tributos que imporá ao povo.

— E que fará quando lhe faltarem esses recursos?

— Ora — respondeu Adimanto —, não há dúvida nenhuma de que viverá dos bens paternos, tanto ele como seus comensais, seus amigos e suas cortesãs.

— Queres dizer que o povo, que engendrou o tirano, o sustentará e a seus companheiros?

— Não terá outro remédio senão fazê-lo.

Os súditos rebelam-se, e então o tirano espanca seu próprio pai, que é o povo

— E se o povo se irrita e protesta, dizendo que não tem cabimento ser um filho no vigor da juventude sustentado pelo pai, e sim o contrário, o pai pelo filho? Aquele não o engendrou e colocou em seu posto para que, ao fazer-se grande ele, o pai, se convertesse no servo de seus próprios servos, mantendo-o juntamente com todos que estão na sua dependência, e sim para que o filho o protegesse e com sua ajuda pudesse emancipar-se do governo dos ricos e dos que passavam na cidade por ser homens de prol. Que acontece, pois, se o povo o manda sair da cidade, ele e a caterva que o acompanha, como um pai que põe no olho da rua o filho com seus turbulentos convidados?

— Então, por Zeus — exclamou ele —, é que o povo verá que espécie de ser gerou e acalentou no seu peito; e quando quiser expulsá-lo descobrirá que é fraco e que seu filho se tornou forte!

— Como? Queres dizer com isso que o tirano ousará fazer violência ao seu próprio pai, e mesmo espancá-lo se ele não se submete?

— Sim — respondeu Adimanto —, depois de tê-lo desarmado.

— Portanto, chamas parricida o tirano e cruel guardião de seu pai na velhice. Essa é a verdadeira tirania, sobre a qual já não temos possibilidade de enganar-nos. E o povo, fugindo, como se costuma dizer, do fumo que é a servidão dos homens livres, vai cair no fogo que é a tirania dos escravos; e, em lugar daquela liberdade sem limites, descamba na mais dura e amarga forma de escravidão.

— É isso, sem a menor dúvida, o que acontece.

— Pois muito bem. Será demasiada presunção afirmarmos que temos exposto convenientemente a natureza da tirania e como nasce ela do regime democrático?

— A exposição foi excelente — respondeu ele.

Livro IX

— Resta-nos ver — disse eu — o homem tirânico em si mesmo: como surge pela transformação do democrático, como é e de que modo vive, se na felicidade ou na desgraça.
— Sim, é o único que resta.
— Mas sabes o que me parece faltar ainda?
— Que é?
— No tocante aos desejos, creio que não analisamos bem sua natureza nem consideramos em que classes se dividem; e enquanto não o fizermos nossa investigação será prejudicada pela falta de clareza.
— E não estamos ainda em tempo de suprir essa omissão?

O animal feroz que existe latente no homem revela-se nos sonhos

— Sim, por certo — respondi —, e nota bem o ponto que desejo compreender: alguns dos prazeres e apetites desnecessários são, a meu ver, ilegítimos; é provável que se manifestem em todos os seres humanos, mas em algumas pessoas são reprimidos pela lei com a ajuda da razão, e os desejos melhores prevalecem sobre eles; ou desaparecem totalmente, ou restam apenas alguns poucos e sem força, ao passo que em outros se mantêm mais fortes e em maior número.
— Que desejos são esses de que falas?
— Os que costumam despertar enquanto dorme a parte dominante, razoável e humana da alma; é então que salta a besta feroz e selvagem que dentro de nós se oculta e, cevada de manjares e de vinho, expulsa o sono e trata de saciar seus próprios instintos. E não há loucura ou crime que não seja capaz de cometer nessas ocasiões, quando está libertada de toda vergonha e bom senso... sem recuar mesmo diante do incesto ou qualquer outra união antinatural, do parricídio e quejandas monstruosidades e ignomínias.

— Dizes a pura verdade.

— Mas, por outro lado, quando um homem saudável e temperante se entrega ao sono depois de haver despertado sua própria razão e de tê-la nutrido com belas palavras e conceitos; quando refletiu sobre si mesmo e satisfez seus apetites sem demasia, mas apenas o suficiente para adormecê-lo e impedir que perturbem a outra parte melhor com seus prazeres e anseios, deixando-a livre, pelo contrário, de contemplar o próprio ser em sua pureza e aspirar ao conhecimento do que ignora, quer pertença às coisas passadas, quer às presentes, quer às futuras; quando amansa do mesmo modo a sua parte irascível e não adormece encolerizado contra ninguém, mas, apaziguando esses dois elementos irracionais, entrega o comando ao terceiro, que é a razão, e assim mergulha no sono... bem sabes que é nesse estado que melhor apreende a verdade e está menos sujeito a tornar-se o ludíbrio das nefandas visões dos sonhos.

— Perfeitamente.

— Mas vejo que nos deixamos arrastar a uma digressão. O que eu queria fazer notar era isto: que em todos nós, ainda nos mais morigerados, existe uma espécie de desejo temível, selvagem e contrária a toda a lei, e essa é a que se manifesta nos sonhos. Considera, pois, se o que digo te parece razoável e se estás de acordo.

— De pleno acordo.

A transformação do homem democrático em tirânico

— Vê se te lembras agora do caráter que atribuímos ao homem democrático: havia ele nascido e se criara desde a primeira infância sob um pai parcimonioso, que favorecia exclusivamente a paixão do dinheiro e desprezava os desejos supérfluos que só visam à diversão e ao fausto. Não é assim?

— Isso mesmo.

— E, entrando depois na companhia de homens mais refinados e licenciosos, adota o seu hábito desbragado de vida por horror à avareza do pai; mas, como é dotado de melhor natural que os seus corruptores, sente-se atraído em duas direções contrárias e acaba fixando-se num meio-termo e levando uma existência que não é sórdida nem infame, mas em que desfruta moderadamente, segundo a sua opinião, prazeres variados. E é assim que do homem oligárquico nasce o democrático.

— Tal foi e tal continua a ser o nosso juízo a respeito — disse ele.

— Bem; deixa passar muitos anos e imagina o nosso homem chegado por sua vez à velhice e tendo um filho jovem que se haja criado dentro dos princípios do pai.

— Estou imaginando.

— Pois imagina ainda que acontece ao segundo a mesma coisa que ao primeiro, e que é arrastado a um desenfreio sem limites, chamado pelos seus sedutores liberdade integral; e o pai e os demais familiares fomentam os desejos moderados, enquanto os outros apoiam os apetites contrários. Pois bem: assim que esses terríveis feiticeiros e criadores de tiranos percebem que estão perdendo seu ascendente sobre o jovem, tratam de insuflar-lhe um grande amor capaz de arrolar sob a sua bandeira todos os apetites ociosos e perdulários... uma espécie de zangão enorme e alado... Ou crês que seja outra coisa o amor entre esses homens?

— Precisamente isso, e nada mais — respondeu ele.

— E quando os outros desejos, entre nuvens de incenso e perfumes, coroas e vinhos e todos os prazeres de uma vida dissipada, andando agora às soltas, alimentam e fazem crescer desmesuradamente o zangão que nele foi implantado, por fim esse senhor da alma se torna furioso, erige a loucura em capitão da sua guarda e, se encontra no homem quaisquer bons desejos ou opiniões em processo de formação, ou mesmo um vestígio de pudor que ainda lhe reste, extermina-os e expulsa-os dali até deixar-lhe limpa a alma de toda sensatez e completamente entregue à loucura.

— Estás explicando com perfeição o nascimento do homem tirânico.

— E não será por esta razão — perguntei — que desde os tempos antigos foi Eros chamado de tirano?

— É bem possível — respondeu.

— E o bêbedo, meu amigo, não tem igualmente uma têmpera de tirano?

O amor, a embriaguez e a loucura são diferentes formas de tirania

— Como não?

— E não menos que ele o homem furioso e de espírito perturbado, que se imagina capaz de mandar não só nos homens, como nos próprios deuses.

— Certamente.

— Assim pois, meu excelente amigo, o homem se faz tirânico na legítima acepção da palavra quando, por influência da natureza, do hábito ou de ambos, se converte em ébrio, enamorado ou louco.

— Sem a menor dúvida.

— Tal é o homem e tal a sua origem. Mas como vive ele?

— Respondo-te com a costumeira facécia: e se mo dissesses tu mesmo?

— Di-lo-ei, por certo. Penso que, depois do que dissemos, vêm as festas, os banquetes, as orgias, as cortesãs e tudo mais que segue. Eros é tirano nessa alma, e tudo que nela existe lhe está submetido.

— É forçoso.

— Sim; e cada dia e cada noite brotam ali novos e terríveis desejos, cujas exigências são muitas.

— Muitas, de fato.

— E os rendimentos do homem, se é que os tem, não tardam a esgotar-se.

— É verdade.

— Vêm, então, os empréstimos e os desfalques no patrimônio.

— Que remédio!

À medida que se avolumam os desejos do homem tirânico, seus recursos vão diminuindo

— E quando não lhe restar mais nada, não é inevitável que os desejos que nele se aninham, numerosos e violentos, se ponham a gritar por comida, e que ele próprio, aguilhoado pelos outros desejos e mormente pelo amor, que a todos dirige com sua escolta armada, se enfureça e olhe em volta de si, buscando uma pessoa a quem possa arrancar alguma coisa pelo engano ou pela força?

— Não pode ser de outro modo.

— É necessário, pois, que obtenha dinheiro onde quer que seja, sob pena de sofrer atrozes dores e tormentos.

— É necessário.

Rouba ele de seus pais

— E, assim como em sua alma se sucedem os prazeres, e os mais novos suplantam os antigos e os despojam de seus direitos, também ele próprio, sendo mais jovem, pretende sobrepor-se a seus pais a tirar-lhes o que possuem, apossando-se dos bens paternos depois de haver dilapidado os seus próprios?

— Não há dúvida de que o fará.

— E, se os pais não consentem, tratará primeiro de subtrair--lhos pelo engano e pela fraude.

— Naturalmente.

— E, se não o consegue, empregará a violência para arrebatá-los.

— É muito provável.

— E, caso os anciãos resistam e defendam o que é seu, crês que ele caia em si e se abstenha de dar vazão aos seus instintos tirânicos?

— Eu, pela minha parte — respondeu —, não estaria muito tranquilo no que toca aos pais de um tal indivíduo.

Prefere aos seus velhos pais o amor de uma jovem ou de um rapaz e pode mesmo ser levado a espancar aqueles

— Mas, por Zeus, Adimanto! Parece-te que um homem assim, por uma amiga recente e supérflua, é capaz de espancar sua mãe, a amiga necessária de tantos anos, e por um mancebo, amigo desnecessário de última hora, fazer o mesmo ao pai, o ancião

encarquilhado, seu amigo consanguíneo e mais antigo, e os porá como escravos daqueles após introduzi-los em sua casa?
— Sim, por Zeus! Acredito-o muito capaz disso — respondeu ele.
— Na verdade — prosseguiu —, é uma grande ventura ter gerado um filho tirânico!
— Como não!

Convertido em salteador e ladrão de templos, perde todos os princípios em que se criou e torna-se a realização concreta dos sonhos maus que antes tinha ao dormir

— E que mais? Quando se acabarem os bens do pai e da mãe e se houver multiplicado enormemente em sua alma o enxame dos prazeres, não começará por saltar o muro de um vizinho ou deitar mão às roupas de algum viandante noturno, e não empreenderá depois o saque de algum templo? Nesse ínterim, as antigas opiniões que tinha desde criança sobre o que é honesto e decoroso, opiniões que considerava justas, terão sido dominadas por estas outras que acabam de emancipar-se sob a égide do amor, cuja escolta formam e cujo império compartilham. São elas as que andavam soltas apenas em seus sonhos nos tempos em que se governava democraticamente, sujeito ainda às leis e à autoridade paterna. Mas agora, tiranizado pelo amor, mostra-se constantemente em estado de vigília tal qual era antes em sonhos, e só de quando em quando; não recua diante de crime algum, seja de sangue, de alimento impuro ou qualquer outra atrocidade. O amor é o senhor único e absoluto de sua alma, e ali vive numa indisciplina e desenfreio total, impelindo-o a toda sorte de ousadias, como o tirano dentro da cidade; e isso a fim de alimentar a si mesmo e a turba que o rodeia, vinda em parte de fora pelas más companhias, e em parte de seu interior, já solta e libertada pelas más tendências semelhantes às que ele possui. Não é essa a vida de tal criatura?
— Exatamente essa — respondeu ele.
— E, se os homens dessa espécie forem pouco numerosos na cidade — prossegui — e o resto dos cidadãos tiverem bom senso, deixá-la-ão por outras terras e irão formar a guarda pessoal ou as tropas mercenárias de algum tirano que deles necessite para as suas guerras;

se, porém, a época for de paz, ficarão na cidade e causarão ali alguns pequenos males.
— Que males são esses?
— Por exemplo: roubam, arrombam casas, cortam bolsas, furtam roupas, despojam templos e escravizam homens livres; às vezes se fazem delatores, se são hábeis para falar, ou prestam falso testemunho e aceitam suborno.
— É verdade que são pequenos esses males, se são poucos os que os praticam — disse ele.

Em comparação com o tirano, é pequeno o mal que pode fazer um particular

— É que o pequeno — tornei eu — é pequeno em relação com o grande; e todas essas coisas nada são em confronto com a miséria e a desdita que o tirano pode causar à cidade. Mas, quando se torna grande o número desses homens e dos outros que os seguem, e se apercebem de sua força, então são eles que, auxiliados pela insensatez do povo, fazem tirano aquele de seu grupo que leve por sua vez na própria alma o maior e mais consumado tirano.[22]
— Naturalmente, pois esse será o mais adequado a tal papel.
— Se os outros cedem, muito que bem; mas, se a cidade não consente, o mesmo que antes batia em seu pai e em sua mãe a subjugará agora se puder, atraindo novos amigos debaixo dos quais manterá escravizada a sua querida pátria ou mãe-pátria, como dizem os cretenses. Esse é o fim dos desejos de tal homem.
— Exatamente.
— Dize-me, agora, se não é deste modo que se comportam os homens tirânicos como particulares, antes de governar: acima de tudo, aqueles com quem convivem se fazem seus aduladores, dispostos a servi-los no que quer que seja, e eles próprios, se necessitam de alguém para alguma coisa, estão prontos para arrastar-se aos seus pés, fingindo a maior afeição por ele, e depois de conseguirem o que desejam já não o conhecem mais.
— Assim mesmo.

— E, portanto, não são em toda a sua vida amigos de ninguém, mas sempre déspotas de algum ou escravos de outro; a natureza tirânica jamais sente o gosto da verdadeira liberdade ou amizade.

— Pois claro.

— E não temos razão em chamar desleais a esses homens?

— Como não?

— E também sumamente injustos, se estávamos acertados em nosso conceito da justiça?

— Perfeitamente acertados.

— Resumamos, pois, numa palavra, o caráter do homem mais perverso: é ele, creio eu, a realização concreta e em estado de vigília daquilo que antes se mostrava em sonhos.

— Muito certo.

— E chega a ser assim aquele que, tendo por natureza a índole mais tirânica, alcança a reinar sozinho; e quanto mais tempo vive, mais tirânico se torna.

— Quanto a isso não há dúvida — disse Gláucon, tomando por sua vez a palavra.

— E acaso — volvi eu — aquele que se mostrar o mais perverso não se mostrará também o mais desgraçado; e o que por mais tempo exercer a tirania, mais constantemente e verdadeiramente desgraçado, se bem que a opinião dos muitos difira da nossa neste ponto?

Os mais perversos são sempre os mais desgraçados

— Sim — disse ele —, é inevitável que assim seja.

— E não é também certo que o homem tirânico se assemelha à cidade tiranizada, o democrático à cidade governada democraticamente, e assim por diante?

— Como não?

Tal cidade, tal homem

— E a mesma proporção que se verifica entre uma cidade e outra no tocante à virtude e à felicidade também existe entre homem e homem?

— Por certo.

— E qual é a diferença, quanto à virtude, entre a cidade tirânica e a cidade governada por um rei, de que falamos em primeiro lugar?

O contrário do rei

— São dois extremos contrários — respondeu ele —, uma é a melhor e a outra, a pior que existe.

— Não te perguntarei a qual delas aplicas cada um desses qualificativos, porque é evidente; mas terás a mesma opinião sobre a felicidade e a desdita relativas de uma e outra? E aqui não nos devemos deixar fascinar pela aparência do tirano, que é apenas um indivíduo, tendo, talvez, alguns asseclas em torno de si; mas é necessário que nos insinuemos em todos os cantos da cidade e observemos tudo em derredor, para só dar nossa opinião quando a tivermos visto em sua totalidade.

— É justa a tua advertência; pois com tudo isso torna-se evidente aos olhos de qualquer um que não há cidade mais infeliz que a tiranizada, nem mais ditosa que a governada pelo rei.

— E antes de ajuizar os próprios homens não teria cabimento fazer a mesma advertência, exigindo que quem há de emitir opinião possa penetrar-lhes no caráter e ter uma visão clara da natureza humana? Não deve ele se deixar deslumbrar, como uma criança, pela aparência exterior e pela pomposidade que os tiranos afetam diante de estranhos, mas cumpre-lhe distinguir tudo com a maior clareza. Não me permitis fazer de conta que estamos todos a escutar esse indivíduo capaz de julgar e que, por outra parte, viveu na própria casa do tirano, acompanhou-o em sua vida doméstica e o conheceu em suas relações familiares, onde o viu despido de sua indumentária teatral, e também pôde observá-lo nas horas de perigo público?[23] A esse pediremos que nos informe sobre a felicidade ou desdita do tirano em relação com os outros homens.

— Também esta proposta é muito razoável — respondeu ele.

— Suporemos, então, que nós mesmos possuímos essa capacidade de julgar e que já nos encontramos com tais homens em nossa vida, a fim de termos quem responda às perguntas que fizermos?

— Sim, por certo.

— Avante, pois; examina o assunto comigo. Peço-te que tenhas em mente o paralelo entre a cidade e o indivíduo e, considerando cada qual ponto por ponto, me exponhas o que sucede a um e a outro.
— A que te referes? — perguntou.
— Em primeiro lugar com respeito à cidade: chamas livre ou escrava a que está tiranizada?
— Escrava até não poder mais — respondeu.
— No entanto, vês nela tanto homens livres como senhores.
— Vejo-os, mas em pequeno número — disse ele. — Em conjunto, pode-se dizer que a parte mais considerável do povo está escravizada e se encontra num miserável estado de degradação.

Como um escravo, o tirano está cheio de vileza e a parte que nele impera é a loucura

— Portanto — continuei —, se o indivíduo é semelhante à cidade, não é forçoso que tenha a mesma disposição e que sua alma esteja repleta de vileza e sordidez, mantidos em escravidão os seus melhores elementos enquanto impera uma pequena parte, a mais malvada e furiosa?
— Inevitavelmente.
— E dirás que tal alma é livre ou escrava?
— Escrava, sem dúvida alguma.
— E a cidade que se acha escravizada por um tirano é completamente incapaz de ação voluntária?
— Completamente.
— E portanto a alma tiranizada, se a considerarmos em sua totalidade, não fará tampouco o que quer, mas, espicaçada sempre pelo aguilhão, se encherá de perturbação e pesar?
— Por certo.
— E a cidade tiranizada será necessariamente rica ou pobre?
— Pobre.
— Portanto, a alma tirânica há de ser sempre indigente e insaciável?

— É verdade.
— E que mais? Não é forçoso que tal cidade e tal homem vivam cheios de medo?
— Forçoso, sem dúvida.
— E haverá outra cidade em que possas encontrar mais lamentos, gemidos, queixas e sofrimentos?
— Certamente nenhuma.
— E quanto aos indivíduos, encontrarás algum que sofra mais dessas misérias que o homem tirânico, enlouquecido pelas paixões e pelos desejos?
— Impossível.
— Assim pois, ao refletir sobre tais males e outros semelhantes, chegaste à conclusão de que esta cidade é a mais desgraçada de todas...

Mais desgraçado ainda que o homem particular de índole tirânica é aquele que, sendo tal, exerce a tirania

— E com razão, não é certo?
— Com muita razão — respondi. — Mas, quando observas os mesmos males no homem tirânico, que dizes dele?
— Que é muito mais desgraçado que qualquer outro.
— Pois aí já não tens razão — disse eu.
— Como assim?
— Creio que não é esse ainda o mais desgraçado.
— Quem será, então?
— O que te vou apontar talvez te pareça ainda mais desgraçado do que ele.
— Qual?
— Aquele, que, sendo tirânico por índole, em vez de passar toda a sua vida como cidadão particular, é levado por uma infausta contingência do acaso a exercer a tirania pública.
— Pelo que ficou dito atrás me parece que tens razão.
— Sim — disse eu —, mas em tal assunto não bastam as simples conjeturas. É preciso examiná-lo de acordo com o raciocínio que vou

fazer; pois não pode haver questão mais momentosa do que esta, que versa sobre a boa e a má vida.

— Efetivamente — volveu Gláucon.

— Vou oferecer-te, pois, um exemplo que me parece capaz de lançar alguma luz sobre este ponto.

— Que exemplo?

A condição do tirano comparada com a do senhor de escravos em sua relação com estes

— A condição dos cidadãos particulares que são ricos e possuem muitos escravos. Estes se assemelham ao tirano pelo fato de mandarem em muitas pessoas; a única diferença está no número.

— Sim, aí reside a diferença.

— E sabes que esses ricos vivem sem medo e nada têm a temer da parte de seus domésticos?

— Que poderiam temer?

— Nada; mas percebes a causa disso?

— Sim, a causa é que a cidade inteira está coligada para proteger cada indivíduo.

— Dizes bem. Mas supõe que um deus tomasse um desses homens, possuidor de cinquenta escravos ou mais, e, juntamente com sua família, suas propriedades e seus domésticos, o transportasse para um deserto onde não houvesse homens livres para ajudá-lo: que espécie de medo seria o dele ao pensar que sua mulher e seus filhos corriam risco de perecer às mãos de seus escravos?

— Um medo sem limites — respondeu.

— Seria então obrigado a lisonjear alguns desses escravos, a fazer-lhes grandes promessas, a dar-lhes alforria sem necessidade... a tornar-se, enfim, o adulador de seus próprios servos.

— Sim, não teria outro meio de salvar-se.

— E se o mesmo deus que o levou para lá o cercasse de vizinhos que, não tolerando qualquer pretensão de um homem a mandar em outro, estivessem dispostos a castigar com a morte o culpado se conseguissem apanhá-lo?

— Sua situação torna-se muito pior ainda, se o supões cercado e vigiado de todas as partes por inimigos.

O tirano vive numa prisão

— E não é essa a prisão em que se vê encerrado o tirano... ele que é por natureza, como já vimos, um homem repleto de toda sorte de medos e paixões? Por maior que seja a curiosidade de seu espírito, a ele só é vedado sair da cidade e fazer qualquer espécie de viagem para contemplar aquelas coisas que os outros homens livres desejam conhecer. Vive a maior parte do tempo metido em sua casa, como uma mulher, e inveja todo cidadão que tenha a possibilidade de ir ao estrangeiro para ver coisas dignas de interesse.

— Indubitavelmente, assim é — disse ele.

— E, entre males de tamanho vulto, não será mais miserável ainda o homem tirânico, que governa mal a si mesmo e que tu apontaste como o mais desgraçado de todos... não crescerá de ponto a sua miséria, digo, quando se vê forçado por alguma circunstância a exercer a tirania e mandar nos outros, sem ser dono de si mesmo? Podemos compará-lo a um doente ou paralítico que, em vez de ficar em casa, tivesse de passar a vida em competições e lutas com outros indivíduos.

— Muito exata a comparação, ó Sócrates! O que dizes é a pura verdade.

— Não é, pois, completa a sua desgraça, meu querido Gláucon, e sua vida não é pior ainda que a daquele que indicaste como o mais infeliz de todos?

— Por certo.

— O autêntico tirano, digam o que disserem, é o autêntico escravo, obrigado a praticar as mais baixas adulações e servilismos, a lisonjear os homens mais perversos. Tem desejos que é completamente incapaz de satisfazer, falta-lhe uma multidão de coisas e, se pudermos inspecionar-lhe a alma em sua totalidade, veremos que é de fato um indigente. Passa a vida inteira acossado pelo medo e cheio de sobressaltos e dores, tal qual a cidade a que se assemelha; e o paralelo se mantém de pé, não é verdade?

— Como não!

— Além disso, como dizíamos há pouco, sua situação se agrava ainda mais por efeito do poder: torna-se e é necessariamente mais invejoso, desleal, injusto, falto de amigos, ímpio, albergador e patrono de toda classe de vícios, e, por conseguinte, infeliz em sumo grau... tornando, por fim, iguais a si todos os que com ele convivem.

— Nenhum homem de bom senso contestará o que dizes — respondeu ele.

A decisão do árbitro é proclamada: o homem melhor e mais justo é o mais feliz, e o pior e mais injusto, o mais desgraçado

— Eia, pois! — disse eu. — Como um juiz que decide em última instância, determina tu agora a quem, na tua opinião, cabe o primeiro lugar na escala da felicidade, a quem o segundo, e assim por diante. São cinco ao todo: o homem monárquico, o timocrático, o oligárquico, o democrático e o tirânico.

— A decisão não é difícil — volveu ele. — Eu os julgo como se fossem coros, pela ordem de sua entrada em cena e pelo critério da virtude e do vício, da felicidade e da desdita.

— Queres que aluguemos um pregoeiro, ou serei eu mesmo quem proclame que o filho de Aríston declarou ser mais ditoso o homem melhor e mais justo, e que este é o homem monárquico, que reina sobre si mesmo; e o mais infeliz, o pior e mais injusto, sendo ele por sua vez o mais tirânico e o que em maior grau tiraniza a si mesmo e a sua cidade?

— Proclama — disse Gláucon.

— E não hei de acrescentar "quer sejam, quer não sejam vistos pelos homens e pelos deuses"?

— Acrescenta isso também.

— Esta, pois, será nossa primeira prova; mas há ainda outra, que também pode ter o seu peso.
— Qual é?
— Se é certo — disse eu — que assim como a cidade se divide em três elementos, outros três são encontrados na alma de

A prova baseada nos três princípios da alma

cada indivíduo, essa divisão nos fornecerá, segundo creio, uma segunda prova de nossa tese.
— Vejamo-la.
— Parece-me que a esses três elementos correspondem três espécies de prazeres, e também de desejos e de mandos.
— Como entendes isso? — perguntou.
— Havia, como dissemos, algo com que o homem compreende, algo com que se encoleriza e uma terceira coisa para a qual, devido à variedade de suas aparências, não pudemos encontrar uma denominação adequada, mas a designamos de acordo com o elemento que nela predomina: chamamos-lhe apetitiva pela violência dos apetites correspondentes ao comer e ao beber, aos prazeres eróticos e tudo mais que diz respeito aos sentidos; e também lhe chamamos avarenta ou ávida de riquezas, por ser sobretudo com estas que se satisfazem tais desejos.
— E com razão o fizemos.
— E se disséssemos que os seus prazeres e inclinações se relacionam com o ganho, não teríamos aí uma ideia central e um

(1) O apetitivo

marco evidente para assinalar essa parte da alma? Não seria acertado, pois, chamar-lhe cobiçosa e desejosa de ganho?
— Concordo contigo.
— E que mais? Não dissemos da parte irascível que tende inteira e constantemente para o mando, a vitória e a fama?
— Por certo.

(2) O ambicioso

— Não seria, pois, adequado chamar-lhe arrogante e ambiciosa?
— Muito adequado.
— Quanto àquela outra parte com que compreendemos, é evidente a todo mundo que toda ela se dirige para o conhecimento da verdade

(3) O princípio do conhecimento e da verdade

e menos que às outras lhe importam as riquezas ou a fama.
— Muito menos — disse ele.
— "Amante da ciência" ou "do saber" são, pois, as denominações que melhor lhe assentam?
— Perfeitamente.
— E não é verdade que na alma de certos homens prevalece este princípio e na de outros algum dos dois restantes, conforme o caso?
— Assim é.
— Podemos, pois, pressupor a existência de três classes de homens: o filósofo, o ambicioso e o avaro?
— De pleno acordo.
— E que são três as espécies de prazeres, correspondentes a cada um deles?
— Sem dúvida.

Desses três tipos de homem, só o filósofo tem a capacidade de julgar qual de suas respectivas vidas é a mais agradável

— Ora, se fores perguntar sucessivamente a cada um desses homens qual de suas vidas respectivas é mais agradável, cada qual exaltará a sua própria e depreciará as dos outros. E o avaro fará ressaltar a vaidade das honras ou do saber em contraste com o ganho, a menos que aqueles possam render dinheiro, não é assim?
— É verdade.

— E que dirá o ambicioso? — continuei. — Não considerará grosseiro o prazer da riqueza, enquanto o do saber não passa, para ele, de fumaça e futilidade se a ciência não traz honra consigo?

— Assim é.

— E havemos de crer que o filósofo dê algum valor aos outros prazeres em comparação com o de conhecer a verdade tal como é em si e de aprender constantemente alguma coisa a esse respeito? Não pensará que estão bem longe do prazer verdadeiro e não lhes chamará com razão prazeres forçosos, significando com isso que os dispensaria de bom grado se não fosse a necessidade?

— É preciso conhecê-los bem — disse Gláucon.

— Já que estão, pois, em discussão os prazeres de cada classe e as respectivas maneiras de viver, não para saber-se qual é a mais decorosa ou ignominiosa, nem a melhor ou pior, porém qual é mais agradável e isenta de pesares... como poderemos determinar qual desses homens fala a verdade?

— Eu, por mim, não saberia dizê-lo — respondeu.

— Bem, mas qual deve ser o critério? Haverá algum melhor do que a experiência, o saber e a razão?

— Como pode haver?

— Então reflete nisto: dos três indivíduos, qual é o que tem maior experiência de todos os prazeres que enumeramos? Acaso o avaro, no que toca a conhecer a verdade em si mesma, terá mais experiência do prazer de conhecer do que tem o filósofo do prazer do ganho?

— O filósofo — respondeu ele — leva aí grande vantagem, pois necessariamente provou todos os outros prazeres desde sua meninice, enquanto o avaro, se por acaso tenta estudar as essências, não é forçoso que saboreie a doçura desse prazer nem que adquira experiência dele. Digo mais: isso não lhe seria nada fácil, ainda que o desejasse.

— Então o filósofo leva grande vantagem ao avaro no que tange à experiência desses dois prazeres? — perguntei.

— Sim, muito grande.

— E, passando agora ao ambicioso: terá ele menos experiência do prazer das honras que este do prazer de raciocinar?

— Não — respondeu Gláucon —, todos três são honrados na medida em que realizam suas aspirações. Tanto o homem rico como o valente ou o sábio possuem sua multidão de admiradores, de modo que todos têm experiência do prazer que proporciona o ser honrado pelos demais. Mas o deleite que dá a contemplação do ser, esse só o filósofo o conhece.

— Portanto, sua experiência o capacita a julgar melhor que os outros dois?

— Muito melhor.

— E será, além disso, o único que tenha essa experiência ajudada pelo entendimento.

— Como não?

— Por outro lado, o instrumento com que se deve julgar

O instrumento do juízo e a escala dos prazeres

não é próprio do avaro nem do ambicioso, mas unicamente do filósofo.

— Que instrumento?

— Não dissemos que era à razão que cabia decidir?

— Sim.

— E a razão é o instrumento próprio do filósofo.

— Como não?

— Se o critério consistisse na riqueza e no ganho, a aprovação ou reprovação do avaro teria, forçosamente, o máximo valor de prova.

— Forçosamente.

— E, se fosse preciso julgar com a honra, a vitória e a valentia, não residiria a verdade na opinião do homem ambicioso e arrogante?

— Sem dúvida.

— E se é à experiência, ao entendimento e ao raciocínio que compete julgar?

— Nesse caso — disse ele —, não se pode fugir à conclusão: o maior grau de verdade se encontra na aprovação do filósofo e raciocinador.

— Chegamos, pois, a este resultado: o prazer da parte inteligente da alma é o mais deleitoso dos três e a vida mais agradável é a do homem em que essa parte governa o resto.

— Indubitavelmente, o homem sábio fala com autoridade quando louva a sua própria existência.

— E quais serão — perguntei — a vida e o prazer que esse juiz coloca em segundo lugar?

— Evidentemente, os do homem guerreiro e ambicioso, que estão mais próximos dos seus que os do homem de negócio.

— E em último lugar vem o avaro?

— Não se pode julgar de outro modo — respondeu.

O verdadeiro prazer é absoluto e não relativo

— Como vês, por duas vezes sucessivas o justo saiu vitorioso sobre o injusto. E agora vem a terceira prova, que colocaremos sob os auspícios de Zeus Olímpio, o Salvador. Um sábio me sussurra ao ouvido que nenhum prazer é completo nem puro, salvo o do filósofo; todos os demais não passam de sombras. E esta é, para o injusto, a maior e a mais decisiva das quedas.

— Com efeito; mas como explicas isto?

— Alcançarei a explicação por meio de perguntas, se tu me responderes.

— Pergunta, pois.

— Dize-me: não será a dor o contrário do prazer?

— Sem dúvida.

— E, além desses dois, não existe um estado neutro, que é o de quem não sente prazer nem dor?

— Por certo.

— Um estado intermediário, uma espécie de repouso da alma entre os dois? Não é isso que dizes?

— Isso mesmo.

— E não te lembras do que costumam dizer as pessoas quando estão doentes?

— Que é?

Os estados intermediários da alma são chamados prazeres ou dores apenas em relação com os extremos

— Que não há nada mais doce do que estar são, mas que não sabiam disso antes de adoecer.

— Lembro-me agora.

— E, do mesmo modo, ouves dizer aos que acabam de passar por uma dor violenta que não há nada mais delicioso do que a cessação da dor?

— Ouço, de fato.

— E não há muitas outras espécies de sofrimento em que o simples descanso e a cessação da dor, e não qualquer gozo positivo, são louvados por eles como o maior dos prazeres?

— Sim — disse Gláucon —, talvez seja esse descanso o que então lhes parece deleitoso e apetecível.

— Mas, por outro lado, quando cessa o prazer que sente alguém, essa espécie de descanso ou de cessação lhe será dolorosa?

— Sim, talvez.

— Portanto, o estado intermediário de repouso será de certo modo ambas as coisas: prazer e dor.

— Assim parece.

— E é possível que, não sendo nenhuma das duas coisas, venha a converter-se numa e na outra?

— Creio que não.

— E tanto o prazer como a dor são movimentos da alma, não é verdade?

— Sim.

Os prazeres e as dores reais são movimentos da alma

— Mas acabamos de mostrar que aquilo que não é uma coisa nem outra está em repouso e não em movimento, ocupando uma posição intermediária entre ambas?

— Mostramos, sim.

— Como é possível afirmar, então, que a ausência de dor seja prazer, e vice-versa?
— Impossível.
— Portanto — disse eu —, o sossego não é, mas apenas parece ser agradável em face do doloroso, e doloroso em face do agradável; e todas essas impressões nenhuma realidade têm quando aferidas pela essência do prazer, mas constituem uma espécie de impostura?
— É, pelo menos, o que se conclui de teu raciocínio — respondeu.
— Considera a classe de prazeres que não são precedidos de dores, e deixarás de acreditar, como talvez acredites agora, que o prazer consiste na cessação da dor e a dor, na cessação do prazer.
— Quais são esses — perguntou —, e onde os encontrarei?
— São em grande número. Toma, por exemplo, os prazeres do olfato: estes se produzem de imediato e com extraordinária intensidade, e ao cessarem não deixam tampouco dor alguma.
— Muito certo, isso.
— Não nos convencerá, pois, essa história de que a cessação da dor é um prazer e a cessação do prazer, uma dor.
— Não, com efeito.
— No entanto, os chamados prazeres que chegam à alma pelo caminho do corpo, e que talvez sejam os mais numerosos e violentos, pertencem a esta classe: são alívios da dor.
— É verdade.
— E não têm a mesma índole os pressentimentos de futuros prazeres e dores, nascidos da expectação?
— A mesma.
— Queres que te mostre isso por meio de uma imagem?
— Ouçamos.
— Admites — disse eu — que existe na natureza uma região superior, uma inferior e uma intermediária?
— Admito.
— E se uma pessoa fosse transportada da inferior para a intermediária, não imaginaria que estava subindo ao cume? E

Ilustração da irrealidade de certos prazeres

quando estiver no meio, contemplando o seu ponto de partida, não suporá que se encontra já nas alturas, se nunca viu a altura verdadeira?

— Evidentemente. Como poderia pensar de outro modo?

— E, se fosse levada de novo a esse ponto de partida — continuei —, não pensaria, desta vez com razão, que a estavam levando para baixo?

— Pois claro.

— E tudo isso se deveria à sua ignorância do que é verdadeiramente o alto, o baixo e o intermediário?

— Sim.

— Como admirar-se, então, de que aqueles que não conhecem a verdade, além de terem opiniões ilusórias acerca de muitas outras coisas, também encarem de tal modo o prazer, a dor e o que se encontra no meio de ambos que, quando são arrastados à dor, se sintam realmente e com razão doloridos, mas, quando passam da dor ao estado intermédio, convencem-se de ter alcançado a satisfação e o prazer... e, como alguém que, por não conhecer o branco, visse no cinzento o contrário do negro, também eles, por ignorância do prazer, se enganam vendo na ausência de dor o contrário desta?

— Não me admiro disso, por Zeus! — exclamou ele. — Antes me admiraria se não fosse assim.

— Atenta agora para esta outra coisa: a fome, a sede e outros estados semelhantes não são como uma espécie de vazios na disposição do corpo?

— Perfeitamente.

— E a ignorância e a insensatez não são, por outro lado, vazios e inanições da alma?

— Por certo.

— E não encheria esses vazios o que tomasse alimento ou adquirisse inteligência?

— Como não?

— E qual é a plenitude mais verdadeira: a do que tem mais realidade ou a do que tem menos?

— A do que tem mais, é claro.

— E qual dos dois gêneros de coisas acreditas que participa mais da existência pura: aquelas de que fazem parte o pão, os condimentos, a bebida e

As coisas do intelecto são mais reais que as dos sentidos

os demais alimentos, ou a classe em que se incluem a opinião verdadeira, o conhecimento, a inteligência e as diferentes espécies de virtude? Formulemos a pergunta de outro modo: que é mais real, o que se ocupa com o invariável, o imortal e o verdadeiro, possuindo, ademais, esses mesmos atributos e produzindo-se em algo de sua mesma índole, ou o que se atém ao mortal e variável, sendo assim ele próprio e produzindo-se no que é de sua mesma natureza?

— É muito superior — disse ele — o que se refere ao invariável.

— E a essência do que sempre muda terá mais realidade que a da ciência?

— De modo algum.

— E terá mais verdade?

— Tampouco.

— E, tendo menos verdade, terá também menos realidade?

— É forçoso.

— Assim, pois, de um modo geral, as espécies de coisas que estão a serviço do corpo têm menos verdade e realidade que as atinentes ao serviço da alma?

— Muito menos.

— E não crês que o mesmo se possa dizer do próprio corpo em relação à alma?

— Sim, por certo.

— Portanto, o que é mais real em si mesmo e está cheio de coisas mais reais está realmente mais cheio do que o cheio de coisas menos reais e que, além disso, é menos real em si mesmo?

— Naturalmente.

— De modo que, se o encher-se de coisas congêneres com a natureza proporciona prazer, o que se enche mais realmente e de coisas mais reais gozará de um prazer mais verdadeiro e autêntico; e o que participa de coisas menos reais se encherá de maneira menos real e sólida e gozará um prazer menos seguro e verdadeiro.

— É indubitável.

— Por isso, os faltos de inteligência e virtude, que sempre andam ocupados com a glutonaria e a sensualidade, são arrastados alternativamente

Os prazeres da maioria dos homens são meras aparências e sombras do verdadeiro prazer

para baixo e para cima até a metade da subida, e assim passam a vida inteira; sem jamais ultrapassarem esse ponto, não veem nem alcançam a verdadeira altura, nem se enchem realmente do que é real, nem desfrutam de um prazer puro e duradouro. São como reses que, a olhar sempre para baixo e com a cabeça inclinada para a terra... isto é, para as suas mesas... cevam-se de pasto, engordam, acasalam-se e, no seu amor excessivo desses deleites, escoiceiam-se e marram-se umas às outras com cascos e chifres de ferro, e se matam mutuamente, levadas por sua avidez insaciável, porque não enchem de coisas reais o seu ser real e sua parte apta para conter aquelas.

— És um oráculo, Sócrates! — disse Gláucon. — Descreves com perfeição a vida da maioria dos homens.

— Não é, pois, forçoso que não tenham senão prazeres mesclados de dores, meras aparências do verdadeiro prazer e sombras coloridas pelo contraste, que exagera simultaneamente os claros e os escuros? Tais aparências despertam, nesses insensatos, mútuos e furiosos amores pelos quais lutam entre si, como conta Estesícoro que os gregos, ignorantes da verdade, lutaram diante de Troia pela sombra de Helena.[24]

— É inevitável que assim aconteça.

— E não é semelhante o caso do irascível quando se deixa mover pela paixão, tornando-se invejoso pela ambição, violento pela soberba ou irado pelo descontentamento, e buscando satisfazer o seu apetite de honra, de predomínio ou de vingança, sem raciocínio nem bom senso?

— Sim — respondeu ele —, a mesma coisa sucederá fatalmente ao irascível.

Esses prazeres podem ser desfrutados no mais alto grau quando os respectivos desejos são orientados pela razão

— Não podemos, pois, afirmar sem medo que os amantes do dinheiro e das honras, quando buscarem seus prazeres sob a orientação e em companhia do raciocínio e do conhecimento e tomarem aqueles que a razão lhes indica, desfrutarão os prazeres mais verdadeiros e no mais alto grau alcançável por eles, uma vez que é a verdade que os guia; e que terão, além disso, os prazeres que mais lhes convêm, já que o melhor para cada coisa é também o mais adequado a ela?

— Sim, por certo, o melhor é o mais adequado.

— Portanto, quando a alma inteira segue o elemento filosófico e não há nela sedição alguma, cada uma de suas partes faz o que lhe é próprio e observa a justiça; ademais, cada uma delas desfruta individualmente os melhores e mais verdadeiros prazeres que pode comportar.

— Exatamente.

— Mas, quando prevalece algum dos outros elementos, sucede que este não alcança o seu próprio prazer e, ainda por cima, força os outros a perseguir um prazer estranho e não verdadeiro.

— Assim é — disse ele.

— E, quanto mais distanciados estiverem da filosofia e da razão, mais estranho e ilusório será o prazer?

— Por certo.

— E o que mais se distancia da razão não será também o que mais se afasta da lei e da ordem?

— É claro.

— E os que mais longe estão dela não são, como vimos, os desejos eróticos e tirânicos?

— Como não?

— E os que mais dela se aproximam, os desejos monárquicos e ordenados?

— Sim.

— Creio, pois, que o tirano é o que mais longe está do prazer verdadeiro e apropriado; e o outro, o que está mais perto.

— Não cabe a menor dúvida.

— Portanto, a vida do tirano será a mais ingrata; e a vida do rei, a mais aprazível.

— Inevitavelmente.

A distância que separa o tirano do rei expressa pela sexta potência de três

— E sabes — perguntei — quanto mais amargamente vive o tirano do que o rei?

— Se tu mo disseres — respondeu.

— Parecem existir três prazeres, um genuíno e dois bastardos; ora, a transgressão do tirano ultrapassa os limites destes últimos, pois ele escapa a toda lei e razão para viver entre certos prazeres servis e mercenários; não é muito fácil dar a medida de sua inferioridade, a não ser, talvez, pelo seguinte processo.

— Como? — perguntou ele.

— Começando a contar pelo homem oligárquico, o tirano ocupa o terceiro lugar, visto que entre um e outro está o democrático.

— Exato.

— E, se tem fundamento o que dissemos há pouco, ele estará jungido a uma aparência de prazer que se distancia três vezes mais da verdade que o prazer do homem oligárquico?

— De fato.

— E o homem oligárquico é, por sua vez, o terceiro a contar do monárquico, se considerarmos este e o aristocrático como um só?

— Sim, é o terceiro.

— Então, o tirano está separado do verdadeiro prazer por uma distância correspondente a um número triplamente triplo?

— Assim parece.

— A aparência de prazer do tirano seria portanto, com respeito ao comprimento, um número plano.[25]

— Não há dúvida.
— E, se o elevarmos à terceira potência, não será difícil perceber a extensão do intervalo que separa o tirano do rei.
— Sim, o cálculo será fácil para um matemático.
— Ou, se começarmos pela outra extremidade, medindo a distância que separa o rei do tirano quanto à realidade do prazer, verificaremos, depois de feita a multiplicação, que a vida daquele é 729 vezes mais deleitosa que a deste, e a do tirano, mais amarga na mesma proporção.
— É fantástica — disse ele — a cifra que acabas de apontar para a distância que separa o homem justo do injusto no que toca ao prazer e à dor.
— E no entanto — repliquei — é um número verdadeiro, e que mui de perto diz respeito às suas vidas, se elas têm algo que ver com os dias e as noites, os meses e os anos.[26]
— Têm que ver, como não! — disse ele.
— Portanto, se o homem bom e justo é tão superior ao malvado e injusto no que toca ao prazer, que enorme vantagem lhe levará no arranjo, na beleza e na virtude de sua vida!
— Enorme, com efeito, por Zeus!
— Bem — disse eu —, agora que chegamos a este ponto da argumentação, podemos voltar às palavras que nos conduziram até aqui. Não tinha dito alguém que ao homem totalmente injusto convinha cometer injustiça, desde que pudesse passar por justo?

Refutação de Trasímaco

— Assim foi dito, com efeito.
— Pois agora vamos dialogar com quem sustentou isso, já que chegamos a um acordo sobre a qualidade e os efeitos tanto da justiça como da injustiça.
— Que lhe diremos? — perguntou Gláucon.
— Formemos em nossa mente uma imagem da alma — respondi — para que ele possa perceber com toda a clareza o significado de suas palavras.
— Que imagem?

O animal triforme que tem a aparência exterior de um homem

— A de uma daquelas tantas criaturas que passam por ter existido na antiguidade, como a Quimera, Cila, Cérbero e muitas outras ficções da mitologia em que, segundo se diz, duas ou mais naturezas diversas se fundiam numa só.

— É o que se ouve contar, efetivamente.

— Modela, pois, a figura de uma besta multiforme e policéfala, que tenha em redor diversas cabeças de animais mansos e ferozes, e que seja capaz de gerá-las e metamorfoseá-las à vontade.

— Exiges poderes extraordinários do artista — disse ele. — No entanto, como o pensamento é ainda mais moldável do que a cera e outros materiais do mesmo gênero, considera plasmada a imagem.

— Modela agora uma figura de leão e outra de homem, mas de modo que a segunda seja menor que a primeira e a terceira menor do que a segunda.

— Isto é mais fácil; já estão modeladas as três.

— E agora une-as, de modo que formem uma só.

— Está feito — disse ele.

— A seguir, modela em redor e por fora delas uma imagem única, como a de um homem, de tal maneira que quem não possa ver o interior, mas apenas o envoltório, acredite tratar-se de um único ser vivo, isto é, de um homem.

— Feito.

Quem afirmará que devemos fortalecer o monstro e o leão a expensas do homem?

— Pois bem; ao que afirmou que convém a esse homem praticar a injustiça e que não lhe convém agir justamente, podemos replicar que suas palavras nada mais significam senão isto: que é proveitoso a tal criatura tratar com todo regalo a fera monstruosa e fortalecer o leão e as qualidades leoninas, ao mesmo tempo que deixa o homem andar faminto e sem forças, sujeito a ser arrastado para onde o leve qualquer dos dois; e também que não deve se esforçar por acostumá-los uns aos outros e harmonizá-los entre si, mas sim permitir que entrem em luta e se mordam e se devorem mutuamente.

— Com efeito — observou Gláucon —, é exatamente isso o que diz o apologista da injustiça.

— A ele replicará o defensor da justiça que é preciso agir e falar de tal modo que o homem interior se torne o mais forte dentro do outro homem, e que seja ele quem cuide da besta policéfala, favorecendo e cultivando, como um bom lavrador, o que há nela de manso e impedindo o crescimento do que há de silvestre; e para isso buscará a cooperação da natureza leonina, atendendo de modo igual a todos e fazendo-os amigos entre si e também de si mesmo.

— Sim, isso é indubitavelmente o que ele dirá.

— E assim, de qualquer ponto de vista que se encare a questão, quer seja do prazer, quer do proveito, quer das honras, o patrono da justiça está acertado e diz a verdade, enquanto seu adversário labora integralmente em erro e nem sequer sabe o que censura.

— Sim, de todos os pontos de vista.

O digno é o que submete a besta ao homem e o indigno, o que sujeita o homem à besta

— Tratemos, pois, de persuadi-lo com brandura, já que seu erro não é intencional. "Ó bem-aventurado", lhe diremos, "que pensas tu das coisas consideradas dignas e indignas? Não é digno aquilo que submete a besta ao homem, ou melhor, ao que há de divino no homem? E não é indigno, pelo contrário, o que sujeita o homem à besta?". Desta vez ele não pode deixar de concordar; que te parece?

— Concordará, se quiser ouvir o meu conselho.

— Bem, se assentir até este ponto, lhe faremos uma nova pergunta: "Que proveito terá um homem se receber ouro e prata com a condição de escravizar a melhor parte de si mesmo à mais miserável? Quem pode imaginar que aquele que vende como escravo a um filho ou uma filha, especialmente se os entrega nas mãos de homens ferozes e malvados, lucre alguma coisa com isso, por maior que seja a quantia recebida? E não será, do mesmo modo, o maior dos desgraçados o que submete sem compaixão a parte mais divina de sua alma ao elemento mais ímpio e infame, e não pagará o ouro de seu suborno com um destino mais terrível que o de Erifila ao receber o colar pela vida de seu esposo?"[27]

— Muito mais terrível, respondo eu por ele — disse Gláucon.

Este juízo é confirmado pela moral tradicional

— E não pensarás também que, se o homem intemperante tem sido vituperado desde tempos antigos, é porque solta os freios mais do que convém àquela besta terrível, àquele monstro enorme e multiforme de que falávamos?

— Sem dúvida alguma.

— E a insolência e o mau humor não são censurados quando o leonino e colérico se desenvolve e se fortalece desmesuradamente?

— Decerto.

— E o luxo e a moleza porque relaxam e debilitam esse mesmo elemento, tornando-o covarde?

— Que outra coisa cabe dizer?

— E a lisonja e a baixeza, quando um homem coloca essa parte irascível debaixo da sujeição do monstro turbulento e, levado por seu insaciável apetite de riquezas, a acostuma desde a juventude a ser espezinhada, convertendo-se de leão em mono?

— É verdade — disse ele.

— E o artesanato e as artes manuais, por que motivo crês que são tidos em pouca conta? Não será porque implicam uma fraqueza natural do elemento superior, de modo que não pode governar as bestas que leva consigo, é obrigado a servi-las e não aprende outra coisa senão a adulá-las?

— Assim parece.

— Por conseguinte, como desejamos que essa classe de homens seja governada por algo semelhante ao que rege o homem superior, sustentamos que deve ser escrava daquele em que reina o princípio divino; não, como supõe Trasímaco, em detrimento do escravo, mas porque é melhor para todo ser o estar sujeito ao elemento divino e racional que nele habita ou se tal não acontece, que seja governado por ele de fora a fim de que, submetido ao mesmo regime, sejamos todos semelhantes e amigos na medida do possível.

— Exatamente — disse ele.

— E vê-se claramente que é essa a intenção da lei, a qual favorece todos que vivem na cidade; o mesmo se evidencia, por outro lado, na autoridade que exercemos sobre nossos filhos, a quem não deixamos ser livres enquanto não chegamos a estabelecer em suas almas um regime semelhante ao da própria cidade e, cultivando neles a parte melhor com o melhor que há em nós mesmos, instalamos dentro de cada um, em nosso lugar, um guardião e chefe semelhante a nós, para só então dar-lhes a liberdade.

— Sim — volveu Gláucon —, a intenção da lei é manifesta.

— De que ponto de vista, pois, e com que fundamento diremos, ó Gláucon, que é proveitoso cometer injustiça, ser intemperante ou praticar outras baixezas, se em resultado de tudo isso nos tornamos mais perversos, ainda que granjeemos dinheiro ou poder com a nossa maldade?

— De nenhum ponto de vista — respondeu.

— Que proveito trará a um homem o fato de passar despercebida e impune a sua injustiça? O que se oculta não faz mais que piorar, mas, quando

O homem sensato procura com todas as forças libertar e harmonizar os elementos mais nobres de sua natureza

é descoberto e castigado, a parte bestial de sua natureza se aplaca e humaniza, o elemento pacífico é libertado e toda a alma, aperfeiçoando-se e enobrecendo-se ao se fazer mais justa e temperante com a ajuda do entendimento, adquire uma nova têmpera tanto mais preciosa que a do corpo dotado de saúde, vigor e beleza quanto a própria alma é mais preciosa que o corpo.

— Por certo.

— A este nobre propósito o homem sensato devotará as energias de sua vida. E, em primeiro lugar, honrará os estudos que fazem sua alma tal como acabamos de dizer e desprezará os demais. Não é assim?

— Evidentemente — respondeu ele.

Trata de regularizar os seus hábitos corporais, visando acima de tudo à harmonia da alma, e não à saúde

— Em segundo lugar — continuei —, no que toca ao uso e sustento de seu corpo, não só afastará de si os prazeres ferozes e irracionais, como não olhará sequer a sua saúde nem atenderá a ela para se fazer forte, são e belo se essas coisas não contribuem para a sanidade de sua mente; visará, sempre e acima de tudo, ajustar a têmpera do corpo pela harmonia da alma.

— Assim fará, por certo, se for verdadeiro músico — disse Gláucon.

— E não observará o mesmo princípio de ordem e harmonia na aquisição de seus bens, sem se deixar influir pela ideia que a multidão faz da felicidade e sem acumular riquezas que trazem consigo infinitos males?

Não acumula riquezas e só aceita as honras que não lhe danifiquem o caráter. Tem uma cidade interior cujo modelo é a lei de sua vida

— Não creio — respondeu.

— Muito pelo contrário — prossegui —, volvendo as vistas para o seu governo interior e cuidando que não ocorra ali nenhuma desordem por excesso ou escassez de fortuna, se regerá de acordo com essa norma e aumentará ou gastará o que possui segundo a sua capacidade.

— Exatamente.

— E, pela mesma razão, aceitará de bom grado e apreciará as honras que julgue capazes de fazê-lo melhor; mas, quanto às que veja que hão de causar dano à sua maneira de ser, evitá-las-á tanto na vida privada como na pública.

— Então, se é isso o que tem em mente, não desejará atuar na política — disse ele.

— Atuará certamente, pelo cão! — respondi. — Mas em sua cidade interior, e não na cidade pátria, a menos que o concite a isso um chamamento divino.

— Agora entendo. Queres dizer que só governará na cidade que estivemos fundando, a qual não existe senão em nossos raciocínios, pois não creio que possa ser encontrada em lugar algum da Terra.

— Mas talvez — continuei — exista no céu um modelo dessa cidade para quem queira contemplá-lo e fundar de acordo com ele a sua cidade interior. Não importa nada que exista ou venha a existir em algum lugar; por ela regulará a sua vida e não quererá saber de nenhuma outra.

— É justo — disse ele.

Livro X

— Refletindo bem, das muitas excelências que percebo na organização de nossa cidade nenhuma há que me agrade mais do que a regra relativa à poesia.
— Que regra é essa? — perguntou Gláucon.
— A rejeição da poesia imitativa, que de modo algum deve ser admitida; vejo-o agora com muito mais clareza, depois de termos analisado as diversas partes da alma.
— Como entendes isto?
— Falando aqui entre nós, pois não gostaria que me delatásseis aos poetas trágicos e ao resto da grei imitativa, todas essas obras

As imitações poéticas são nocivas ao espírito dos ouvintes

me parecem causar dano à mente dos que as ouvem quando não têm como antídoto o conhecimento de sua verdadeira índole.
— E em que fundas essa tua opinião?
— Será preciso dizê-lo — respondi — ainda que me trave a língua um certo carinho e reverência que desde menino sinto por Homero, que indubitavelmente foi o primeiro mestre e guia da luzida plêiade dos trágicos. Mas nenhum homem deve ser venerado acima da verdade, e, portanto, direi o que penso.
— Muito bem — tornou ele.
— Escuta, pois, ou melhor, responde-me.
— Podes perguntar.
— Não me saberás dizer o que é a imitação? Porque eu, francamente, não compreendo bem o significado dessa palavra.
— E eu é que havia de compreendê-lo, então! — exclamou.

A natureza da imitação

— Não seria de admirar — observei —, pois a vista mais fraca muitas vezes enxerga as coisas primeiro que a mais penetrante.

— É verdade; mas, na tua presença, ainda que eu tivesse uma vaga ideia não me atreveria a expressá-la. Indaga tu, portanto.

— Queres que comecemos a indagação de acordo com o nosso método costumeiro? Sempre que uma multidão de coisas têm o mesmo nome, pressupomos para elas uma ideia ou forma comum. Compreendes o que quero dizer?

— Compreendo.

A ideia é uma só, mas os objetos compreendidos debaixo dela são muitos

— Tomemos um exemplo trivial qualquer. Este, se te parece: existem camas e mesas no mundo... grande quantidade delas, não é mesmo?

— Como não?

— Mas as ideias relativas a esses móveis são duas somente: uma ideia de cama e uma ideia de mesa.

— Sim.

— E não costumávamos dizer que o artesão de cada um deles faz uma cama ou uma mesa para nosso uso de acordo com a ideia de cama ou a ideia de mesa, e igualmente para as outras coisas... mas que nenhum artesão fabrica a própria ideia, pois como seria isso possível?

— De modo algum.

— Vê agora que nome darás a este outro artesão.

— Quem é ele?

— Aquele que faz sozinho todas as coisas que fazem os outros trabalhadores manuais.

— Homem admirável e extraordinário esse de que falas!

— Espera um pouco, e terás mais razão para dizê-lo. Pois esse homem não só é capaz de fabricar todos os móveis, mas também plantas

e animais, inclusive ele próprio, e, ainda por cima, a Terra, o céu, os deuses e tudo que existe no céu e debaixo da terra, no Hades.
— Deve ser, na verdade, um sábio maravilhoso.
— Não acreditas? — perguntei. — Achas que não existe em

O artista, um criador de aparências

absoluto tal operário, ou que o fabricante de tudo isso pode existir em certo sentido, porém não em outro? Não te dás conta de que tu próprio és capaz de fazer todas essas coisas, de certo modo?
— De que modo? — perguntou.
— É facílimo — respondi. — Pode-se até fazê-lo de diversos modos e com a maior rapidez. Basta tomar um espelho e dar-lhe voltas para todos os lados: num instante farás o Sol e tudo que há no céu, a Terra e a ti mesmo, os animais, as plantas, os móveis e tudo mais que dissemos.
— Sim, mas seriam meras aparências, e não coisas existentes na realidade.
— Muito bem — disse eu —, agora chegaste ao ponto que eu queria. Entre os artífices dessa classe está, sem dúvida, o pintor. Não é mesmo?
— Naturalmente.
— Mas acrescentarás, suponho eu, que o que ele faz não são seres verdadeiros. No entanto, em certo sentido o pintor também faz camas; não é certo?
— Sim, mas não camas de verdade.

Também o artesão é, em certo sentido, um criador de aparência

— E que faz o fabricante de camas? Não acabas de dizer que ele não faz a ideia, que é, de acordo com a conclusão a que chegamos, a cama existente por si, mas apenas uma cama determinada?
— Foi o que eu disse, com efeito.
— Se não faz, pois, o que existe por si, não faz o real, mas apenas uma semelhança deste; e, se alguém disser que a obra do fabricante de

camas, ou de qualquer outro artesão, é completamente real, não correrá perigo de faltar com a verdade?

— Pelo menos — observou — os filósofos afirmariam que ele não fala com acerto.

— Não admira, pois, que sua obra seja também uma expressão um tanto obscura da verdade.

— Não, por certo.

— E se investigássemos agora, com base nestes exemplos, quem é o tal imitador de que falávamos?

— Se assim o desejas — respondeu.

As três espécies de camas e os três fazedores de camas

— De acordo com o que dissemos, são três as espécies de camas: uma, a que existe na natureza e que, segundo creio, podemos dizer que é fabricada por Deus; pois quem mais poderia fazê-la?

— Ninguém, suponho.

— Outra, a que faz o marceneiro.

— Sim.

— E a terceira, que é obra do pintor. Não é assim?

— Seja.

— Portanto, o pintor, o fabricante de camas e Deus são os três artífices dessas três espécies de camas.

— Sim, três.

— Quanto a Deus, seja por vontade sua, seja por necessidade, não fez mais que uma cama na natureza, a cama em essência; duas ou mais dessas camas ideais nunca foram nem jamais serão feitas por Deus.

— Por quê?

— Porque, se as fizesse, ainda que fossem apenas duas — disse eu —, apareceria uma terceira, de cuja ideia participariam essas duas, e esta seria a cama por essência, e não as outras.

— É verdade.

— E foi por saber isto, creio eu, e porque desejava ser realmente o criador de uma cama real, e não um fabricante qualquer de uma determinada classe de camas, que Deus fez essa, a qual é essencialmente e por natureza uma só.

— Assim cremos.

— Podemos, então, chamá-lo o autor ou criador natural desse objeto?

— É justo — respondeu —, uma vez que, pelo processo natural da criação, produziu a cama e todas as outras coisas.

— E que diremos do marceneiro? Não é ele também um artífice de camas?

— É.

— Mas dirias que também o pintor é artífice e fabricante?

— De modo algum.

— Mas, se não é artífice, que é ele em relação com a cama?

— Creio que seria mais adequado chamá-lo imitador daquilo que os outros fabricam.

— Muito bem — disse eu —, quer dizer que chamas imitador àquele que é o autor da terceira espécie, começando a contar pela natural?

— Exatamente.

— E imitador será também o poeta trágico, que ocupa, como todos os outros imitadores, o terceiro lugar na série, a começar do rei[28] e da verdade.

— Assim parece.

— Estamos de acordo, pois, no que toca ao imitador. Mas, quanto ao pintor, gostaria de saber se te parece que ele trata de imitar aquilo que existe na natureza mesma ou as obras do artífice.

— As obras do artífice — respondeu.

— Tais como são ou tais como aparecem? É preciso fazer ainda esta distinção.

— Que queres dizer? — perguntou ele.

— O seguinte: podemos olhar uma cama de diversos ângulos, diretamente, obliquamente ou de qualquer outro ponto de vista; e a cama parecerá diferente, embora não tenha mudado. O mesmo acontece com todas as outras coisas.

— Sim, a diferença é apenas aparente.

— Permite que te faça agora uma outra pergunta: que se propõe fazer a arte da pintura, uma imitação da realidade tal como existe, ou do aparente tal como aparece? Em outras palavras, imita ela a aparência ou a verdade?
— A aparência — disse ele.

Quem faz todas as coisas não faz senão uma pequena parte delas

— Bem longe da verdade está, pois, o imitador; e, ao que parece, se pode fazer todas as coisas é porque não alcança senão uma pequena parte delas, parte essa que é um mero fantasma. Por exemplo: um pintor pode pintar um sapateiro, um carpinteiro ou qualquer outro artesão, sem nada entender das artes desses homens; e, se for hábil no seu mister, poderá enganar as crianças e os néscios mostrando-lhes de longe o quadro de um carpinteiro e fazendo-lhes crer que estão vendo um carpinteiro de verdade.
— Por certo.

Quem supõe que seja possível conhecer todas as coisas ignora a própria natureza do conhecimento

— E quando alguém nos anunciar que encontrou um homem entendido em todos os ofícios e em todos os assuntos que cada um em particular conhece, e que sabe tudo com mais exatidão que qualquer outro, será preciso responder-lhe que é um simplório e que provavelmente se deixou enganar por algum charlatão ou imitador, o qual lhe pareceu onisciente por não ser ele capaz de analisar a natureza do conhecimento, da ignorância e da imitação.
— É a pura verdade.
— Portanto — continuei —, convém examinar se não são vítimas de uma ilusão semelhante aqueles que dizem que os poetas trágicos, com Homero à frente, conhecem todas as artes e todas as coisas humanas em sua relação com a virtude e com o vício, bem como as divinas; porque o bom poeta não pode compor bem, a menos que conheça o

seu assunto, e se não possuir tal conhecimento, jamais conseguirá ser poeta. Talvez se tenham deixado

Engana-se igualmente quem atribui esse conhecimento universal aos poetas

enganar ao encontrarem tais imitadores, sem se dar conta, quando viam as obras daqueles, de que estão três vezes afastadas do ser e de que só compõem bem aos olhos de quem ignora a verdade, pois não compõem senão aparências, e nunca realidades. Ou, quem sabe, talvez tenham razão, e os bons poetas efetivamente conheçam os assuntos de que, a juízo da multidão, parecem falar com tanto acerto.

— É uma questão que deve ser muito bem examinada — disse ele.

Quem pudesse fazer a coisa imitada não se contentaria em fazer a aparência

— Mas acreditas que se uma pessoa fosse capaz de fazer ambas as coisas, o objeto imitado e a aparência, se dedicaria seriamente à arte imitativa e faria dela o interesse primacial de sua vida, como se não conhecesse nada melhor?

— Não creio.

— Parece-me, pelo contrário, que se realmente conhecesse aqueles objetos que imita, se esforçaria muito mais por trabalhar neles do que em suas imitações e procuraria deixar, como monumentos de si mesmo, obras belas e numerosas; e, em vez de encomiador, preferiria ser alvo de encômios.

— Sim, porquanto isso lhe traria muito mais honra e proveito.

Homero nada fez pelo melhoramento da humanidade

— Então — disse eu —, devemos pedir contas a Homero; não a respeito da medicina ou qualquer outra das artes a que seus poemas só se referem incidentalmente; não perguntaremos a ele nem a nenhum outro poeta se alguma vez curou doentes como Asclépio, se deixou discípulos na arte da medicina tais como os Asclepíadas, ou se se contenta com imitar a maneira de falar dos médicos. Deixemos isso tudo. Mas sobre as coisas mais importantes e belas de que trata, sobre as guerras, as campanhas, os regimes das cidades e a educação do homem, é justo que indaguemos: "Amigo Homero, se é certo que ocupas o segundo posto a partir da verdade, e não o terceiro... isto é, se não és um simples fabricante de aparências e aquilo que nós chamamos um imitador, mas sabes discernir que gêneros de conduta tornam os homens melhores ou piores na vida privada e na pública, dize-nos que cidade melhorou com teu auxílio a sua constituição. A boa ordem da Lacedemônia se deve a Licurgo, e muitas outras cidades; grandes e pequenas, foram igualmente beneficiadas por outros; mas qual delas te aponta como um bom legislador em proveito de seus cidadãos? A Itália e a Sicília ufanam-se de Carondas, e entre nós Sólon goza de grande renome; e a ti, que cidade se coloca sob a tua proteção?" Crês que poderás indicar alguma?

— Não creio — disse Gláucon —, pois nem os próprios Homéridas pretendem que ele tenha sido legislador.

— E há recordação de alguma guerra que, nos tempos de Homero, tenha sido conduzida com êxito por ele ou a seu conselho?

— Não há.

— Atribuem-lhe, pelo menos, alguma dessas invenções engenhosas, aplicáveis às artes ou a outros campos da vida humana, como as que foram concebidas por Tales de Mileto e Anacársis, o cita?

— Não há nada disso.

— Mas, se Homero nunca prestou qualquer serviço público, teria sido, na vida privada, guia de educação ou mestre para alguém? Teve ele, enquanto viveu, amigos que adorassem o seu convívio e transmitissem à posteridade um sistema de vida homérico, a exemplo de Pitágoras, que foi especialmente amado por esse motivo e cujos discípulos se distinguem ainda hoje pelo regime chamado pitagórico?

— Nada de semelhante se diz dele — respondeu. — Pois quanto a Creófilo, o discípulo de Homero, é possível, ó Sócrates, que fosse ainda mais digno de riso pela sua estupidez do que pelo seu nome,[29] se é verdade que, conforme se conta, tenha deixado Homero, ainda em vida, no mais completo abandono.

— Assim se conta, com efeito — disse eu. — Mas acreditas, Gláucon, que se Homero fosse realmente capaz de educar e de melhorar a humanidade, se conhecesse de fato essas coisas e não fosse um simples imitador, acreditas que não teria reunido em torno de si grande número de amigos e que não seria honrado e amado por eles? A Protágoras de Abdera, Pródico de Ceos e muitos outros bastou que sussurrassem aos seus contemporâneos: "Nunca sereis capazes de governar vossa casa nem vossa cidade se não nos escolherdes como guias de vossa educação", e por esta sua ciência foram amados a tal ponto que por pouco seus discípulos não os carregam em triunfo. E é concebível que os contemporâneos de Homero, ou mesmo de Hesíodo, os deixassem andar errantes a entoar os seus cânticos, se fossem realmente capazes de torná-los virtuosos? Não os julgariam mais preciosos do que o ouro e não os teriam forçado a viver em suas próprias casas? Ou, se o mestre ali não quisesse ficar, não o seguiriam os discípulos a todas as partes, até que houvessem conseguido a educação suficiente?

— Parece-me, Sócrates, que o que dizes é em todo ponto verdadeiro.

— Não devemos concluir, pois, que todos os poetas, a começar por Homero, são imitadores de imagens da virtude e das demais coisas sobre que compõem os seus poemas; quanto à verdade, porém,

O poeta, como o pintor, é um simples imitador que nada sabe do ser real

jamais a alcançam? O poeta é como o pintor de que falávamos há pouco, o qual faz uma coisa que parece um sapateiro aos olhos daqueles que entendem de sapataria tão pouco quanto ele próprio, e que só julgam pelas cores e pelas formas.

— Perfeitamente.

— Do mesmo modo, creio eu, podemos dizer que o poeta não sabe fazer outra coisa senão imitar; valendo-se de nomes e locuções, aplica certas cores tomadas às diferentes artes, e assim faz crer a outros que julgam pelas palavras, como ele, que se expressa com muito acerto quando fala com metro, ritmo e harmonia sobre a arte do sapateiro, sobre estratégia ou qualquer outro assunto... tão grande é o fascínio que possuem essas coisas! Pois deves ter notado, e não poucas vezes, o aspecto insignificante que assumem as narrações dos poetas quando despidas das cores que lhes empresta a música e recitadas em prosa simples.

— Sim, por certo — disse ele.

— São como rostos que nunca foram realmente belos, apenas tinham por si o viço da mocidade; uma vez passado este...

— Exatamente.

— Volve tua atenção agora para isto: o imitador ou fabricante de imagens nada entende do verdadeiro ser, apenas do aparente. Não é assim?

— É.

— Examinemos devidamente o assunto, sem nos contentarmos com meia explicação.

— Fala — disse ele.

— O pintor pode pintar rédeas e um freio?

— Pode.

— Mas quem faz essas coisas são o correeiro e o ferreiro?

— Por certo.

— Mas entende o pintor, porventura, como devem ser as rédeas e o freio? Ou será que não o entendem nem ele, nem tampouco o ferreiro e o correeiro, mas apenas o que sabe se servir dessas coisas, que é o cavaleiro?

— Esta é que é a verdade.

— E não se pode dizer o mesmo de todas as coisas?

— Como?

Três artes: utilizar, fazer, imitar

— Que para cada objeto há três artes diferentes: a que os utiliza, a que os fabrica e a que os imita?

— Sem dúvida.

— Ora, a excelência, beleza e perfeição de cada ser vivo, objeto inanimado ou ação humana depende exclusivamente da utilidade para que o destinou a natureza ou o artífice.

— Assim é.

— Portanto, é forçoso que quem utiliza cada uma dessas coisas seja o mais experimentado, e que venha a ser ele quem indique ao fabricante as boas ou más qualidades postas em evidência pelo uso; por exemplo, o flautista informa ao fabricante de flautas quais são as melhores para ele, determina como deve fazê-las, e o outro obedece.

— Por certo.

— O primeiro conhece, portanto fala com autoridade sobre a boa ou má qualidade das flautas, enquanto o segundo deposita fé nele e as faz de acordo com as suas prescrições?

— Sim.

— Portanto, com respeito ao mesmo objeto, o fabricante terá uma crença bem fundada sobre a sua conveniência ou inconveniência,

O utilizador tem o conhecimento e o fabricante tem a crença; o imitador, porém, não tem uma coisa nem outra

visto que trata com o entendido e é obrigado a ouvi-lo; o que o utiliza, em troca, terá o conhecimento.

— Por certo.

— Mas que dizer do imitador? Saberá ele, pelo uso, se as coisas que pinta são belas e boas? Ou terá uma opinião sólida por ser obrigado a comunicar-se com quem sabe e lhe dá instruções sobre a maneira de desenhar?

— Nem uma coisa nem outra.

— Portanto, o imitador não conhecerá as coisas que imita nem poderá opinar devidamente a respeito de sua conveniência ou inconveniência.

— Creio que não.

— Muito brilhante será ele, pois, no que toca ao conhecimento das coisas que escolhe para modelo!

— Bem ao contrário!

— Apesar disso, continuará a imitá-las sem saber que é que as torna boas ou más; e o mais provável é que imite o que pareça belo à multidão ignorante.

— Como poderia ser de outro modo?

— Até aqui, pois, estamos totalmente de acordo em que o imitador não sabe nada que valha a pena acerca dos objetos que imita, em que a imitação não é, por conseguinte, uma coisa séria, mas um jogo de crianças, e em que os poetas trágicos, quer escrevam em versos jâmbicos, quer em heroicos, são todos eles imitadores no mais alto grau.

— Perfeitamente.

— E agora, por Zeus, suplico-te que me digas: essa imitação não versa sobre algo que está três vezes afastado da verdade?

— Sim, versa.

— E a que parte do homem se dirige ela?

— Que queres dizer?

— Já explico: um objeto que, visto de perto, é grande, parece pequeno quando visto de longe?

— Com efeito.

— E os mesmos objetos nos parecem tortos ou direitos conforme sejam contemplados dentro d'água ou fora dela; e o côncavo torna-se convexo devido à ilusão a que está sujeita a vista com respeito às cores. E, assim, toda sorte de confusões se revelam em nossa alma; essa é a fraqueza inata da mente humana, que a pintura sombreada, a prestidigitação e outras muitas artes de iludir exploram a mais não poder, lançando mão de todos os recursos da magia.

— É verdade.

— Mas não vêm em socorro de nosso entendimento as artes de medir, contar e pesar, de modo que essa aparência de maior ou menor, de maior número ou de mais peso, já não consegue

A arte do cálculo e da medida foi dada ao homem para que pudesse corrigir a ilusão das aparências

impor-se a ele, mas é obrigada a ceder diante do cálculo, da medida e da pesagem?

— Como não?

— E isso, certamente, será obra do princípio racional e calculador que existe em nossa alma?

— Certamente.

— E quando esse princípio mede e atesta que certas coisas são iguais, ou que umas são maiores ou menores do que outras, ocorre uma contradição aparente?

— Com efeito.

— Mas não dissemos que tal contradição era impossível, que a mesma faculdade não podia ter, ao mesmo tempo, opiniões contrárias sobre a mesma coisa?

— E com razão o dissemos.

— Portanto, aquela parte da alma que tem uma opinião contrária à medida não é a mesma que opina de acordo com a medida.

— Não, de modo algum.

— E a melhor parte de nossa alma será aquela que dá fé à medida e ao cálculo?

— Indubitavelmente.

— E o que a eles se opõe será um dos elementos inferiores da alma?

— Por certo.

— Esta era a conclusão a que eu queria chegar quando disse que a pintura, e, em geral, toda arte imitativa, realiza o trabalho que lhe é próprio a grande distância da verdade e é companheira e amiga daquela parte de nós mesmos que se aparta da razão, e isso sem nenhuma finalidade sã ou verdadeira.

— Exatamente — disse ele.

Filhas de uma união entre elementos inferiores, as produções da arte imitativa são bastardas e vis

— Sendo, pois, uma união entre elementos inferiores, a arte imitativa só poderá ter frutos bastardos e vis.

— Assim parece.

— E diremos que isso se limita ao sentido da vista ou que inclui também o ouvido, ao qual corresponde o que chamamos poesia?

— Provavelmente se aplica à poesia também.

— Não nos contentemos, porém, com uma probabilidade baseada na analogia com a pintura. Examinemos a parte de nossa mente a que se dirige a poesia imitativa e vejamos se é vil ou valiosa.

— Convém fazê-lo, sim.

— Podemos formular assim a nossa proposição: a poesia imitativa nos apresenta ações humanas, quer forçosas, quer voluntárias, cujas consequências tornam felizes ou desgraçados os seus perpetradores, na opinião destes, e por isso se alegram ou se entristecem. Faltará dizer ainda alguma coisa?

— Não, nada mais.

— E acaso o homem se mantém uno diante dessa variedade de circunstâncias, ou se divide em seu pensamento e em seus atos, assim como se dividia no tocante à visão e era solicitado simultaneamente por opiniões contrárias a respeito dos mesmos objetos? Sei muito bem que não há necessidade de levantarmos novamente esta questão, pois já nos pusemos de acordo sobre ela, reconhecendo que nossa alma está cheia de milhares de contradições dessa espécie.

— E com razão o fizemos — disse ele.

— Sem dúvida; mas houve uma omissão que terá de ser reparada agora.

— Qual foi essa omissão?

Favorecem de vários modos as fraquezas de nossa alma e se opõem diretamente às exortações da filosofia

— Não dizíamos que um homem sensato que tivesse a desgraça de perder um filho ou algum outro ser muito querido a suportaria mais facilmente que qualquer outro homem?

— Por certo.

— Vejamos agora se ele não sente nada ou, se não podendo deixar de sentir, o que faz é moderar a sua dor.

— A segunda hipótese é mais verdadeira — disse Gláucon.

— Mas responde a isto: crês que esse homem lutará melhor com a dor e lhe oporá maior resistência quando seja visto por seus semelhantes ou quando se encontre a sós consigo mesmo?

— Muito melhor quando seja visto.

— Ao ficar só, creio eu, não terá escrúpulos de se entregar a certas lamentações de que se envergonharia se alguém o ouvisse, e fará muitas coisas que por nada deste mundo desejaria que fossem vistas.

— É verdade.

— Pois bem: o que o manda resistir não é a lei e a razão e o que o força a ceder diante do pesar não é a própria dor?

— Certo.

— Mas, quando um homem é arrastado em duas direções opostas, ao mesmo tempo e com respeito ao mesmo objeto, não afirmamos que deve haver nele dois elementos distintos?

— Como não?

— Um deles, disposto a seguir a orientação da lei?

— Como assim?

— A lei diz que convém manter o máximo possível a tranquilidade diante do sofrimento e não afligir-se, pois não podemos saber o que há de bom ou de mau em tais coisas; que nada adianta desesperar-se; e também que nada humano é digno de grande afã, e o pesar constitui um obstáculo àquilo que, no momento, mais nos pode ajudar.

— Que é isso a que te referes? — perguntou.

— A reflexão sobre o acontecido — respondi — e o ordenar nossos atos, como diante de um lance de dados desfavorável, de acordo com o que a razão nos diz ser o melhor, sem fazer como as crianças que, ao receberem um golpe, agarram-se à parte dolorida e perdem tempo gritando, em vez de disciplinar a alma para que procure imediatamente um remédio, restabelecendo a parte caída e doente e eliminando os queixumes com a medicação.

— É o mais acertado que se pode fazer nos infortúnios da vida — disse ele.

— Dizemos, pois, que o melhor elemento se dispõe a seguir esse raciocínio?

— Certamente.

— E ao outro elemento, que nos leva a recordar a desgraça e dar vazão aos lamentos, sem jamais nos saciarmos deles, não podemos chamar irracional, indolente e próximo da covardia?

— Sem dúvida.

— Ora, um desses elementos, o irritável, fornece abundante e variado material à imitação, ao passo que o caráter reflexivo e tranquilo, sendo sempre semelhante a si mesmo, não é fácil de imitar nem de apreciar quando imitado, mormente nas reuniões festivas, quando uma multidão heterogênea se congrega no teatro. Os sentimentos representados, com efeito, seriam completamente estranhos para essa gente.

— Como não?

— É evidente, pois, que se o poeta imitativo visa à popularidade, não está destinado por natureza a influir no elemento racional da alma nem sua arte foi feita para agradá-lo, e sim ao caráter irritável, multiforme e inconstante, que é o que se deixa imitar com mais facilidade.

— Evidente.

— E agora podemos agarrá-lo sem receio e colocá-lo ao lado do pintor, pois se parece com ele de dois modos: primeiro porque suas criações são de somenos valor no que se refere à verdade, e segundo porque está em íntima relação com um dos elementos inferiores da alma. Portanto, muito acertados andamos em não admiti-lo numa cidade que devia se reger por boas leis, já que ele desperta, nutre e fortalece o elemento desordenado em prejuízo da razão, como faria quem atraiçoasse a cidade dando o poder a uns miseráveis e votando ao ostracismo os cidadãos mais prudentes. Desse modo, diremos, o poeta imitativo implanta um regime perverso na alma de cada um, condescendendo com o elemento irracional que nela existe, elemento que não distingue o grande do pequeno, mas encara as mesmas coisas às vezes como grandes e às vezes como pequenas, criando aparências inteiramente desligadas da verdade.

— Exatamente.

— Mas ainda formulamos a mais séria acusação contra a poesia. O que nela há de mais terrível é a sua capacidade de fazer dano a homens de real valor, e poucos são os que escapam a essa influência.

— Como não, se o efeito é tal como dizes!

— Escuta e julga: os melhores de nós, quando ouvem uma passagem de Homero ou de algum dos autores trágicos em que um herói, vítima de uma desgraça qualquer, se estende em longo discurso, chorando, gemendo e batendo no peito... os melhores de nós, como sabes, abandonam-se deleitados aos sentimentos de simpatia e louvam com entusiasmo as excelências do poeta que melhor soube colocá-los em tal situação.

— Sim, bem o sei.

— Mas quando é a nós mesmos que sucede uma desgraça, não ignoras que timbramos em fazer o contrário, mantendo-nos tranquilos e dominando-nos tanto quanto possível; isso é o que reputamos próprio de um homem, e o que antes celebrávamos, de uma mulher.

— Já percebi — disse ele.

— E está certo de que louvemos e admiremos num outro aquilo que nós próprios teríamos repugnância e vergonha de fazer?

— Não, por Zeus — respondeu —, isso não parece nada razoável.

— Indubitavelmente, pelo menos se o examinas sob este outro aspecto — disse eu.

— Como?

— Considerando que ao sofrermos uma desgraça, sentimos o desejo natural de desafogar nossa dor por meio de prantos e lamentações, e esse sentimento que reprimimos à força em nossas calamidades pessoais é justamente aquele que os poetas deixam satisfeito e folgado; e a melhor parte de nossa natureza, como não está educada pela razão e pelo hábito, afrouxa a vigilância sobre aquele elemento lacrimoso porque é a um pesar alheio que está assistindo e não há, para ele, vergonha alguma

A piedade pelas personagens fictícias cria em nós uma fraqueza real

em louvar e compadecer um outro homem que se diz uma bela pessoa e corta os ares com suas lamúrias intempestivas; parece-lhe que o prazer é um ganho e não consente em ser privado deste pelo seu desprezo do poema inteiro. Poucas pessoas, segundo creio, chegam a refletir que uma parte do mal alheio passa para elas próprias e que, alimentando desse modo o sentimento de lástima, dificilmente conseguirão contê-lo em seus padecimentos individuais.

— É a pura verdade — disse Gláucon.

— E não se pode afirmar o mesmo do cômico? Há certos gracejos que teríamos vergonha de dizer, e no entanto, quando os

Do mesmo modo, o amor à comédia pode converter um homem num farsante

ouvimos numa cena de comédia, ou mesmo em particular, nos regozijamos e não sentimos nenhuma revolta diante de sua inconveniência. O caso da piedade repete-se aqui, pois damos soltas àquele prurido de rir que contínhamos em nós com a razão, temendo passar por chocarreiros, e não nos apercebemos de que ao fortalecê-lo assim nos deixamos arrastar frequentemente por ele no trato ordinário, até nos convertermos em farsantes.

— Muito verdadeiro isto também.

— E assim no que toca à luxúria, à cólera e todos os demais afetos da alma, quer dolorosos, quer agradáveis, que consideramos inseparáveis de cada uma de nossas ações. Em tudo isso a imitação poética rega e alimenta as paixões ao invés de deixá-las secar e erige em governante o que deveria ser governado, a fim de que a humanidade fosse melhor e mais feliz e não pior e mais desditosa.

— Não há como negá-lo.

Apesar de nossa admiração por Homero, devemos expulsá-lo de nossa cidade

— Portanto, Gláucon — prossegui —, sempre que encontrares um desses panegiristas de Homero, que dizem ter sido ele quem educou a Grécia e que, no tocante ao governo e direção dos assuntos humanos, merece ser ouvido e compulsado, e também que regulemos nossa vida de acordo com a sua poesia, deverás beijar e abraçar o tal, como excelente pessoa que é dentro de suas limitações, e reconhecer igualmente em Homero o mais poético e o primeiro dos trágicos. Mas não te deixes abalar na convicção de que os hinos aos deuses e os encômios dos heróis são o único gênero de poesia admissível na cidade. E se acolheres também a musa prazenteira, seja em versos épicos ou líricos, reinarão em tua cidade o prazer e a dor em lugar da lei e da razão, que em cada caso aponta o que melhor convém a todos.

— Dizes muito bem.

Justificação perante os poetas

— E, visto como voltamos a falar da poesia, aí tens a nossa justificação por havê-la desterrado de nossa cidade: era a razão que no-lo impunha. Mas, para que não nos acuse de dureza e incivilidade, digamos-lhe ainda que é antiga a discórdia entre a filosofia e a poesia; pois há aquele dito sobre "a cadela uivadora que ladra aos seus donos", e "o homem grande nos vaniloquios dos néscios", e mais "a multidão dos filósofos que mandam em Zeus", e ainda aquele sobre "os sutis pensadores que não passam de mendigos", com outras mil provas da velha inimizade entre elas. Acrescentemos, no entanto, que se a poesia prazenteira e imitativa tivesse uma razão aceitável a alegar em favor do seu direito de existir numa cidade bem regida, a admitiríamos de bom grado, pois estamos muito longe de ser insensíveis aos seus encantos; mas não é justo que por esse motivo atraiçoemos o que nos mostra como a verdade. Não duvido, Gláucon, que te sintas tão enfeitiçado por ela quanto eu, especialmente quando é Homero quem fala.

— Como não!

— Proponho, pois, que lhe seja permitido retornar do exílio, mas sob uma condição: que faça a sua defesa em versos líricos ou em outro metro qualquer.

— Apoiado.

— E daremos também àqueles de seus defensores que são amigos da poesia, porém não poetas, a possibilidade de pleitear a sua causa em prosa e de sustentar que ela não só é agradável mas útil para os regimes políticos e a vida humana. Pois muito teríamos a ganhar se fosse, além de deleitável, proveitosa.

— Grande lucro nos traria isso, pois não!

— Mas se a defesa falhar, meu querido amigo, assim como os enamorados de outrora se afastam de seu amor quando se dão conta de que este lhes é prejudicial, também nós renunciaremos à poesia, ainda que não sem luta. Inspira-nos esse amor a ela que nos infundiu a educação de nossas preclaras repúblicas, e por isso nos sentiríamos felizes se se mostrasse boa e verdadeira no mais alto grau; mas enquanto não for capaz de se justificar havemos de ouvi-la repetindo a nós mesmos, como um esconjuro, o raciocínio que acabamos de fazer, para que não venhamos a cair novamente num amor-próprio das crianças e das multidões. Escutá-la-emos, portanto, convencidos de que tal poesia não deve ser tomada a sério, por não ser ela própria coisa séria nem achegada à verdade; e quem a ouve, é mister que se acautele temendo por sua própria república interior e que faça de nossas palavras sua lei.

— Concordo contigo em toda a linha — disse ele.

— Grande, meu querido Gláucon, muito mais do que parece, é o combate em que se decide se um homem há de ser probo ou perverso. Pois que proveito lhe advirá se por amor ao dinheiro, às honras, ao poder, ou mesmo à exaltação da poesia, descurar a justiça e as outras virtudes?

— Sim — disse ele —, estou inteiramente convencido pelos teus argumentos, como creio que qualquer outro estaria também.

— E, contudo — observei —, não tratamos ainda dos maiores prêmios e recompensas que estão reservados à virtude.

— Como, há outros ainda maiores? Bem grandes devem ser eles, então.

As recompensas da virtude estendem-se além do curto espaço da vida humana, abrangendo a eternidade

— Mas que é que pode chegar a ser grande em tempo tão curto? — repliquei. — Porque todo esse espaço que vai da infância até a velhice bem pouco é em comparação com a totalidade do tempo.

— Dize, antes, que não é nada.

— Pensas, acaso, que um ser imortal deve preocupar-se a sério com um espaço tão breve, e não com a eternidade?

— Não creio — respondeu. — Mas que queres dizer com isso?

— Não sentes — perguntei — que nossa alma é imortal e nunca perece?

Aí ele cravou os olhos em mim, cheio de pasmo, e disse:

— Não, por Zeus! Pretendes realmente sustentar isso?

— Sim — respondi —, creio que posso fazê-lo, e tu também, pois não é difícil prová-lo.

— Para mim é; mas gostaria de ouvir esse argumento a que dás tão pouca importância.

— Escuta, então.

— Sou todo ouvidos.

— Há coisas que chamas boas, e outras que chamas más? — perguntei.

— Sim.

— E pensas a respeito dessas coisas o mesmo que eu?

— Quê?

Cada coisa tem um bem e um mal, e se não for destruída pelo seu próprio mal, não poderá sê-lo pelo de outra

— Que é mau tudo que dissolve e destrói, e bom o que preserva e aproveita?

— Creio que sim.

— E não admites que há um bem e um mal para cada coisa? Por exemplo, a oftalmia é o mal dos olhos; a doença, do corpo inteiro; o míldio, do trigo; a podridão, da madeira; a ferrugem, do cobre e do ferro; numa palavra, todos ou quase todos os seres têm um mal que lhes é conatural?

— Assim é — disse ele.

— De modo que quando algum desses se produz num ser, este é pervertido por ele e finalmente se dissolve e perece?

— Como não?

— O mal conatural a cada coisa é o que a perverte e dissolve; e, se não é ele que a destrói, nada mais poderá destruí-la. Porque jamais há de fazê-lo o bom, nem tampouco aquilo que não é bom nem mau.

— Certamente que não.

— Se encontrarmos, pois, algum ser afetado por um mal que o torna miserável, mas que não é capaz de dissolvê-lo nem de destruí-lo, não bastará isso para nos convencer de que um ser de tal natureza é indestrutível?

— É muito provável — respondeu.

— E então? — prossegui. — Não existe nenhum mal que corrompa a alma?

— Evidentemente — disse ele —, há todos os males que há pouco passávamos em revista: a injustiça, o desregramento, a covardia e a ignorância.

Portanto, se a alma não pode ser destruída pelo mal moral, não o será certamente pelo mal físico

— E acaso alguma dessas coisas a dissolve e destrói? Devemos ter cuidado aqui para não cairmos no erro de supor que o homem injusto e insensato, quando descoberto, pereça por causa de sua injustiça, que é um mal da alma. Tomemos a analogia do corpo: assim como a doença, sendo a perversão própria dele, o consome e arruína a ponto de não ser mais corpo, e todas as outras coisas de que falávamos acabam se aniquilando por causa de seu mal peculiar e pela ação destruidora que lhe é inerente... Não é assim?

— É.

— Pois considera do mesmo modo a alma. Porventura a injustiça e os demais males que lhe são próprios a corrompem e destroem quando se produzem nela, até levá-la à morte pela separação do corpo?

— De modo algum.

— Por outro lado — observei —, é absurdo que a perversão alheia destrua uma coisa quando a que lhe é própria não o faz.

— Absurdo, de fato.

— Reflete, Gláucon — prossegui —, que pela má qualidade dos alimentos, seja ela qual for, rancidez, decomposição ou qualquer outra, não pensamos que o corpo tenha de perecer, mas sim que quando a corrupção desses alimentos fez nascer no corpo a corrupção própria deste, diremos que o corpo pereceu pelo seu próprio mal, que é a doença, provocada por aqueles; mas negaremos peremptoriamente que o corpo, sendo uma coisa, possa ser destruído pela má qualidade dos alimentos, que são outra coisa, uma vez que o mal próprio não tenha sido produzido pelo mal estranho.

— Muito verdadeiro, isto — volveu ele.

— E, de acordo com o mesmo raciocínio, a menos que a corrupção do corpo implante na alma a corrupção própria desta, não admitiremos que ela seja destruída por um mal externo e pertencente a outra coisa.

— É justo — disse Gláucon.

O mal do corpo é incapaz de corromper a alma

— Pois bem: ou refutemos tudo isso, ou sustentemos, enquanto não esteja refutado, que nem pela febre nem por qualquer outra moléstia, nem pelo degolamento, nem mesmo que o corpo inteiro seja cortado em pedacinhos, há de a alma perecer ou destruir-se um pouco que seja. Isto sustentaremos até que alguém nos demonstre que por tais padecimentos do corpo ela se torna mais injusta ou ímpia; pois que a alma ou qualquer outra coisa possa ser destruída pelo aparecimento de um mal que lhe é estranho, se a esse não se acrescente o mal próprio, é algo que ninguém tem o direito de afirmar.

— E seguramente — respondeu ele — ninguém demonstrará jamais que a alma dos que se encontram às portas da morte se torne mais injusta por esse motivo.

— Mas, se alguém que prefira não admitir a imortalidade da alma se atrever a negar isto, dizendo que os moribundos realmente se tornam mais perversos e mais injustos, nesse caso julgaremos que, se tal homem diz a verdade, a injustiça é algo fatal para o injusto, como uma doença, e os que a levam em si morrem pelo poder natural de destruição inerente ao mal, que a uns mata de imediato e a outros mais devagar; mas de maneira diversa daquela por que morrem agora os injustos às mãos dos que os fazem pagar seus crimes.

— Por Zeus! — exclamou ele. — A injustiça não pareceria tão terrível se fosse fatal ao injusto, pois lhe ofereceria uma saída para escapar aos seus males. Creio antes que é bem o contrário, e a injustiça, que mata os outros quando pode fazê-lo, conserva o matador com vida... e, além de vivo, bem acordado. Tão longe está, segundo parece, de produzir a morte.

— Dizes bem — observei — se o mal ou perversão conatural à alma é incapaz de matá-la ou destruí-la, o mal próprio de um outro ser estará longe de ter esse efeito sobre ela ou qualquer outra coisa, exceto aquela para que foi destinado.

— Bem longe, mesmo.

— E assim, se não perece por mal nenhum, nem próprio nem alheio, é evidente que há de existir sempre; e o que existe sempre é imortal.

— Por certo.

Se a alma é indestrutível, o número de almas não pode aumentar nem diminuir

— Esta é a conclusão — disse eu —, e, se verdadeira, as almas terão de ser sempre as mesmas, já que seu número não pode diminuir, porque não perece nenhuma, nem tampouco aumentar, porque o acréscimo das naturezas imortais deveria provir de algo mortal, e desse modo todas as coisas terminariam na imortalidade.

— Sem dúvida.

— Mas não podemos admitir isso — ajuntei — porque a razão não o permite; como também não podemos admitir que a alma, em sua mais verdadeira essência, seja algo cheio de desigualdade, diversidade e diferença em relação consigo mesma.

— Que queres dizer? — perguntou.

— Não é provável — tornei eu — que um ser eterno seja composto de muitos elementos e que sua composição não seja a mais apropriada, como vimos anteriormente que era a da alma.

— Por certo que não.

— Sua imortalidade foi demonstrada pelo argumento que acabamos de desenvolver, e existem ainda muitas outras

Para ver a alma tal como é na realidade devemos despi-la de seus acidentes terrenos

provas; mas para vê-la tal como é na realidade e não como nos aparece agora, degradada pela sua comunhão com o corpo e outras misérias, é preciso contemplá-la com os olhos da razão, em sua pureza original. Veremos então que é muito mais bela e distinguiremos mais claramente as ações justas e injustas e tudo mais de que tratamos. Até aqui dissemos a verdade sobre ela tal como nos parece agora, mas não devemos esquecer que a vimos num estado comparável ao do marinheiro Glauco,[30] cuja aparência original dificilmente poderia ser percebida, pois tinha os membros quebrados, estropiados e deformados de mil maneiras pelas ondas, ao passo que outros novos lhe haviam nascido pela incrustação de conchas, algas e pedrinhas, de modo que mais lembrava um monstro do que a sua forma natural. E a alma que contemplamos se acha em condição semelhante, desfigurada por uma multidão de males. Por isso, meu amigo, é preciso volver os olhos a outra parte.

— Aonde, então? — disse ele.

Seu comércio natural é com as coisas eternas

— Ao seu amor do saber. Consideremos as coisas a que é afeiçoada e as companhias que busca em virtude de seu parentesco próximo com o divino, o imortal e o que sempre existe; e quão diferente há de ser quando se aplique toda ela a esse princípio superior e saia, pelo mesmo impulso, do mar em que se encontra, sacudindo as muitas conchas, pedras e coisas da terra que em tumultuosa variedade se acumulam sobre ela, pois de terra se nutre e está inçada disso que se chama os deleites da vida. Só então se poderá ver sua verdadeira natureza e saber se é composta, simples ou que outra essência tem. De seus acidentes e formas na vida humana, creio que já falamos o suficiente.

— Com efeito — observou.

Voltam a ser consideradas as recompensas da virtude

— Assim, pois — disse eu —, cumprimos as condições impostas à discussão; não introduzimos as recompensas e glórias da justiça, que, como dizeis, podem ser encontradas em Homero e Hesíodo; mas descobrimos que sua prática é em si mesma o melhor para a alma considerada em sua essência. Que os homens façam o que é justo, tenham ou não tenham o anel de Giges, e ainda que a este anel se acrescente o capacete de Hades.[31]

— De inteiro acordo.

— E agora, Gláucon, nada impede que, ademais dessas excelências, restituamos à justiça e às outras virtudes os grandes e numerosos prêmios que costumam receber dos deuses e dos homens, tanto nesta vida como depois da morte.

— Por certo que não.

— Quereis devolver-me, pois, o que tomastes emprestado em nossa discussão?

— Que foi que tomamos emprestado?

— Concedi-vos que o justo parecesse injusto, e vice-versa, porque éreis de opinião que, embora isto não fosse coisa que pudesse passar despercebida aos deuses e aos homens, devíamos admiti-la a bem da argumentação, para que a justiça em si fosse julgada em relação com a injustiça em si. Lembras-te?

— Mal andaria eu se tivesse esquecido — respondeu.

— Portanto, agora que a causa passou em julgado, peço em nome da justiça que lhe seja restituída por nós a estima que lhe consagram tanto os homens como os deuses e que reconhecemos caber-lhe de direito; e isso para que recolha os louros da fama e os dê aos seus amigos, pois, quanto aos bens derivados de sua própria essência, já vimos que nunca deixa de conferi-los aos que verdadeiramente a abraçam.

— É razoável o que pedes — disse ele.

— Assim, pois, a primeira coisa que tereis de me restituir é a afirmação de que a natureza de nenhum desses dois homens escapa ao olhar dos deuses.

— Concedido.

— E, se os deuses os conhecem, um será amado por eles e o outro odiado, conforme admitimos desde o princípio.

— Assim é.

— E não hão de fazer os deuses com que todas as coisas corram da maneira mais favorável aos seus amados, salvo aqueles males que sejam consequência necessária de erros anteriores?

— Certamente.

O justo é amado pelos deuses e todas as coisas cooperam em seu proveito

— Por conseguinte, esta deve ser nossa opinião do homem justo: que, embora viva na pobreza ou cheio de enfermidades, ou sujeito a outros infortúnios aparentes, tudo isso redundará finalmente em seu bem, se não nesta vida, pelo menos na outra. Porque nunca será abandonado pelos deuses quem procura fazer-se justo e parecer-se com a divindade, tanto quanto isso é possível a um ser humano, pela prática da virtude.

— Sim — disse Gláucon —, se ele se parecer com os deuses, certamente não será abandonado por eles.

— E do injusto não podemos supor o contrário?

— Sem dúvida.

— Essas serão, pois, as palmas da vitória que os deuses concederão aos justos.

— Pelo menos na minha opinião.

O injusto sagaz comparado a um atleta que só corre bem na primeira metade da carreira

— E que receberão eles dos homens? Consideradas as coisas como são na realidade, veremos que o injusto sagaz é como um atleta que corre bem na saída e mal no regresso. Larga com grande rapidez, mas ao fim da prova cai no ridículo, abandonando-a precipitadamente, com as orelhas caídas e sem coroa. O verdadeiro corredor, pelo contrário, chega ao termo da carreira, recebe o prêmio e é coroado.

Não costuma suceder assim com os justos? Não é verdade que ao cabo de cada uma de suas ações, de seu trato com os homens e de sua vida inteira granjeiam boa fama e as demais recompensas que a humanidade tem para oferecer?

— Indubitavelmente.

— Consentes, pois, em que eu transfira para eles tudo que disseste a respeito dos injustos? Quero declarar agora que os justos, quando alcançam a madureza, conquistam o mando em suas cidades se isso lhes interessa, casam com quem desejam e dão seus filhos em matrimônio a quem mais lhes agrada; enfim, tudo que afirmavas dos

É refutado tudo que se dissera no Livro II sobre as vantagens do injusto afortunado

outros eu afirmo deles. Quanto aos injustos, direi que, em sua maioria, se bem que escapem durante a juventude, são apanhados no final da carreira, fazendo-se com isso objetos de riso, e ao chegarem à velhice são arrastados na lama por forasteiros e concidadãos, espancados, e afinal sofrem todas aquelas coisas que tinhas com razão por tão duras. Mas reflete e dize-me se consentes nisto.

— Perfeitamente — respondeu —, pois é razoável o que dizes.

— Tais são, pois, os prêmios, recompensas e dons que em vida recebe o justo de homens e deuses, além dos que a virtude lhes confere por si mesma.

— E por certo — disse ele — que são belos e sólidos.

— E contudo nada são quando os comparamos, tanto em grandeza como em número, com o que está reservado a cada um desses homens depois da morte. E também isto convém que escuteis, a fim de que justos e injustos recebam na íntegra o que lhes é devido por nossa discussão.

— Fala — tornou Gláucon —, pois são poucas as coisas que ouviria com mais satisfação.

— Pois vou contar-te uma história; não uma narrativa como a que Ulisses fez a Alcínoo, mas a de um bravo homem,[32] Er, filho de Armênio e panfílio de nação. Morrera ele em batalha

A visão de Er

e dez dias depois, quando foram recolher os cadáveres já putrefatos, o seu foi encontrado intato e levado para casa a fim de ser enterrado. E no décimo segundo dia, já estendido na pira funerária, retornou à vida e contou o que tinha visto no outro mundo. Disse que, depois de sair do corpo, sua alma se pusera a caminho com muitas outras, chegando por fim a um lugar maravilhoso onde apareciam na terra duas aberturas que comunicavam entre si e, em frente a elas e no alto, outras duas no céu. No espaço intermediário estavam sentados

O julgamento

uns juízes que, depois de pronunciar suas sentenças, escreviam-nas em rótulos que penduravam sobre o peito dos justos, e os mandavam subir através do céu, pelo caminho da direita; e aos injustos ordenavam que descessem pelo caminho da esquerda, levando também, mas às costas, o sinal de tudo quanto haviam feito. Ao aproximar-se, Er, disseram--lhe que seria ele o mensageiro encarregado de relatar aos homens as coisas do outro mundo e convidaram-no a olhar e escutar tudo que ali sucedia; e assim viu como, depois de julgadas, as almas se retiravam por uma das aberturas do céu e outra da Terra; e como, por uma das restantes, saíam da Terra cobertas de sujeira e de pó, enquanto pela última desciam mais almas do céu, limpas e brilhantes. E as que iam chegando pareciam vir de uma longa viagem; espalhavam-se jubilosas pela pradaria, acampavam como numa imensa feira, e todas as que se conheciam abraçavam-se e conversavam, perguntando às que vinham da Terra pelas coisas de além e às do céu, pelas lá de baixo. E contavam umas às outras o que havia sucedido em caminho, as primeiras entre prantos e gemidos, recordando as coisas vistas e ouvidas durante sua viagem subterrânea, que durara mil anos; as que vinham do céu falavam de sua bem-aventurança e de visões de inenarrável beleza. Levaria muito tempo, Gláucon, se quisesse referir tudo em detalhe, mas o principal era o seguinte: disse ele que cada uma pagava em décuplo a pena de todas as injustiças

Cada delito é pago em décuplo

e ofensas feitas aos demais, e cada vez pelo espaço de cem anos, que é a duração computada para a vida humana... um total, pois, de mil anos por delito. Se, por exemplo, alguns dentre eles houvessem causado grande número de mortes, atraiçoado ou reduzido à escravidão cidades e exércitos, ou, enfim, fossem responsáveis por qualquer calamidade semelhante, expiavam cada um desses crimes com padecimentos dez vezes maiores; e a recompensa das boas obras, da justiça e da piedade era na mesma proporção. Escuso de repetir o que ele disse sobre as crianças que morriam logo depois de nascer; mas quanto à piedade ou impiedade para com os deuses e os pais, e também quanto ao homicídio à mão armada, contava que as sanções eram outras e muito maiores.

Os incorrigíveis

— Achava-se presente quando um dos espíritos perguntou a outro onde estava Ardieu, o Grande. Esse Ardieu tinha sido, mil anos antes, tirano de uma cidade da Panfília depois de matar seu velho pai e seu irmão maior e de cometer, segundo se dizia, muitos outros crimes abomináveis. E contava Er que o interrogado respondeu:

"Não veio nem é de crer que jamais venha aqui. E esse foi um dos espetáculos horríveis que contemplamos. Estávamos diante da boca da caverna e a ponto de subir, depois de haver passado entre todas aquelas cenas desoladoras, quando de repente vimos esse Ardieu e outros, tiranos em sua maioria; e havia também alguns particulares que tinham sido grandes criminosos; mas cada vez que um desses pecadores incorrigíveis ou algum que não houvesse pagado suficientemente a sua pena se dispunha a subir, a boca soltava um rugido e negava-se a recebê-lo; então uns homens selvagens que se achavam por perto e que pareciam feitos de chamas, ao ouvir o rugido, agarravam alguns pelo meio do corpo e os carregavam dali; a Ardieu e outros ataram as mãos, os pés e a cabeça e, jogando-os ao solo, os vergastaram, após o que os arrastaram sobre as ervas espinhentas da beira da estrada, cardando-os como lá; e declaravam aos passantes quais eram os crimes desses miseráveis a quem iam levando para arrojá-los no Tártaro."

E, dos muitos terrores que já haviam experimentado, disse que o pior fora o de ouvir aquela voz na subida; e quando calava, subiam um por um com inexprimível contentamento. Tais eram as penas e castigos, e não menores que estes as recompensas.

Ora, depois de passar sete dias naqueles prados, cada um tinha de levantar acampamento no oitavo e seguir viagem; e quatro dias mais tarde chegavam a um lugar elevado, de onde podiam divisar uma linha de luz, reta como uma coluna, estendendo-se através do céu e da Terra, e de cor muito parecida com a do arco-íris, se bem que mais brilhante e mais pura. Mais um dia de jornada e estavam lá, no meio da luz; viram então as extremidades das cadeias que partiam do céu, pois essa luz o cingia inteiramente, mantendo unida toda a sua esfera como as ligaduras das trirremes. De uma extremidade à outra se estendia o fuso da Necessidade, que faz girar todas as esferas.

As esferas dos corpos celestes

Seu eixo e seu gancho eram feitos de aço, e a roda, em parte de aço e em parte também de outros materiais. E a forma dessa roda era como a das que se usam na Terra, mas, ao que disse ele, devemos imaginá-la como uma roda vazia e inteiramente oca em que se houvesse embutido outra semelhante, porém menor, como as caixas que se ajustam umas dentro das outras; e depois dessa uma terceira, uma quarta, e várias outras, até completar o número de oito. Essas rodas encaixadas umas nas outras mostravam, na parte de cima, as suas bordas como círculos, formando uma superfície plana em volta do eixo, que atravessava de parte a parte o centro da oitava. A primeira roda e a exterior tinha mais larga que as das outras a sua borda circular; seguiam-se, em ordem de largura: a da sexta, a da quarta, a da oitava, a da sétima, a da quinta, a da terceira e a da segunda.[33] A maior era estrelada; a da sétima, a mais brilhante; a da oitava recebia sua cor do brilho refletido da sétima; as da segunda e da quinta eram semelhantes entre si e mais amareladas do que as outras; a terceira era a mais branca de todas; a quarta, avermelhada; e a sexta, a segunda em brancura. O fuso todo girava com movimento uniforme, e dentro desse todo a remoinhar os sete círculos interiores davam voltas por sua vez, vagarosamente e em sentido contrário ao do conjunto; desses, o que tinha mais velocidade era o oitavo; seguiam-se o sétimo, o sexto e o quinto, que se moviam de concerto; o quarto parecia ser o terceiro na velocidade desse movimento retrógrado; em quarto lugar vinha o terceiro; e em quinto, o segundo. Quanto ao próprio fuso, girava no regaço da Necessidade, e em cima de cada círculo ia uma sereia que também dava voltas e entoava uma nota musical, sempre a mesma; e da união dessas oito vozes formava-se uma harmonia. Em redor, sentadas cada uma num trono e a distâncias iguais, havia três outras mulheres; eram as Parcas, filhas da Necessidade, vestidas de branco e com ínfulas na cabeça — Láquesis, Cloto e Átropos, todas três a acompanhar com suas vozes a harmonia das sereias. Láquesis cantava as coisas passadas; Cloto, as presentes; e Átropos, as futuras. Cloto ajudava de quando em quando as revoluções do círculo exterior com um toque da mão direita; e Átropos fazia o mesmo aos interiores, com a esquerda; quanto a Láquesis, usando ora a direita, ora a esquerda, aplicava-se alternativamente ao de fora e aos de dentro.

E contou que todos eles, uma vez chegados ali, deviam dirigir-se para Láquesis; que um certo profeta os colocava previamente em fila e, depois de apanhar no regaço da própria Láquesis umas sortes e uns modelos de vida, subia a uma alta tribuna e dizia:

A proclamação do livre-arbítrio

"Esta é a palavra da virgem Láquesis, filha da Necessidade. Almas efêmeras, eis que começa para vós um novo ciclo de vida mortal. Não é o Fado que vos escolhe, e sim vós que escolheis o vosso fado. Que o primeiro indicado pelo sorteio seja o primeiro a eleger o seu gênero de vida: ao qual ficará inexoravelmente unido. A virtude é livre, e cada um participará mais ou menos dela conforme a estima ou o menosprezo em que a tiver. A responsabilidade é de quem escolhe: Deus está inocente nisso."

Tendo falado assim, jogou as sortes à multidão e cada qual apanhou a que caíra a seu lado, exceto Er, a quem não se permitiu fazê-lo; e ao apanhá-la, cada um ficava conhecendo o seu lugar na ordem de escolha. Então o profeta colocou no chão, diante deles, os modelos de vidas; e eram estes de todos os tipos, e em número muito maior que o das almas presentes: as vidas de cada animal e de cada condição humana. Havia entre elas existências de tiranos, umas levadas até o fim e outras interrompidas em meio e terminando em pobreza, exílio ou mendicância. E havia vidas de homens famosos, uns pelo garbo e beleza ou pela robustez e vigor na luta, outros pelo nascimento e pelos grandes feitos de seus antepassados; havia-as também de homens obscuros, e coisa igual sucedia com as das mulheres. Não havia, porém, espécies de almas, pois estas se tornavam por força diferentes ao escolher uma nova vida; mas todas as outras qualidades apareciam misturadas entre si e com elementos variados de pobreza e riqueza, de saúde e doença, havendo também condições intermediárias. E aí, meu querido

A complexidade das circunstâncias em sua relação com a alma

Gláucon, reside o supremo perigo para o homem, fazendo-se necessária a maior cautela. Que cada um de nós procure adquirir esse conhecimento, ainda que tenha de descurar tudo mais, e veja se há meio de aprender ou se encontra alguém que o ensine a distinguir entre a vida proveitosa e a miserável e a escolher sempre e em todas as partes a melhor possível. Para isso terá de considerar a relação que todas as coisas de que falamos têm com a virtude, quer isoladamente, quer combinadas entre si; de saber o bem ou o mal que produzirá a beleza unida a tal ou qual disposição de alma numa pessoa pobre ou rica, e também o que resultará da combinação entre o bom ou mau nascimento, a condição privada ou os postos de comando, a robustez ou a fraqueza, a facilidade ou rudeza para aprender e todas as demais qualidades inatas na alma ou adquiridas por ela. E assim, comparando-as todas em sua mente, será capaz de fazer a escolha se determinar a bondade ou maldade da vida de acordo com a natureza da alma e, chamando melhor a que a torna mais justa e pior a que a torna mais injusta, deixar de lado tudo mais; pois já vimos que essa é a melhor escolha para o homem, tanto na vida como depois da morte. Deve ele levar consigo para o Hades essa opinião inquebrantável, a fim de não se deixar ofuscar ali pelo desejo da riqueza e outras seduções do mal e para não cair em tiranias e outras práticas do mesmo gênero, com o que causa males irremediáveis a seu próximo e ele mesmo sofre outros muito piores; que saiba escolher sempre, uma vida média entre os extremos e evitar tanto quanto possível os excessos em um ou outro sentido, tanto nesta vida como na futura, pois é esse o caminho da felicidade.

E, segundo contava o mensageiro do outro mundo, então o profeta falou assim: "Até para o último a chegar, se escolhe com discrição e vive diligentemente, há uma existência boa e aprazível. Que não se descuide o primeiro a escolher, nem desespere o último." E em seguida adiantou-se o que fora designado como primeiro pela sorte e escolheu a maior tirania; cegado pela sua avidez e toleima, não fizera o necessário exame prévio e não se deu conta de que estava destinado, entre outras calamidades, a devorar seus próprios filhos; mas quando refletiu com mais vagar, pôs-se a bater no peito e a lamentar a sua escolha, esquecendo a proclamação do profeta; pois, em vez de se reconhecer culpado daquela desgraça, acusava a fortuna, os fados — numa palavra, tudo menos a si mesmo. E esse era um dos que tinham vindo do céu e em sua existência anterior vivera numa república bem regida, mas sua virtude fora uma simples questão de hábito, pois filosofia não tinha. E, em geral, era do céu que provinha o maior número dos que assim se deixavam ludibriar por não terem passado pela escola das provações, enquanto a maioria dos que subiam da Terra, e que haviam padecido e visto padecer a outros, não se davam tanta pressa em escolher. Devido a isso e à sorte que lhes coubera, muitas almas trocavam uma existência má por outra boa, e vice-versa. Porque se ao chegar a este mundo um homem se dedicasse sempre à sã filosofia e não tivesse recebido um dos últimos lugares no sorteio, não só poderia, segundo contava o mensageiro, ser feliz aqui, mas sua viagem à outra vida e seu regresso a esta se faria por um caminho fácil e celeste, e não escarpado e subterrâneo.

A escolha das vidas

Tal, dizia ele, era aquele curioso espetáculo em que as almas, uma por uma, escolhiam suas vidas — curioso, e ao mesmo tempo lamentável, ridículo e estranho: porque a maior parte escolhia de acordo com os hábitos que trouxera da existência anterior. E contou como tinha visto a alma que fora de Orfeu escolher uma vida de cisne, por ódio às mulheres, pois não queria nascer de uma mulher quem fora trucidado por elas; vira também a alma de Tâmiras eleger uma vida de rouxinol, e um cisne que trocava a sua pela humana, coisa que igualmente faziam outros animais cantores. À alma a quem tocara por sorte o vigésimo lugar escolhera uma vida de leão: era a de Ajax Telamônio, que não queria voltar a ser homem, recordando a injustiça que lhe fora feita no julgamento das armas. A seguinte era a de Agamenon, o qual, odiando também a raça humana por causa de seus padecimentos, tomara uma vida de águia. À alma de Atalanta coube um dos lugares medianos; e, vendo a grande fama de um atleta, não resistiu à tentação. Depois dela veio a de Epeu, filho de Panopeu, que trocou sua condição pela de uma mulher laboriosa; e entre as últimas, a do ridículo Tersites, que assumiu forma de macaco. E sucedeu que coubera a Ulisses escolher em derradeiro lugar; desiludido da ambição pela lembrança de suas anteriores fadigas, andou muito tempo dando voltas em busca de uma vida de homem comum e despreocupado, e assim que a encontrou, largada a um canto e esquecida pelos outros, escolheu-a radiante, dizendo que o mesmo teria feito se sua vez fosse a primeira em lugar da última. De igual modo se faziam as transformações de animais em homens ou em outros animais: os maus em criaturas ferozes, e os bons em seres mansos, ocorrendo também aí toda classe de combinações.

E, depois de haverem todas as almas escolhido suas vidas, aproximavam-se de Láquesis conforme à mesma ordem que lhes tocara; e ela dava a cada uma, como guardião de sua vida e executor de sua escolha, o fado que elegera. Este conduzia então a alma para junto de Cloto e a colocava sob o giro do fuso impelido pela mão desta, ratificando assim o destino de cada um. Uma vez presa ao seu destino, era levada a Átropos, que torcia os fios e os tornava irreversíveis; daí, sem se virarem para trás, passavam sob o trono da Necessidade e, tendo chegado todas ao outro lado, encaminhavam-se para o Campo do Esquecimento, debaixo de um calor abrasador, pois esse campo era uma planície despida de árvores e de tudo quanto produz a Terra. Ao cair da tarde acampavam junto ao Rio da Despreocupação, cuja água não há vasilha alguma que possa conter. Dessa água eram todos obrigados a beber certa quantidade, e os que não se continham pela prudência bebiam mais que o necessário; e, ao beber, cada qual se esquecia de todas as coisas. E pela meia-noite, quando estavam todos deitados a repousar, sobreveio uma trovoada e um tremor de terra, e num instante foram arrastados para cima em todas as direções, cada qual rumo ao lugar de seu nascimento, deslizando à maneira de estrelas. A Er, todavia, não fora permitido beber daquela água; mas por que caminho ou de que modo retornara ao seu corpo não o sabia, só que pela manhã, acordando subitamente, dera consigo estendido na pira.

E assim, Gláucon, salvou-se este relato e não se perdeu, e ainda nos pode salvar a nós se lhe dermos crédito; pois, estando precavidos, atravessaremos sem perigo o Rio do Esquecimento e não contaminaremos nossa alma. Portanto, meu alvitre é que sigamos sempre o caminho do alto e pratiquemos de todos os modos a justiça, com inteligência, tendo em mente que a alma é imortal e capaz de suportar todos os males e todos os bens. E assim seremos amigos de nós mesmos e dos deuses, tanto durante nossa permanência aqui como depois de recebermos os galardões daquelas virtudes, a exemplo dos vencedores nos jogos, quando dão volta à arena para recolher seus prêmios. E não só aqui, mas também na viagem de mil anos que estivemos descrevendo, seremos felizes.

Notas

¹ Bêndis, a Ártemis (Diana) dos trácios.

² Segundo uma antiga superstição dos camponeses de certas regiões da Europa, uma pessoa assaltada por um lobo fica muda quando a fera a vê antes de ser vista por ela.

³ É bem conhecida a história da competição musical entre Apolo, tocador de cítara, e o sátiro Mársias, flautista, em que este último saiu derrotado.

⁴ Deus da medicina, que os romanos chamaram Esculápio.

⁵ Parece tratar-se de um jogo chamado das cidades, em que tanto recebia o nome de "cidade" cada casa do tabuleiro como o conjunto das casas ocupadas por cada jogador.

⁶ A Hidra de Lerna tinha nove cabeças, que renasciam imediatamente ao serem cortadas, a não ser que fossem decepadas todas de um só golpe. Constituiu este um dos Doze Trabalhos de Hércules.

⁷ As peças burlescas do teatro siracusano ("mimos"), de que Platão era grande apreciador, dividiam-se em duas partes, a primeira com personagens exclusivamente do sexo masculino e a segunda, do feminino. A presente passagem parece sugerir que se costumava deixar estas últimas para o fim.

⁸ Isto é, dos jogos olímpicos. Os vencedores das Olimpíadas acreditavam conseguir, com a vitória, a felicidade de toda a sua vida.

⁹ A adivinha em questão era a seguinte: "Um homem que não era homem, vendo um pássaro que não era pássaro pousado num pau que não era pau, atirou-lhe e não lhe atirou uma pedra que não era pedra." Resposta: um eunuco, vendo um morcego pousado numa cana, atirou-lhe uma pedra-pomes e não acertou.

¹⁰ Deus da zombaria e da crítica.

¹¹ Isto é, a força bruta.

¹² Segundo Heráclito, o Sol se apagava todas as noites e tornava a acender-se pela manhã.

¹³ Sócrates alude à semelhança entre as palavras οὐρανός (céu) e ὁρατός (visível).

¹⁴ Isto é, as contidas na segunda subdivisão do primeiro segmento.

¹⁵ *Óstrakon*. Era um jogo disputado entre dois grupos adversários. Um dos jogadores lançava sobre uma raia traçada no chão um caco pintado de preto numa das faces e de branco na outra, gritando simultaneamente: "noite ou dia". Conforme o lado que caísse voltado para cima, um dos bandos corria em perseguição do outro.

¹⁶ Cidade bela, isto é: a cidade ideal.

¹⁷ Tal é a ficção de Homero na *Odisseia*.

¹⁸ Desta passagem intencionalmente obscura (até as palavras "cem cubos da tríada") têm sido dadas explicações numéricas que, como é natural, são bastante complexas. Como, porém, divergem entre si, não conseguindo convencer e pouco contribuindo para esclarecer o texto, não reproduzimos aqui nenhuma delas. A intenção de Sócrates é irônica, pois o que realmente deseja mostrar é a impossibilidade de controlar as forças que presidem à transmissão das qualidades hereditárias.

¹⁹ Alude a Plutão, deus da riqueza.

²⁰ Povo lendário que se alimentava de lótus, o que os fazia viver na indolência e no olvido de tudo. Os companheiros do jovem oligárquico são comparados a eles porque vivem completamente esquecidos de sua origem divina.

²¹ Expressão com que Homero descreve o cadáver de um guerreiro tombado em batalha.

²² Isto é, o amor, que se sobrepõe a todos os outros desejos.

²³ É este o caso do próprio Platão, que visitou a corte de Dionísio, o Antigo, tirano de Siracusa, e mais tarde procuraria fazer do filho deste, Dionísio, o Moço, um rei-filósofo conforme ao modelo apresentado na *República*. O autor põe nos lábios de Sócrates as suas observações pessoais.

²⁴ Estesícoro já foi mencionado no *Fedro*. Trata-se do poeta que compôs, na primeira metade do século VI a.C., um poema sobre o cerco de Troia e (segundo se conta naquele diálogo), tendo sido castigado

pelos deuses com a cegueira pelas calúnias que levantou contra Helena, escreveu mais tarde uma "palinódia" (retratação), graças à qual recuperou a vista.

[25] Isto é, um número que é o produto de outros dois (neste caso, o número 9, produto de *3* por *3*).

[26] O número 729 corresponde muito aproximadamente à soma dos dias e das noites contidos num ano.

[27] Diz a lenda que Erifila, em troca de um colar de ouro, entregou seu marido, Anfiarau, a Polinice, para que este o matasse. Seu filho Alcmeon vingou a morte do pai, matando-a por seu turno.

[28] Isto é, Deus. Platão usa aqui a expressão com que se designavam habitualmente os herdeiros do trono persa: "o terceiro a contar do rei" etc.

[29] *Kreóphylos*: descendente da carne.

[30] Divindade marinha. Segundo a lenda, era um pescador beócio que se tornou imortal após comer uma erva mágica e atirar-se ao mar.

[31] O qual tinha, também, o dom de tornar invisível.

[32] Sócrates faz um jogo de palavras com *apólogon Alkínou* (narrativa de Alcínoo) e *alkímou andrós* (de um homem valente). Por "narrativa de Alcínoo" entendia-se o relato que Ulisses fez de suas aventuras a Alcínoo, rei dos feácios, e que abrange os cantos IX a XII da *Odisseia*. A expressão tornara-se proverbial e designava comumente uma história interminável, mas Platão parece antes querer contrastar o caráter puramente episódico da visita de Ulisses aos infernos (Canto XI) com o simbolismo filosófico da visão de Er.

[33] As bordas das oito rodas representam, de fora para dentro, os círculos das estrelas fixas (1), de Saturno (2), Júpiter (3), Marte (4), Mercúrio (5), Vênus (6), Sol (7) e Lua (8). A Terra forma o centro. As larguras correspondem, provavelmente, às supostas distâncias que separam as órbitas desses corpos celestes.

DIREÇÃO EDITORIAL
Daniele Cajueiro

EDITORA RESPONSÁVEL
Ana Carla Sousa

PRODUÇÃO EDITORIAL
Adriana Torres
André Marinho

REVISÃO
Rita Godoy

DIAGRAMAÇÃO
Larissa Fernandez Carvalho

Este livro foi impresso em 2020
para a Nova Fronteira.